重大事故
应急救援系统及预案导论

吴宗之 刘 茂 编著

北 京

冶金工业出版社

2022

内 容 简 介

本书阐述了重大工业事故应急管理的基本概念和内容，系统介绍了重大事故应急救援系统的结构、组成、应急预案的分级、分类及基本要素，应急预案的编制程序和文件体系，详细叙述了企业事故应急救援的程序和应急行动办法，介绍了应急救援培训、训练、演习的组织和策划基本方法、应急救援预案基本格式和内容，应急救援预案检查表等。

本书可供企业安全技术人员、安全管理人员、政府安全生产监督管理人员和紧急事务管理人员落实贯彻 2002 年 11 月 1 日开始实施的《中华人民共和国安全生产法》，建立事故应急救援体系、制定事故应急救援预案时阅读参考，也可作为高等院校安全工程专业师生的教材或教学参考书。

图书在版编目(CIP)数据

重大事故应急救援系统及预案导论/吴宗之，刘茂编著 . —北京：冶金工业出版社，2003.4 (2022.5 重印)

ISBN 978-7-5024-3233-1

Ⅰ.①重…　Ⅱ.①吴…　②刘…　Ⅲ.①工伤事故—应急系统—急救—概论　Ⅳ.①X928.04

中国版本图书馆 CIP 数据核字(2013)第 034480 号

重大事故应急救援系统及预案导论

出版发行	冶金工业出版社	电　话	(010)64027926
地　址	北京市东城区嵩祝院北巷 39 号	邮　编	100009
网　址	www.mip1953.com	电子信箱	service@ mip1953.com

责任编辑　张　卫　美术编辑　彭子赫　版式设计　张　青
责任校对　王贺兰　责任印制　禹　蕊
北京虎彩文化传播有限公司印刷
2003 年 4 月第 1 版，2022 年 5 月第 6 次印刷
787mm×1092mm　1/16；14 印张；336 千字；211 页
定价 38.00 元

投稿电话　(010)64027932　投稿信箱　tougao@cnmip.com.cn
营销中心电话　(010)64044283
冶金工业出版社天猫旗舰店　yjgycbs.tmall.com
(本书如有印装质量问题，本社营销中心负责退换)

前　言

　　20 世纪 80 年代中期以来,相继发生了一系列灾难性工业事故,尤其是 1984 年 11 月 19 日墨西哥城的天然气泄漏爆炸,452 人死亡;1984 年 12 月 3 日印度博帕尔毒物泄漏事故,造成了 2800 多人死亡,12.5 万人中毒。根据国际劳工组织统计,每年有 130 多万工人死于意外事故或与工作相关的疾病,造成的经济损失大约占 GDP 的 4%。近几年,随着我国经济高速发展,各类事故居高不下,每年交通和工伤事故死亡人数达 10 余万人,其中工矿企业事故死亡人数约达 1.5 万人,每年发生一次死亡 10 人以上的事故 100 多起。重大、特大事故频繁发生,阻碍了我国社会经济的可持续发展。党的十六大报告要求高度重视安全生产,保护国家财产和人民生命的安全,全面建设小康社会。创造一个安全、健康的工作和生活环境,是社会和民众的普遍愿望。从安全哲学的观点看,安全是相对的,危险是绝对的,事故是可以预防的,但目前的安全科学技术还没有发展到能有效预测和预防所有事故的程度,因此,事故的应急救援是必不可少的。事故的应急救援是近 10 年来产生的一门新兴的安全专业和职业,是安全科学技术学科的重要组成部分,其主要目标是控制紧急事件的发生与发展并尽可能消除事故,将事故对人、财产和环境的损失减小到最低程度。工业化国家的统计表明,有效的应急系统可将事故损失降低到无应急系统的 6%。2003 年 2 月 18 日发生在韩国大丘市的地铁火灾更进一步证明了应急救援对事故预防和控制的重要作用。据调查认为,有人在 1079 号地铁列车上纵火,而该车司机和 1080 号列车司机未能及时向中央控制室报告火灾发生情况,也未能采取有效措施帮助乘客逃生。1080 号列车司机在逃离火灾现场时,还拔走了机车的主控钥匙,致使列车完全断电,车门不能打开,大批乘客死亡;而中央控制室工作人员没有及时观察电视监控画面,没有对司机及时下达正确的指令,中央控制室维护人员将火灾警报误认为是警报系统故障,耽误了救助工作。此外,发生事故后没有及时采取疏散等措施是造成一百多人死亡,一百多人受伤的主要原因。这是一起典型的缺乏事故应急救援管理和应急行动指导的案例。如果一个企业制定有科学、合理、可行的事故应急救援预案,并进行必要的培训和演习,那么一旦发生事故,在岗人员就不会不知所措,或错误操作,而是按应急预案和程序实施应急处置,这样就可避免事故的扩大和惨剧的发生。可见,企业和政府主管部门依照《中华人民共和国安全生产法》做好应急救援预案的制定和培训，是必需的也是十分必要的。

　　事故应急救援是一项系统性和综合性的工作，既涉及科学、技术、管理，又涉及政策、法规和标准。我国在此方面无论是科学研究或是企业和政府的实际应用都起步较晚，缺乏系统的理论和实践指导。当前，国家安全生产监督管理局(国家煤矿安全监察局)正着眼于建立安全生产长效机制，全力建设安全生产"六个支撑体系"，其中事故应急救援体系是其重要组成部分。为贯彻落实《中华人民共和国安全生产法》、《中华人民共和国职业病防治法》、《中华人民共和国消防法》等法律和法规，改善和提高企业和政府相关部门应对紧急事件的处理和管理能力，作者在参考国内外相关材料的基础上，编写了此书，供企业安全技术人员、安全管理人员、政府安全生产监督管理人员建立事故应急救援体系和制定事故应急救援预案时阅读，供大专院校安全工程专业师生学习与参考。

　　限于作者知识和水平，书中谬误之处恳请读者批评指正。

编著者

2003 年 3 月

目 录

第一章

概　　论

1.1　事故应急管理简介

　　随着现代化生产的发展,其规模日趋扩大,生产过程中巨大能量潜在着危险源,尤其是重大火灾、爆炸、毒物泄漏事故危害极大。通过安全设计、操作、维护、检查等措施,可以预防事故,降低风险,但还达不到绝对的安全。因此,需要制定万一发生事故,应该采取的紧急措施和应急方法。事故应急系统是指通过事前计划和应急措施,充分利用一切可能的力量,在事故发生后迅速控制事故发展并尽可能排除事故,保护现场人员和场外人员的安全,将事故对人员、财产和环境造成的损失降低至最小程度。

　　20 世纪 70 年代以来,建立重大事故应急管理体制和应急救援系统受到国际社会普遍重视,许多工业化国家和国际组织都制定了一系列重大事故应急救援事故法规和政策,明确规定了政府有关部门、企业、社区的责任人在事故应急中的职责和作用,并成立了相应的应急救援机构和政府管理部门。1984 年印度博帕尔毒物泄漏事故发生后,美国于 1986 年发布了《应急计划与社区知情权法》(The Emergence Planning and Community Right-to-Know Act),1987 年美国联邦应急管理署、环保署、运输部发布了《应急计划技术指南》。欧盟在 1982 年发布了《重大工业事故危险法令》,并于 1986 年进行了修订和补充。1993 年国际劳工大会通过的《预防重大工业事故公约》,将应急计划(预案)作为重大事故预防的必要措施。在职业安全卫生管理体系中,应急计划是关键的要素之一。

　　事故应急管理的内涵如图 1.1 所示,包括预防、预备、响应和恢复四个阶段。尽管在实际情况中,这些阶段往往是重叠的,但他们中的每一部分都有自己单独的目标,并且成为下个阶段内容的一部分。事故应急管理四个阶段的内容与应对措施见表 1.1。

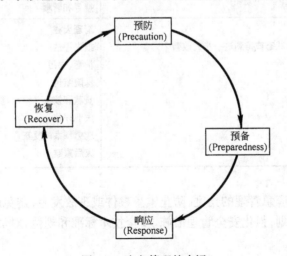

图 1.1　应急管理的内涵

表 1 1   事故应急管理四个阶段的内容与应对措施

阶 段	内容与应对措施
预 防 为预防、控制和消除事故对人类生命、财产和环境的危害所采取的行动	安全法律、法规、标准 灾害保险 安全信息系统 安全规划 风险分析、评价 土地勘测 建筑物安全标准、规章 安全监测监控 公共应急教育 安全研究 税务鼓励和强制性措施
预 备 事故发生之前采取的行动。目的是应对事故发生而提高应急行动能力及推进有效的响应工作	国家政策 应急预案(计划) 应急通告与报警系统 应急医疗系统 应急救援中心 应急公共咨询材料 应急培训、训练与演习 应急资源 互助救援协议 特殊保护计划 实施应急救援预案
响 应 事故发生前及发生期间和发生后立即采取的行动。目的是保护生命,使财产损失、环境破坏减小到最小程度,并有利于恢复	启动应急通告报警系统 启动应急救援中心 提供应急医疗援助 报告有关政府机构 对公众进行应急事务说明 疏散和避难 搜寻和营救
恢 复 使生产、生活恢复到正常状态或得到进一步的改善	清理废墟 损失评估 消毒、去污 保险赔付 贷款和核批 失业评估 应急预案的复查 灾后重建

　　预防工作就是从应急管理的角度,防止紧急事件或事故发生,避免应急行动。如制定安全法律、法规、安全规划,强化安全管理措施、安全技术标准和规范,对员工、管理者及社区进行应急宣传与教育等。

　　预备又称准备,是在应急发生前进行的工作,主要是为了建立应急管理能力。它把目标集中在发展应急操作计划及系统上。

响应又称反应,是在事故发生之前以及事故期间和事故后立即采取的行动。响应的目的,是通过发挥预警、疏散、搜寻和营救以及提供避难所和医疗服务等紧急事务功能,使人员伤亡及财产损失减少到最小。

恢复工作应在事故发生后立即进行,它首先使事故影响地区恢复最起码的服务,然后继续努力,使社区恢复到正常状态。要求立即开展的恢复工作包括事故损失评估,清理废墟、食品供应、提供避难所和其他装备;长期恢复工作包括厂区重建和社区的再发展以及实施安全减灾计划。

预备、响应和短期恢复工作,要求在政府部门和企业间协调和决策时具备熟练的战术,以便应对事故情况下的应急行动。长期恢复和减灾,则要求在计划、政策设计和采取降低风险行动以及控制潜在事故的影响方面,具有战略性的行动。

在应急行动产生之前,预防和预备阶段可持续几年、几十年,乃至几百年;然而,如果应急发生则导致随之的恢复阶段,新的应急管理又以预防工作开始。

事故应急救援预案又称事故应急计划,是事故预防系统的重要组成部分。应急预案的总目标是控制紧急事件的发展并尽可能消除事故,将事故对人、财产和环境的损失减小到最低限度。统计表明:有效的应急系统可将事故损失降低到无应急系统的百分之六。

《中华人民共和国安全生产法》要求:"生产经营单位的主要负责人员有组织制定并实施本单位的生产安全事故应急救援预案的职责"。"生产经营单位对重大危险源应当登记建档,进行定期检测、评估、监控,并制定应急预案,告知从业人员和相关人员在紧急情况下应当采取的应急措施"。"县级以上地方各级人民政府应急组织有关部门制定本行政区域内特大生产安全事故应急救援预案,建立应急救援体系"。

《中华人民共和国职业病防治法》要求:"用人单位应当建立、健全职业病危害事故应急救援预案"。

《中华人民共和国消防法》要求:"消防安全重点单位应当制定灭火和应急疏散预案,定期组织消防演练"。国务院《关于特大安全事故行政责任追究的规定》要求:"市(地、州)、县(市、区)人民政府必须制定本地区特大安全事故应急处理预案。本地区特大安全事故应急处理预案经政府主要领导人签署后,报上一级人民政府备案"。

国务院《危险化学品安全管理条例》要求:"县级以上地方各级人民政府负责危险化学品安全监督综合工作的部门应当会同同级其他有关部门制定危险化学品事故应急救援预案,报经本级人民政府批准后实施。危险化学品单位应当制定本单位事故应急救援预案,配备应急救援人员和必要的应急救援器材、设备,并定期组织演练。危险化学品事故应急救援预案应当报设区的市级人民政府负责危险化学品安全监督管理综合工作的部门备案"。

国务院《使用有毒物品作业场所劳动保护条例》要求:"从事使用高毒物品作业的用人单位,应当配备应急救援人员和必要的应急救援器材、设备,制定事故应急救援预案,并根据实际情况变化对应急救援预案适时进行修订,定期组织演练。事故应急救援预案和演练记录应当报当地卫生行政部门、安全生产监督管理部门和公安部门备案"。

国务院《特种设备安全监察条例》要求:"特种设备使用单位应当制定特种设备的事故应急措施和救援预案"。

重大事故应急救援是国际社会极其关注的一项社会性减灾防灾工作,既涉及科学技术,也涉及计划、管理、政策等。灾难性的事故对社会具有极大的危害,而救援工作又涉及众多部门和多种救援队伍的协调配合,所以,事故应急救援也就不同于一般事故的处理,成为一项社会性的系统工程,而受到政府和有关部门的重视。在我国大中城市以及化工、石油、建筑、矿山、冶金、电力等行业,正开始实施应急救援体系建设工作。建立重大事故应急救援预案和应急救援体系是一项复杂的安全系统工程。

事故应急救援包括事故单位自救和对事故单位以及事故单位周围危害区域的社会救援。其中工程救援和医学救援是应急救援中最主要的两项基本救援任务。本书主要介绍工程救援的基本程序和内容。

1.2　事故应急救援的基本原则和任务

事故应急救援工作是在预防为主的前提下,贯彻统一指挥、分级负责、区域为主、单位自救和社会救援相结合的原则。其中预防工作是事故应急救援工作的基础,除了平时做好事故的预防工作,避免或减少事故的发生外,落实好救援工作的各项准备措施,做到预有准备,一旦发生事故就能及时实施救援。重大事故所具有的发生突然、扩散迅速、危害范围广的特点,也决定了救援行动必须达到迅速、准确和有效,因此,救援工作只能实行统一指挥下的分级负责制,以区域为主,并根据事故的发展情况,采取单位自救和社会救援相结合的形式,充分发挥事故单位及地区的优势和作用。

事故应急救援又是一项涉及面广、专业性很强的工作,靠某一个部门是很难完成的,必须把各方面的力量组织起来,形成统一的救援指挥部,在指挥部的统一指挥下,安全、救护、公安、消防、环保、卫生、质检等部门密切配合,协同作战,迅速、有效地组织和实施应急救援,尽可能地避免和减少损失。

事故应急救援的基本任务包括下述几个方面:

(1)立即组织营救受害人员,组织撤离或者采取其他措施保护危害区域内的其他人员。抢救受害人员是应急救援的首要任务,在应急救援行动中,快速、有序、有效地实施现场急救与安全转送伤员是降低伤亡率,减少事故损失的关键。指导群众防护,组织群众撤离。由于重大事故发生突然、扩散迅速、涉及范围广、危害大,应及时指导和组织群众采取各种措施进行自身防护,并迅速撤离出危险区或可能受到危害的区域。在撤离过程中,应积极组织群众开展自救和互救工作。

(2)迅速控制危险源,并对事故造成的危害进行检验、监测,测定事故的危害区域、危害性质及危害程度。及时控制造成事故的危险源是应急救援工作的重要任务,只有及时控制住危险源,防止事故的继续扩展,才能及时有效地进行救援。特别对发生在城市或人口稠密地区的化学事故,应尽快组织工程抢险队与事故单位技术人员一起及时控制事故继续扩展。

(3)做好现场清洁,消除危害后果。针对事故对人体、动植物、土壤、水源、空气造成的现实危害和可能的危害,迅速采取封闭、隔离、洗消等措施。对事故外溢的有毒有害物质和可能对人和环境继续造成危害的物质,应及时组织人员予以清除,消除危害后果,防止对人的继续危害和对环境的污染。对危险化学品事故造成的危害进行监测、处置,直至符合国家环境保护标准。

(4)查清事故原因,评估危害程度。事故发生后应及时调查事故的发生原因和事故性质,评估出事故的危害范围和危险程度,查明人员伤亡情况,做好事故调查。

1.3 事故应急救援系统

由于自然灾害或人为原因,当事故或灾害不可避免的时候,有效的应急救援行动是惟一可以抵御事故或灾害蔓延并减缓危害后果的有力措施。因此,如果在事故或灾害发生前建立完善的应急救援系统,制定周密救援计划,而在事故发生时采取及时有效的应急救援行动,以及事故后的系统恢复和善后处理,可以拯救生命、保护财产、保护环境。

应急救援系统应包括以下几个方面的主要内容:

(1) 应急救援组织机构;

(2) 应急救援预案(或称计划);

(3) 应急培训和演习;

(4) 应急救援行动;

(5) 现场清除与净化;

(6) 事故后的恢复和善后处理。

1.3.1 应急救援系统的组织机构

应急救援系统的组织结构包括图1.2所示五个方面的运作机构:

(1) 应急指挥机构——协调应急组织各个机构运作和关系;

(2) 事故现场指挥机构——负责事故现场应急的指挥工作、人员调度、资源的有效利用;

(3) 支持保障机构——提供应急物质资源和人员支持的后方保障;

(4) 媒体机构——安排媒体报道、采访、新闻发布会;

(5) 信息管理机构——信息管理、信息服务。

各机构要不断调整运行状态,协调关系,形成整体,使系统快速、有序、高效地开展现场应急救援行动。

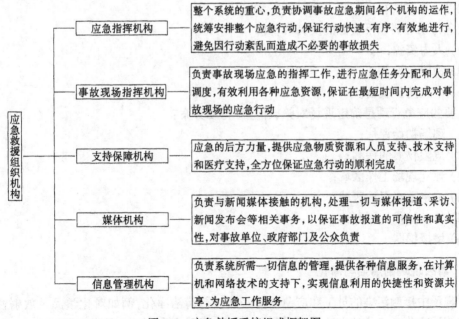

图1.2 应急救援系统组成框架图

1.3.2　应急救援预案

要保证应急救援系统的正常运行必须事先制定一个应急救援预案(又称应急计划),用计划指导应急准备、训练和演习,乃至迅速高效的应急行动。

(1) 对可能发生的事故进行预测和评价;

(2) 人力、物资等资源的确定与准备;

(3) 明确应急组织和人员的职责;

(4) 设计行动战术和程序;

(5) 制定训练和演习计划;

(6) 制定专项应急计划;

(7) 制定事故后清除和恢复程序。

1.3.3　应急训练和演习

训练和演习可以看作应急预案的一部分或继续。它是通过培训和演练,把应急预案加以验证和完善,确保事故发生时应急预案得以实施和贯彻。主要目的是:

(1) 测试预案和程序的充分程度;

(2) 测试紧急装置、设备及物质资源供应;

(3) 提高现场内、外的应急部门的协调能力;

(4) 判别和改正预案的缺陷;

(5) 提高公众应急意识。

1.3.4　应急救援行动

发生火灾、爆炸和有毒物质泄漏等紧急情况时,所采取的营救与疏散、减缓与控制、清除与净化等一系列的行动都是应急救援行动。

应急行动需要以下资源的支持和保障:

(1) 人力资源;

(2) 物资与设备;

(3) 个人防护装备。

首要的应急行动是确定现场对策,即应急行动方案:

(1) 现场初始评估;

(2) 危险物质的探测;

(3) 建立现场工作区域;

(4) 确定重点保护区域;

(5) 行动的优先原则;

(6) 增援梯队。

1.3.5　事故现场的清洁与净化

对现场中接触污染的员工和应急队员必须进行清洁净化,例如对化学品及放射性物质污染的清洁净化。净化的方法主要是稀释、处理、物理去除、中和、吸附和隔离等。

此外,还要考虑伤害和医疗前的净化、分类及处理。

设备的清洁也是应急行动的一个环节,在事故发生后要对被污染的仪器和设备进行清洁、清理。

1.3.6　事故后的恢复

在应急救援行动结束后必须对系统进行恢复,而且尽快恢复最重要。恢复活动主要包括:

(1) 现场警戒和安全;

(2) 清洁;

(3) 对从业人员提供帮助;

(4) 对破坏损失的评估;

(5) 保险的索赔;

(6) 事故调查;

(7) 重建。

1.4　应急救援系统的运作

应急救援系统内各个机构的协调努力是圆满处理各种事故的基本条件。当发生事故时,由信息管理机构首先接收报警信息,并立刻通知应急指挥机构和事故现场指挥机构在最短时间内赶赴事故现场,投入应急工作,并对现场实施必要的交通管制。如有必要,应急指挥机构进而通知媒体和支持保障单位进入工作状态,并协调各机构的运作,保证整个应急行动能有序高效地进行。同时,事故指挥机构在现场开展应急的指挥工作,并保持与应急指挥机构的联系,从支持保障机构调用应急所需的人员和物质支持投入事故的现场应急。同时,信息管理机构为其他各单位提供信息服务。这种应急救援运作能使各机构明确自己的职责,管理统一,从而满足事故应急救援快速、有效的需要。

应急救援系统为顺利完成救援任务,首先应明确系统的结构体制(见图1.3)。

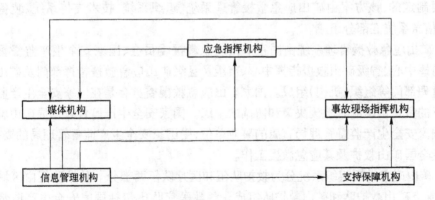

图1.3　应急救援系统各中心关系图

前面已经论述了各机构在应急救援系统中的职责和功能。当事故发生时,系统进入有效的整体运作状态,完成整个应急救援任务,实现减轻事故后果的目的。

上述应急救援系统是以模块化设计为主进行的,通过对系统内五个方面机构的设计和建立,以实现机构的快速反应、整体行动、信息共享,尽可能提高应急救援的速度,缩短救援作业的时间,降低事故灾害后果。该系统能够在应急救援行动中动态调整应急救援行动,最大可能地完成最优化的应急救援。在该系统的建设中,应尽可能注意各机构的优势和能力的协调,强调一体化管理,步调要一致,行动要迅速,配备训练有素的救援人员和必要的设备等,从而保证应急救援系统的有效运转。

1.5　应急救援的组织准备与基本程序

应急救援准备工作,主要抓好组织机构、人员、装备三落实,并制定切实可行的工作制度,使救援的各项工作达到规范化管理。

目前在我国各大中城市和有关政府部门正在建立事故应急救援机构。上海市人民政府于1991年7月5日颁布命令,明确上海市化学事故应急救援工作由市和区、县抗灾救灾委员会领导,日常工作由市和区、县民防办公室负责,组建起化学事故应急救援专家委员会和救援专业队伍,实行24小时的昼夜值勤制度。

2002年5月1日发布实施的《南宁市社会应急联动规定(试行)》是中国的第一个多部门、多警种应急联动地方政府法规。南宁市社会应急联动中心的地理信息系统由公安、交警、消防、急救、防洪、护林防火、防震、防空、水、电、气等56类应急救助资源和经济社会发展信息构建而成的信息化、数字化“南宁”平台,覆盖市辖区10092平方公里(含武鸣、邕宁两县)。南宁市110报警服务台、火警119、急救120、交警122等报警救助系统、市长公开电话12345及水、电、管道燃气、防洪、护林防火、防震、防空等应急救助系统纳入统一的指挥调度系统。公安部2002年6月向全国公安系统正式推广南宁市社会应急联动中心的社会应急联动工作模式。

2003年2月国家安全生产监督管理局(国家煤矿安全监察局)成立了“矿山救援指挥中心”和“国家矿山应急救援委员会”,并着手国家矿山应急救援体系建设。

国家矿山应急救援体系建设方案是根据国家安全生产监督管理局(国家煤矿安全监察局)关于建立国家矿山应急救援体系的工作部署,依据《中华人民共和国安全生产法》、《中华人民共和国矿山安全法》、《煤矿安全监察条例》及其他法律法规和矿山应急救援工作发展的客观需要制定的,该方案由矿山应急救援管理系统、组织系统、技术支持系统、装备保障系统、通讯信息系统五部分组成。

(1)矿山应急救援管理系统由国家矿山应急救援委员会、国家安全生产监督管理局矿山救援指挥中心、省级矿山救援指挥中心、市级及县级矿山应急救援指挥部门及矿山企业应急救援管理部门等组织(机构)组成。国家矿山应急救援委员会是在国家安全生产监督管理局领导下的负责矿山应急救援决策和协调的组织。国家安全生产监督管理局矿山救援指挥中心是国家安全生产监督管理局直属的事业单位,受国家安全生产监督管理局的委托,负责组织协调全国矿山救护及其应急救援工作。

(2)矿山应急救援组织系统分为救护队伍和医疗队伍两部分。救护队伍由区域矿山救援基地、重点矿山救护队和矿山救护队组成。急救医疗队伍包括国家安全生产监督管理局矿山医疗救护中心、区域和重点医疗救护中心和企业医疗救护站。负责矿山重大事故的救护及医疗。

(3)矿山救援技术支持系统包括国家矿山应急救援专家组、国家安全生产监督管理局矿山救援技术研究实验中心、国家安全生产监督管理局矿山救援技术培训中心。负责为矿山应急救援工作提供技术和培训服务。

(4) 矿山应急救援装备保障系统的基本框架是：国家安全生产监督管理局矿山救援指挥中心购置先进的、具备较高技术含量的救灾装备与仪器仪表，储存在区域矿山救援基地，用于支援重大、复杂灾害的抢险救灾；区域矿山救援基地要按规定进行装备并加快现有救护装备更新改造，配备较先进、关键性的救灾技术装备，用于区域内或跨区域矿山灾害的应急救援；重点矿山救护队负责省(市、自治区)内重大、特大矿山事故的应急救援，按规定配齐常规救援装备并保持装备的完好性。

(5) 矿山应急救援通讯信息系统以国家安全生产监督管理局中心网站为中心点，建立完善的矿山抢险救灾通讯信息网络，使国家安全生产监督管理局矿山救援指挥中心、省级矿山救援指挥中心、各级矿山救护队、各级矿山医疗救护中心、各矿山救援技术研究、实验、培训中心、地(市)及县(区)应急救援管理部门和矿山企业之间，建立并保持畅通的通讯信息通道，并逐步建立起救灾远程会商视频系统。矿山应急救援通讯信息系统在国家安全生产监督管理局矿山救援指挥中心与国家安全生产监督管理局调度中心之间实现电话、信息直通。

矿山应急救援的基本程序是：当矿山发生重大事故时，应以企业自救为主。企业救护队和医院在进行救助的同时，上报上一级矿山救援指挥中心(部门)及政府；救援能力不足以有效抢险救灾时，立即向上级矿山救援指挥中心提出救援要求；各级矿山救援指挥中心对得到的事故报告要迅速向上一级汇报，并根据事故的大小、处理的难易程度等决定调用重点矿山救护队或区域矿山救援基地以及矿山医疗救护中心实施应急救援。省内发生重特大矿山事故时，省内区域矿山救援基地和重点矿山救护队的调动由省级矿山救援指挥中心负责；国家安全生产监督管理局矿山救援指挥中心负责调动区域矿山救援队伍进行跨省区应急救援。

为做好我国化学事故应急救援工作，原国家化学工业部和国家经济贸易委员会正式组建了我国化学事故应急救援系统。成立了化学事故应急救援指挥中心和8区域化学事故应急救援抢救中心，承担化学事故应急救援工作。

化学事故应急救援机构的设置与主要职责如下：

(1) 应急救援指挥中心(办公室)。在化学事故应急救援行动中，组织和指挥化学事故应急救援工作。平时应组织编制化学事故应急救援预案；做好应急救援专家队伍和救援专业队伍的组织、训练与演练；开展对群众进行自救和互救知识的宣传和教育，会同有关部门做好应急救援的装备、器材、物品、经费的管理和使用；对化学事故进行调查，核发事故通报。

(2) 应急救援专家委员会(组)。专家咨询组由权威的工程技术与管理指挥两部分专家组成，通常只在市一级建立。其主要职责是：对指挥组织进行的应急准备活动提出重要建议，特别是关于化学事故潜在威胁估计，对新装备、器材研制与配备的必要性进行论证；对应急预案的制定及重要的训练演习活动等，进行研究并提出决策性建议。化学事故发生后，专家咨询组的主要职责有三条：1)对事故危害的现状与发展趋势做出估计；2)对修改应急预案的必要性进行判断，对力量重新调整与部署提出具体建议；3)对重大防护措施，如公众撤离等的决策提供技术依据。在化学事故应急救援行动中，对化学事故危害进行预测，为救援的决策提供依据和方案。平时应做好调查与研究，当好领导参谋。

(3) 应急救护站(队)。在事故发生后，应急救援队应尽快赶赴事故地点，设立现场医疗急救站，对伤员进行现场分类和急救处理，并及时向医院转送。对救援人员进行医学监护，以及为现场救援指挥部提供医学咨询。应急救援队平时应加强技术培训和急救准备。通常由市、区医院或急救中心、工厂医务室(医院)、军队医院等组成，在市或区卫生部门领导下开展救治活动。其主要职责是:进入事故发生区或中毒危害区,抢救中毒伤员或其他种类的伤员;指导危害区内公众进行自救、互救活动;集中、清点、输送、收治伤员。为了对中毒伤员进行正确的抢救,医疗救治组织中,可吸收部分熟悉毒伤急救的防化技术人员参与。

(4) 应急救援专业队。在应急救援行动中,各救援队伍应在做好自身防护的基础上,快速实施救援。侦检队应尽快地测定出事故的危害区域,检测化学危险物品的性质及危害程度。工程救援队应尽快堵源,做好毒物的清消工作,并将伤员救出危险区域和组织群众撤离、疏散。

凡涉及化学危险物品的企业,均应建立本单位的救援组织机构,明确救援执行部门和专用电话,制定救援协作网,疏通纵横关系,以提高应急救援行动中协同作战的效能,便于做好事故自救。

在没有设置应急救援机构的区域,一旦发生事故,当地政府主要领导应组织安全、公安、消防、卫生、环保、交通等部门成立紧急救援指挥部实施救援。

(5) 其他机构:

1) 监测组织。监测组织由地方环保监测站、卫生防疫站、军队防化侦察分队等单位组成。其职责主要是:对空气、水、食物等被污染的状况进行测定,为确定污染范围、水源和食物等可饮(食)用的情况提出技术依据;为侦察污染空气滞留状况提供条件。

2) 公众疏散组织。公众疏散组织由公安、民政部门和街道居民组织抽调力量组成。必要时,可吸收工厂、学校中的骨干力量参加,或请求军队给予支援。其主要职责有:根据指挥部发布的警报等级及防护措施,指导部分高层住宅居住的居民实施隐蔽;引导必须撤出的居民有秩序地撤至安全区或安置区;组织好特殊人群(老、弱、病、残、儿童)的疏散安置工作;引导受污染的人员前往洗消去污点;维护撤离区内的社会秩序,打击"趁火打劫者"。保障居民和国家财产免受危害;维护安全区域或安置区内撤出公众的安全,稳定人心和社会秩序。

3) 交通管制组织。交通管制组织通常由公安部门负责组成。其主要职责有:对危害区外围的交通路口实施定向、定时封锁,阻止事故危害区外的公众进入;指挥、调度撤出危害区的人员和使车辆顺利地通过通道;及时疏通交通阻塞;对各封锁路口附近的重要目标实施保护;协助警戒巡逻分队维护社会秩序。

4) 安全警戒组织。对撤离区和安置区内的社会治安工作,可由公众疏散组织兼任,也可以组织专业的安全警戒队伍。在危害范围较大时,也有必要成立专门的组织。其主要职责是:对撤离区的重要目标实施保卫,进行街巷巡逻,缉拿犯罪分子。这一组织可由公安、武警、军队的警卫分队组成。

5) 洗消去污组织。洗消去污组织由军队防化部队、公安消防队伍、环卫队伍组成。其主要职责是:开设洗消站(点),对受污染而且必须处理的人员、装备、物资、器材进行消毒;组织地面洗消组实施地面消毒,开辟通道或对建筑物表面进行消毒;临时组成喷雾分队(组),降低有毒有害物的空气浓度,阻止其扩大扩散范围。

事故应急救援工作涉及众多部门和多种救援队伍的协调配合,为有序实施事故救援,应建立起行之有效的应急救援网络体系。网络体系应包括事故救援的指挥体系,各救援部门的通讯网络,以及与上级救援部门的联系网络。除此之外,还应与本区域的公安、消防、卫生、环保、交通等部门建立起协调关系,以便协同作战。

另外,建立毒物资料库或信息网,以及化学事故应急救援专家联络网。对救援行动中可能涉及的毒物,应建立起资料信息库,**其内容包括:毒物的理化性质、毒物数据、泄漏物清消方法、消防措施、中毒临床表现、急救处理、卫生标准及注意事项等。**或者与国内有关毒物咨询中心建立起固定的联系,便于救援时咨询;**建立应急救援专家库或专家联系名单,以便在救援过程中及时得到技术指导。**

图 1.4 表示对于在一个生产装置范围内可以控制的事故实施应急反应的过程。事故是

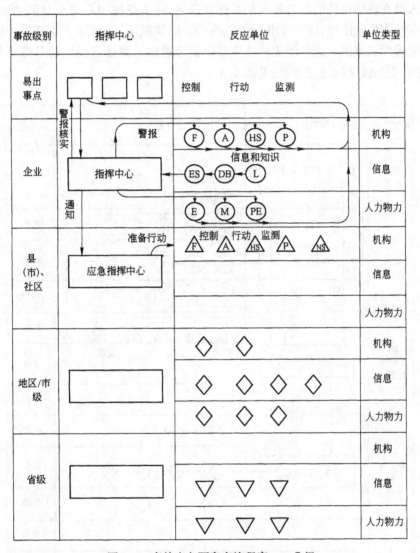

图 1.4 事故应急预案实施程序——Ⅰ级

图中符号:

○—企业内部的人力物力;   △—当地社区的人力物力;

◇—地区和/或市的人力物力;   ▽—省(自治区、直辖市)的人力物力;

A—救护车;   DB—信息数据库;

E—设备;   ES—技术服务机构;

F—消防队;   HS—卫生机构;

L—实验室;   M—物资;

P—警察局;   PE—人员;

NS—环境机构、水和废物管理机构

由操作者发现(或报告企业管理者),立即向上级指挥中心报告。在企业管理者负责应急反应的情况下,他就是负责处理事故的指挥者。若事故严重度升级可将指挥责任移交给上一级指挥中心,这样事故就上升为Ⅱ级事故。

指挥中心根据事故状况将向部分或全体应急人员发出通知,然后向合作单位,包括技术服务机构、实验室咨询,以便从技术上就事故的后果及应采取的措施提供建议。

应急人员在现场由他们各自的现场指挥者领导,并由指挥中心对全部活动进行管理和协调。对有害物质的浓度,应在专业服务机构(和/或实验室)的指导下立即进行测定,以便确定其影响程度和范围。这种测定将决定事故是否确属需要社区援助的Ⅱ级事故,或进一步升级,启动更高级别的应急预案(见图1.5)。

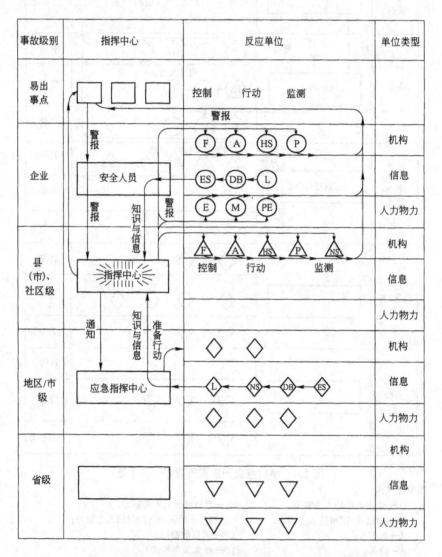

图1.5 事故应急预案实施程序——Ⅱ级(图中符号同图1.4)

对于企业应急处理的事故,也要按照国家法律、法规要求向上级指挥中心(这可能是安全生产监督管理局、消防部门、市长办公室或由该社区指定为指挥中心的其他机构)提供有关事故的影响与所采取的措施的全部信息。社区级指挥中心将根据企业应急指挥中心的建议,决定是否应提供社区的人力物力来处理事故(上升到Ⅱ级事故)。

然而通常只有在事故的影响和后果会危害到企业所在的周围地区(社区),以及/或需要提供帮助来处理事故的情况下,企业应急反应系统才向县、市或上级应急反应系统请求援助。在任何情况下,企业都要对企业现场事故情况的发展进行连续不断的监测,并将信息传送给社区级指挥中心。

根据事故后果严重度的级别,场外应急预案一般可分为社区级、县(市)级、地区(市)级、省级、国家级。政府主管部门应建立合适的报警系统,且有一个标准程序,将事故发生、发展信息传递给相应级别的应急指挥中心,根据对事故情况的评价,实施相应级别的应急预案。场外应急预案由政府主管部门在企业提供的现场应急预案的基础上负责制定。

图1.5表示处理社区级事故应急的通讯、决定、信息及行动的实施过程。指挥中心设在社区级,警报由事故的最初发现者传至指挥中心。然后,社区级指挥中心核实信息,通知上级应急机构,并领导社区级应急机构的运作。社区级指挥中心可以向工业部门、地区或全国的专家、数据库和实验室,就所涉及的化学品的性质、危险及解决问题的最佳方法,征求专家的意见。

1.6 国外重大事故应急系统简介

1.6.1 美国重大事故应急系统

1986年美国国会通过了 SUPERFUND 法的修正案,这个修正案是事故应急救援的最高法律依据,该法的第三部分为《应急计划和社区知情权法》。此外,与事故应急救援的相关法律还有《清洁空气法》、《综合性环境应急响应、赔偿和责任法》、《资源保护与恢复法》、《油液污染法》等。1987年美国环保署、联邦应急管理署发布了《应急计划技术指南》,OSHA标准《高危险性化学物质生产过程安全管理》和环保署标准《风险管理计划》中对企业事故应急提出了要求。

联邦政府设立联邦紧急事务管理局,并成立了国家应急响应领导小组(NRT)。

国家应急响应领导小组由环保署牵头,由下列16个政府部门组成:环保署(EPA)、职业安全健康管理局(OSHA)、国防部、商务部、农业部、交通部、公共卫生事业管理局(卫生部)、联邦紧急事务管理局、内务部、司法部、能源部、财政部、核工业管理委员会、国务院、总务管理局、美国海岸警卫队。国家应急响应领导小组主要职责是协调与油品和危险物有关的重大事故应急计划、准备、响应行动,提出准备和实施事故应急预案的指导性文件。联邦紧急事务管理局的主要职责是制定政策,领导协调联邦应急援助,指导州和地方政府提出、审查、评估及检查预案和实施预案的能力。

根据应急计划和社区知情权法案,每个州的州应急委员会(SERC)要通过州长来任命。州应急委员会要指定应急预案区域,任命地方的应急预案委员会(LEPC),监督和协调他们的活动,并且评审当地的应急响应预案。地方的应急响应委员会为社区准备应急响应预案,并且建立接收和处理事故所产生的公共信息的任务。美国重大事故应急计划体系如图1.6所示。

联邦政府和州政府应急管理的日常办事机构设在EPA,主要负责重大事故的应急管

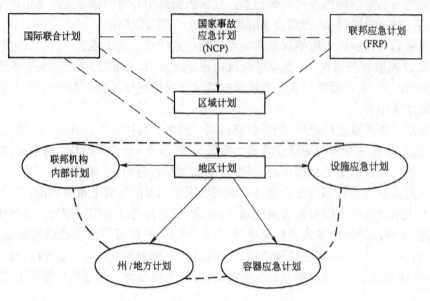

图 1.6 美国重大事故应急计划体系

理、热线咨询和重大事故的处理。

地方应急预案委员会(LEPC)每年评审应急预案并对制定、实施预案所需资源进行评估和推荐。应急预案要求包括设施及特殊危险品的运输路线,应急响应程序,地方应急人员和医疗救护人员,社区名称和应急协调员姓名,向政府和公众通告的程序,事故监测与风险区域确定方法,社区和企业拥有的应急设备与设施,疏散与避难场所,应急培训、训练和演习计划等。

美国法律要求对重大危险源实行登记。对确定为重大危险源的装置、工艺和极度危害的化学品的生产、储存设施,要向当地应急反应委员会申报注册备案。

1.6.2 英国重大事故应急系统

1974 年英国颁布了《职业安全卫生法》,1984 年颁布了《重大事故预防控制规程》,并且出版了《化工厂应急程序指南》。

英国中央与地方政府对意外事故的责任分由几个部门承担,见表 1.2,其中国家级负责的部门包括:运输部、环保署、卫生与安全署、内务部和商业部。

表 1.2 英国意外事故应急预案的制定部门

政 府 级 别	机 构	责 任
国家级	内务部,卫生与安全署等部门	制定国家灾难应急预案,向地方政府提供建议
郡级	郡委员会——负责制定应急预案的官员	制定郡应急预案,协调郡级的活动与力量
地方级(市级)	地方委员会	制定地方应急预案,对警察局、消防队、救护站及其他机构的活动进行协调
私营公司级	管理机构	制定现场应急预案,与公共机构联系

地方卫生局、地方水管理机构及公用设施部门,在制定事故应急预案及对化学事故做出反应的过程中都要发挥作用。工厂检查员及卫生安全署(HSE)的地方代表,负责监督和执行安全规定,并负责静止装置的应急计划。

科学家、企业、地方政府、工会及国家机构都有代表参加国家重大危险顾问委员会,它负责对大型静止装置的事故预防与应急反应对策进行审查和提出建议。

英国化学工业协会编写的《预防重大意外事故》小册子中,介绍了静止装置事故的现场报警与反应模式。图1.7所示的结构已被推荐采用,并已在英国的许多大工厂实行。

场外的报警与反应与现场的活动相协调,可将通讯和反应网络扩展到当地范围以外,见图1.8。

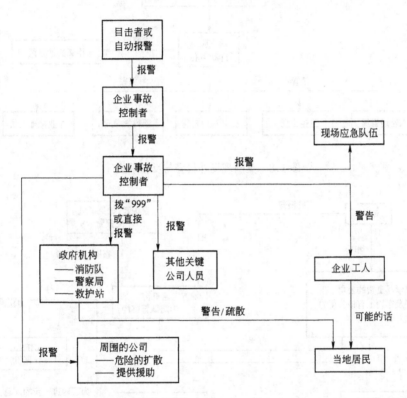

图 1.7　英国工厂中现场报警与反应系统

只有当事故超过了地方当局的能力时,才开始实施郡级的应急预案和反应。只有发生重大灾难,或政治上需要时,内务部才介入。但到目前为止,内务部还没有对工业事故做出过反应。

运输事故的报警与反应系统(图1.9)有些不同。初始反应将由司机根据他必须随身携带的指令做出。

除了化学工业具有专门的安全中心以外,还可从卫生与安全署和环境部得到技术咨询与信息。

化学事故应急反应的技术信息系统包括两部分。第一部分由工业企业建立与实施。静止装置一般都有现场专家,也可以实施公司间技术互助协议。另外,也有处理运输意外事故的互助协议。当车辆距公司所在地一定距离发生运输事故时,公司可以要求其互助伙伴参

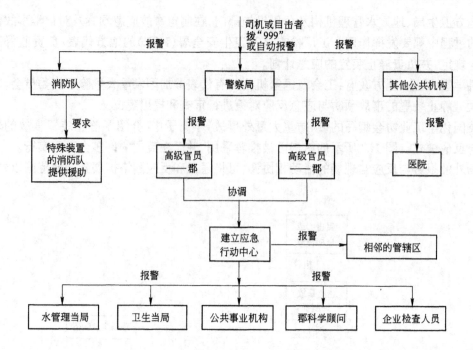

图 1.8 英国现场外报警与反应系统

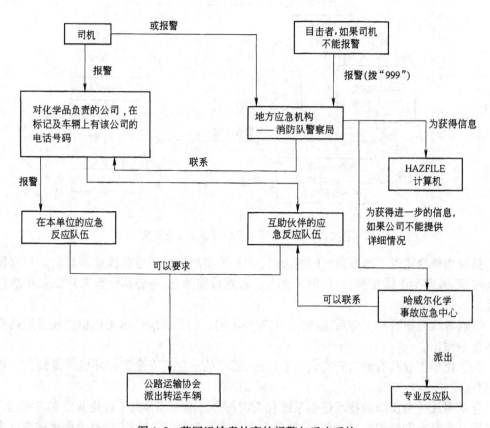

图 1.9 英国运输意外事故报警与反应系统

与事故的反应。对氯气,这种系统已经正式定型和加以公布。对许多其他的物质,在私人企业间也存在有这种系统。

化学工业协会与其欧洲集团合作,已经为 400 多种物质制定了一系列运输应急卡。这些应急卡给出了有关危险与应急反应的信息,同时司机也自觉地将其置于车辆上,国家立法规定了近半数的物质必须实行运输应急卡制度。消防机构备有这些运输应急卡的复制件。

在哈威尔(Harwell)设有全国化学事故应急中心,具有 24 小时存取的计算机数据库,并有化学家可提供有关化学品性质、危险与应对的信息。工业企业为该系统提供信息。该数据库被称作 HAZFILE,它可与消防总部的计算机直接联系。

哈威尔应急中心在化学安全(Chemsafe)方面有一套完善的支援方案,它将工业企业的自愿标记、运输应急卡和互助应急预案与长期停工措施(Long－stop procedure)结合起来。哈威尔应急中心指挥一支小型快速反应队伍,配备有专门的设备,可参与地区的事故应急救援。

1.6.3　澳大利亚重大事故应急系统

1993 年 1 月 1 日,澳大利亚成立了应急管理署(EMA)。EMA 负责所有类型的灾害,包括自然的、人为的、技术的或是战争(民防)。如果发生了上述事故或灾害,EMA 担任抗灾救灾的任务。在灾害的预防、准备、响应和恢复方面,EMA 是通过一系列的州和地区在训练、响应、计划、装备、志愿人员等援助计划来实现的。

澳大利亚应急管理署的事故和灾害应急计划要求联邦政府、州和地方政府的各级部门都有责任保护其公民的生命和财产的安全。为做到这点,其通过以下几方面有效地实施对事故和灾害的预防、准备、响应和恢复。

(1) 社团和有关机构执行的有法律效力的应急计划;

(2) 提供警察、消防、救护、医疗和医院等应急服务;

(3) 为公众提供服务的政府和法定机构。

由于地方政府部门和志愿组织与其所服务的公众紧密联系,因此它们起到了重要的作用。联邦政府的任务是向州和地区在建立它们处理紧急事件和灾害的能力上提供指导和帮助,并向在紧急事件中州或地区要求帮助时提供物质援助。

EMA 的职责是:

(1) 使国家应急管理的政策和安排正规化,并得到改进;

(2) 提供国家应急管理援助;

(3) 提供应急管理的教育,培训并负责应急研究;

(4) 提供并改进事故和灾害预知信息;

(5) 建立、协调并协助应急管理计划;

(6) 和联邦政府有关部门合作提供应急援助物资;

(7) 改进并提高国家民防能力;

(8) 作为澳大利亚国际发展协作局(AIDAB)的代表,协助进行灾后物质和技术援助;

(9) 在澳大利亚的有关地区协助进行灾害的准备工作。

EMA 的作用是:

(1) 建立、协助和支持有效的国家应急管理计划;

（2）就应急管理事务向联邦政府机构、州和地区、工业界和国际团体提供建议；

（3）作为澳大利亚国际发展协作局的代表，协助对澳大利亚的有关地区在应急管理方面的帮助；

（4）在发生灾害和紧急事件时，协助联邦政府做好物质和技术上的援助；

（5）建立、实施、总结国家应急管理政策和计划；

（6）管理州援助项目；

（7）开展应急管理教育和训练；

（8）提供应急管理信息；

（9）建立和维护个人、工业界、团体组织和联邦、州、地区以及国际组织间的应急联系渠道；

（10）促进公众对紧急事件的响应。

为达到和完成上述的任务，EMA由两个主要部门组成：

负责政策、计划、协调、总管和财政的总部，以及负责应急管理训练、教育和研究的澳大利亚应急管理学院（AEMI）。

EMA执行和协调任务的指令是通过EMA总部领导的国家应急管理协调中心（NEMCC）下达的。NEMCC的一小部分固定人员负责帮助灾害服务联络员（DSLO），这些联络员经有关的联邦政府部门、机构和州政府提名，是联络和促进应急响应的联结点。

EMA维持和使用两个联邦灾害计划（一个用于澳大利亚，另一个用于国外援助）和一个国家响应计划，这些计划可满足大多数情况的重大紧急事件和灾害。

由EMA协调的紧急事件和灾害援助，通常不向州和地方提供经费援助，如果需要的话，在财政部作经费安排前，联邦政府需作出有关的经费预算。

在事故或灾害发生时，为响应从澳大利亚和国外来的查询，EMA建立了一套国家意外事故人员死亡登记和应急咨询的计算机系统，用以处理事故或灾害发生地区来的信息，以及联邦政府应急管理人员所需的信息。

第二章

应急救援预案的分级、分类及基本要素

应急预案是应急救援系统的重要组成部分。针对各种不同的紧急情况制定有效的应急预案，不仅可以指导应急人员的日常培训和演习，保证各种应急资源处于良好的备战状态；而且可以指导应急行动按计划有序进行，防止因行动组织不力或现场救援工作的混乱而延误事故应急，从而降低人员伤亡和财产损失。应急预案对于如何在事故现场开展应急救援工作具有重要的指导意义，它帮助实现应急行动的快速、有序、高效，以充分体现应急救援的"应急精神"。

应急预案是针对各种可能发生的事故所需的应急行动而制定的指导性文件。

应急预案通常应该包括以下内容：

(1) 对紧急情况和事故灾害的辨识、评价；

(2) 对人力、物资和工具等资源的确认与准备；

(3) 指导建立现场内外合理有效的应急组织；

(4) 设计应急行动战术；

(5) 制定事故后的现场清除、整理及恢复措施等。

应急预案除上述内容外，还应该实现下列要求：明确应急系统中各机构的权利和职责、建立培训及演习等准备程序、对所涉及到的法律法规的论述、对特殊危险建立专项应急预案等等。

2.1 应急预案的基本要求

制定应急救援预案的目的是为了发生事故时，能以最快的速度发挥最大的效能，有序地实施救援，达到尽快控制事态发展，降低事故造成的危害，减少事故损失。

应急预案的基本要求：

(1) 科学性。事故应急救援工作是一项科学性很强的工作，制定预案也必须以科学的态度，在全面调查研究的基础上，开展科学分析和论证，制定出严密、统一、完整的应急反应方案，使预案真正具有科学性。

(2) 实用性。应急救援预案应符合企业现场和当地的客观情况，具有适用性和实用性，便于操作。

(3) 权威性。救援工作是一项紧急状态下的应急性工作，所制定的应急救援预案应明确救援工作的管理体系，救援行动的组织指挥权限和各级救援组织的职责和任务等一系列的行政性管理规定，保证救援工作的统一指挥。应急救援预案还应经上级部门批准后才能实施，保证预案具有一定的权威性和法律保障。

1997 年 7 月 29 日，原化学工业部发出了《关于实施化学事故应急救援预案加强重大化学危险源管理的通知》(化督发[1997]459 号)提出了"化学事故应急救援预案编写提纲"。

对编写内容要求如下：

    （1）厂区的基本情况；

    （2）危险目标的数量及分布图；

    （3）指挥机构的设置和职责；

    （4）装备及通讯网络和联络方式；

    （5）应急救援专业队伍的任务和训练；

    （6）预防事故的措施；

    （7）事故的处置；

    （8）工程抢险抢修；

    （9）现场医疗救护；

    （10）紧急安全疏散；

    （11）社会支援等。

此提纲虽然是针对化学行业提出的，但其预防和救援的程序也可以适用于其他行业。不同的行业可以根据行业的特点编写"预防事故的措施"和"事故的救援"内容。

核辐射事故应急响应与其他涉及危险物质的应急响应基本上是相同的，主要的差别在于大多数危险物质事故的危险是可以看到、嗅到或听到，而核辐射事故就不一样。因此在编制事故应急计划时，必须进行充分的准备以确定潜在的辐射危害，并通知公众和应急工作人员应当采取的防护措施，控制和缓解事故后果，保护工作人员和公众的安全，保护环境。我国核电厂应急计划主要包括以下内容：

    （1）核电厂概况：说明主要设施的功能和安全设施等。

    （2）核电厂周围的环境概况：介绍核电厂周围人口分布、气象、气候、地理、地形、地貌、水文、土地利用、交通运输等。

    （3）应急计划区：介绍应急计划区划分的依据和划分结果。

    （4）应急组织与职责划分：描述场内应急组织的体系、职责分工以及与场外应急组织的关系。

    （5）应急状态分级：描述应急状态的分级原则、各级应急状态的特征和始发事件。

    （6）应急响应行动：介绍在不同的应急情况下应当采取的应急行动及其组织实施。

    （7）应急设施与设备：说明为进行应急响应建立或设置的应急设施及其功能和仪器设备配备。

    （8）应急能力的维持：说明应急培训、应急演习的计划和安排，提出对应急计划及其执行程序的修订。

    （9）记录与报告：规定各种应急准备工作、应急响应的记录和报告制度。

    （10）附件：应急执行程序。

《安全生产法》、《消防法》、《职业病防治法》等法律特别强调了对重大危险源、使用有毒物品和消防安全重点单位要制定事故应急救援预案。

除此之外，对易燃、易爆、有毒的关键生产装置和重点生产部位都要制定应急救援预案。主要有以下几个方面：

    （1）发生中毒事故的应急救援预案。

    （2）生产装置区、原料及产品储存区发生毒物（包括中间物料）意外泄漏或事故性溢出时的应急救援预案。

（3）危险品运输事故的应急救援预案。

（4）发生全厂性和局部性停电时应急预案。

（5）发生停水（包括冷却水、冷冻水、消防水以及其他生产用水）时的应急救援预案。

（6）发生停气（包括工厂空气、仪表空气、惰性气体、蒸汽等）时的应急预案。

（7）·生产装置工艺条件失常（包括温度、压力、液位、流量、配比、副反应等）时的应急预案。

（8）易燃、易爆物料大量泄漏时的应急预案。

（9）发生自然灾害时的应急救援预案主要有:1)发生洪水时的应急救援预案;2)遭受台风或局部龙卷风等强风暴袭击时的应急救援预案;3)高温季节针对危险源的应急预案;4)寒冷气候条件下（包括发生雪灾、冰冻等）针对危险源的应急预案;5)发生地震、雷击等其他自然灾害时的应急救援预案。

（10）发生火灾时的应急救援预案。

（11）发生爆炸时的应急救援预案。

（12）发生火灾、爆炸、中毒等综合性事故时的应急救援预案。

（13）生产装置控制系统发生故障时的应急救援预案。

（14）其他应急救援预案。

2.2　应急救援预案的分级

重大事故应急预案由企业（现场）应急预案和现场外政府的应急预案组成。现场应急预案由企业负责,场外应急预案由各级政府主管部门负责。现场应急预案和场外应急预案应分别制定,但应协调一致。

根据可能的事故后果的影响范围、地点及应急方式,建立我国事故应急救援体系可将事故应急预案分为如下 5 种级别,见图 2.1。

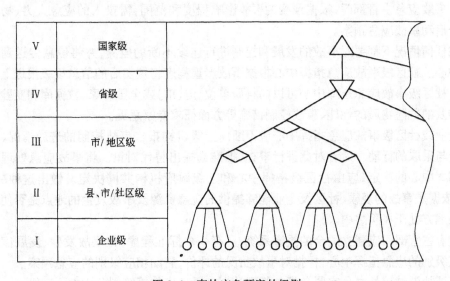

图 2.1　事故应急预案的级别

2.2.1 Ⅰ级(企业级)应急预案

这类事故的有害影响局限在一个单位(如某个工厂、火车站、仓库、农场、煤气或石油管道加压站/终端站等)的界区之内,并且可被现场的操作者遏制和控制在该区域内。这类事故可能需要投入整个单位的力量来控制,但其影响预期不会扩大到社区(公共区)。

2.2.2 Ⅱ级(县、市/社区级)应急预案

这类事故所涉及的影响可扩大到公共区(社区),但可被该县(市、区)或社区的力量,加上所涉及的工厂或工业部门的力量所控制。

2.2.3 Ⅲ级(地区/市级)应急预案

这类事故影响范围大,后果严重,或是发生在两个县或县级市管辖区边界上的事故。应急救援需动用地区的力量。

2.2.4 Ⅳ级(省级)应急预案

对可能发生的特大火灾、爆炸、毒物泄漏事故,特大危险品运输事故以及属省级特大事故隐患、省级重大危险源应建立省级事故应急反应预案。它可能是一种规模极大的灾难事故,或可能是一种需要用事故发生的城市或地区所没有的特殊技术和设备进行处理的特殊事故。这类意外事故需用全省范围内的力量来控制。

2.2.5 Ⅴ级(国家级)应急预案

对事故后果超过省、直辖市、自治区边界以及列为国家级事故隐患、重大危险源的设施或场所,应制定国家级应急预案。

企业一旦发生事故,就应即刻实施应急程序,如需上级援助应同时报告当地县(市)或社区政府事故应急主管部门,根据预测的事故影响程度和范围,需投入的应急人力、物力和财力逐级启动事故应急预案。

在任何情况下都要对事故的发展和控制进行连续不断的监测,并将信息传送到社区级指挥中心。社区级事故应急指挥中心根据事故严重程度将核实后的信息逐级报送上级应急机构。社区级事故应急指挥中心可以向科研单位、地(市)或全国专家、数据库和实验室就事故所涉及的危险物质的性能、事故控制措施等方面征求专家意见。

企业或社区级事故应急指挥中心应不断向上级机构报告事故控制的进展情况、所做出的决定与采取的行动。后者对此进行审查、批准或提出替代对策。将事故应急处理移交上一级指挥中心的决定,应由社区级指挥中心和上级政府机构共同决定。做出这种决定(升级)的依据是事故的规模、社区及企业能够提供的应急资源及事故发生的地点是否使社区范围外的地方处于风险之中。

政府主管部门应建立适合的报警系统,且有一个标准程序,将事故发生、发展信息传递给相应级别的应急指挥中心,根据对事故状况的评价,启动相应级别的应急预案。

美国盐湖城市长办公室紧急事务管理计划将紧急事件等级划分为如下三级:

一级紧急事件

定义:能被一个部门正常可利用资源处理的意外事件。这里指的"正常可利用资源",是指该部门在日常工作中可以响应的人力、物力。

职责:正常职责范围内,是为适当地解决事件而做出决定。

通知:无

行动:如果需要,主管部门可以建立一个当地的指挥部,而不需要整个城市采取行动。征用事务将由主管部门来处理。所需的后勤支持、增加人员或其他的资源,将是主管部门的附加职责。

二级紧急事件

定义:需要两个或更多的政府管理部门响应的意外事件,或需要本城市以外机构做出响应、给予援助的事件。这些事件需要合作努力,并且提供人员、设备或其他各种资源。它们干扰了部分或全部响应部门的正常工作。

职责:做出主要决定的职责交给了正常管理这种情况的部门,而需要参与合作的部门,则是需要承担支持的部门。这些合作应该能够适当地解决问题。

通知:市长应该得到开始行动部门关于事件情况的报告。

行动:响应部门的上级机构可以建立一个当地的指挥所,并且通知地方上所有的响应部门。

响应部门还可以建立一个行政管理指挥所(通常设在它的主要机构或其调度的地区内),并且应该通知所有响应部门及当地的市长。

征用事务将由响应部门来处理。所需的后勤支持、增加人员或其他资源,是负责部门的附加职责。紧急事件所需的物资,应提交市长决定,他可以通过物资援助部门来迅速处理这些需求。

三级紧急事件

定义:必须利用城市所有部门及一切资源的意外事件,或者需要城市的各个部门同城市以外的机构联合起来处理各种情况。

职责:做出主要决定的职责交给了紧急事务管理部门。指挥员可在现场做出保护生命和财产以及稳定局面所必需的各种决定。解决整个紧急事件的决定,应该由紧急事务管理部门负责。

这一级别的紧急事件通常要由行使官方紧急事务权力的市长发布一个"紧急事件公告"。

通知:将通知下列人员(当他们不在的时候,由该部门其他人员代替):市长、各部门的第一把手、警察局长、消防局长、市政工程部门的领导及市长指定的其他人员。

最早行动的部门负有制定以上通知的职责。开始行动的部门在任何情况下根据需要,可以得到由接到通知的警察局派遣的人员的帮助。

行动:主要部门的主要领导应在当地建立一个指挥所,并通知所有具有职责的部门。

警察局长应在城市紧急事务指挥中心中发挥重要作用。紧急事务管理部门的所有成员应向指挥中心报到,并尽可能随身携带一部手机。

征用事务将由指挥中心承担。进一步的人员、物资和其他资源的获得,将是紧急事务管理部门的工作。所有支持人员将向消防指挥部报到。在三级紧急事件中,消防部门将承担必需的交通职能。

2.3　应急救援预案的类型及基本要素

2.3.1　应急救援预案的类型

根据事故应急预案的对象和级别,应急预案可分为下列4种类型:

(1)应急行动指南或检查表。针对已辨识的危险采取特定应急行动。简要描述应急行动必须遵从的基本程序,如发生情况向谁报告,报告什么信息,采取哪些应急措施。这种应急预案主要起提示作用,对相关人员要进行培训,有时将这种预案作为其他类型应急预案的补充。

(2)应急响应预案。针对现场每项设施和场所可能发生的事故情况编制的应急响应预案,如化学泄漏事故的应急响应预案、台风应急响应预案等。应急响应预案要包括所有可能的危险状况,明确有关人员在紧急状况下的职责。这类预案仅说明处理紧急事务的必需的行动,不包括事前要求(如培训、演练等)和事后措施。

(3)互助应急预案。相邻企业为在事故应急处理中共享资源,相互帮助制定的应急预案。这类预案适合于资源有限的中、小企业以及高风险的大企业,需要高效的协调管理。

(4)应急管理预案。应急管理预案是综合性的事故应急预案,这类预案详细描述事故前、事故过程中和事故后何人做何事、什么时候做、如何做。这类预案要明确完成每一项职责的具体实施程序。应急管理预案包括事故应急的4个逻辑步骤:预防、预备、响应、恢复。

县级以上政府机构、具有重大危险源的企业,除单项事故应急预案外,应制定重大事故应急管理预案。

2.3.2　应急救援预案的基本要素

应急预案基本要素应包括以下10项。

(1)组织机构及其职责。

1)明确应急反应组织机构、参加单位、人员及其作用;

2)明确应急反应总负责人,以及每一具体行动的负责人;

3)列出本区域以外能提供援助的有关机构;

4)明确政府和企业在事故应急中各自的职责。

(2)危害辨识与风险评价。

1)确认可能发生的事故类型、地点;

2)确定事故影响范围及可能影响的人数;

3)按所需应急反应的级别,划分事故严重度。

(3)通告程序和报警系统。

1)确定报警系统及程序;

2)确定现场24小时的通告、报警方式,如电话、警报器等;

3）确定 24 小时与政府主管部门的通讯、联络方式,以便应急指挥和疏散居民;

4）明确相互认可的通告、报警形式和内容(避免误解);

5）明确应急反应人员向外求援的方式;

6）明确向公众报警的标准、方式、信号等;

7）明确应急反应指挥中心怎样保证有关人员理解并对应急报警反应。

(4) 应急设备与设施。

1）明确可用于应急救援的设施,如办公室、通讯设备、应急物资等;列出有关部门,如企业现场、武警、消防、卫生、防疫等部门可用的应急设备;

2）描述与有关医疗机构的关系,如急救站、医院、救护队等;

3）描述可用的危险监测设备;

4）列出可用的个体防护装备(如呼吸器、防护服等);

5）列出与有关机构签订的互援协议。

(5) 应急评价能力与资源。

1）明确决定各项应急事件的危险程度的负责人;

2）描述评价危险程度的程序;

3）描述评估小组的能力;

4）描述评价危险场所使用的监测设备;

5）确定外援的专业人员。

(6) 保护措施程序。

1）明确可授权发布疏散居民指令的负责人;

2）描述决定是否采取保护措施的程序;

3）明确负责执行和核实疏散居民(包括通告、运输、交通管制、警戒)的机构;

4）描述对特殊设施和人群的安全保护措施(如学校、幼儿园、残疾人等);

5）描述疏散居民的接收中心或避难场所;

6）描述决定终止保护措施的方法。

(7) 信息发布与公众教育。

1）明确各应急小组在应急过程中对媒体和公众的发言人;

2）描述向媒体和公众发布事故应急信息的决定方法;

3）描述为确保公众了解如何面对应急情况所采取的周期性宣传以及提高安全意识的措施。

(8) 事故后的恢复程序。

1）明确决定终止应急,恢复正常秩序的负责人;

2）描述确保不会发生未授权而进入事故现场的措施;

3）描述宣布应急取消的程序;

4）描述恢复正常状态的程序;

5）描述连续检测受影响区域的方法;

6）描述调查、记录、评估应急反应的方法。

(9) 培训与演练。

1）对应急人员进行培训,并确保合格者上岗;

2）描述每年培训、演练计划；

3）描述定期检查应急预案的情况；

4）描述通讯系统检测频度和程度；

5）描述进行公众通告测试的频度和程度并评价其效果；

6）描述对现场应急人员进行培训和更新安全宣传材料的频度和程度。

（10）应急预案的维护。

1）明确每项计划更新、维护的负责人；

2）描述每年更新和修订应急预案的方法；

3）根据演练、检测结果完善应急计划。

2.4　应急救援预案的文件体系

2.4.1　应急救援预案的文件体系

应急预案要形成完整的文件体系，以使其作用得到充分发挥，成为应急行动的有效工具。一个完整的应急预案是包括总预案、程序、说明书、记录的一个四级文件体系。

（1）一级文件——总预案。它包含了对紧急情况的管理政策、预案的目标，应急组织和责任等内容。

（2）二级文件——程序。它说明某个行动的目的和范围。程序内容十分具体，例如该做什么、由谁去做、什么时间和什么地点等等。它的目的是为应急行动提供指南，但同时要求程序和格式简洁明了，以确保应急队员在执行应急步骤时不会产生误解，格式可以是文字叙述、流程图表或是两者的组合等，应根据每个应急组织的具体情况选用最适合本组织的程序格式。

（3）三级文件——说明书。对程序中的特定任务及某些行动细节进行说明，供应急组织内部人员或其他个人使用，例如应急队员职责说明书、应急监测设备使用说明书等。

（4）四级文件——对应急行动的记录。包括在应急行动期间所做的通讯记录、每一步应急行动的记录等。

从记录到预案，层层递进，组成了一个完善的预案文件体系，从管理角度而言，可以根据这四类预案文件等级分别进行归类管理，即保持了预案文件的完整性，又因其清晰的条理性便于查阅和调用，保证应急预案能有效得到运用。

2.4.2　应急救援预案的主要程序文件

不同类型的应急预案所要求的程序文件是不同的，应急预案的内容取决于它的类型。一个完整的应急预案应包括：

（1）预案概况——对紧急情况应急管理提供简述并做必要说明；

（2）预防程序——对潜在事故进行分析并说明所采取的预防和控制事故的措施；

（3）准备程序——说明应急行动前所需采取的准备工作；

（4）基本应急程序——给出任何事故都可适用的应急行动程序；

（5）专项应急程序——针对具体事故危险性的应急程序；

（6）恢复程序——说明事故现场应急行动结束后所需采取的清除和恢复行动。

　　上述 4 种类型预案具体要求的程序文件如表 2.1 所示(表中标"√"项为该计划包含内容,标"○"项为可选内容)。

表 2.1　应急预案的主要程序文件

	内　容	行动指南	响应预案	互助预案	综合预案
预案概况	目录	○	○	√	√
	预案分配表	○	√	√	√
	变更记录	○	√	√	√
	实施令	○	○	○	√
	名词、定义	○	√	√	√
预案基本要素	简介	○	√	√	√
	目的	○	√	√	√
	政策、法规依据			√	√
	安全状况	○	○		√
	可能的事故情况	○	○		√
	应急计划指导思想		○		√
	应急组织与职责	√	√	√	√
	应急计划评估、检查与维护	○	√	√	√
预防程序	消防措施				√
	关键设备、设施的检测与检验				√
	安全评审				√
准备程序	人员培训			√	√
	演练			√	√
	物资供应与应急设备			√	√
	记录保存				√
	互助合作			√	√
	员工与社区居民安全意识			○	√
基本应急程序	监测与报警	√	√	√	√
	指挥与控制	√	√	√	√
	通讯联络	√	√	√	√
	应急关闭程序	√	√	√	√
	现场疏散	√	√	√	√
	医疗救援	√	√	√	√
	政府协调	√	√	√	√
专项应急程序	火灾与泄漏事故应急程序	√	√	√	√
	爆炸事故应急程序	√	√	√	√
	其他事故应急程序	√	√	√	√
恢复程序	起因调查	√			√
	损失评价	√			√
	事故现场净化与恢复	√			√
	生产恢复	√			√
	索赔程序	√			√

第三章

应急救援预案的策划与编制

我国《安全生产法》规定,生产经营单位的主要负责人对本单位的安全生产工作全面负责。生产经营单位的主要负责人负有"组织制定并实施本单位的生产安全事故应急救援预案的职责"。

应急准备的第一步是企业管理人员认识到他们的责任。这种责任主要是尽可能减小事故或紧急情况的后果,它主要取决于企业管理层。

企业制定和建立现场的应急预案,不仅是法律和经济的要求,也是为企业员工和附近居民提供一个更为安全的环境。因此,经过充分演习后的预案应当是:

(1) 有助于辨识现有的工艺、物质或操作过程的危险性;

(2) 让有关人员熟悉企业布局、消防、泄漏控制设备和应急反应行动;

(3) 提高事故突发时的信心和准备性;

(4) 减少员工和/或公众的伤亡人数;

(5) 降低责任赔偿风险,减少保险费;

(6) 减轻对企业设施的破坏;

(7) 提出降低危险的建议,如引进新的安全装置或改变操作规程。

《安全生产法》规定,县级以上地方各级人民政府应当组织有关部门制定本行政区域的特大生产安全事故应急救援预案,建立应急救援体系。

为便于管理,企业制定的现场事故应急预案应并入地方政府应急反应预案中。这样不仅有助于增进与地方政府部门的相互了解,也确保当地政府机构制定应急预案时充分考虑企业制定应急预案,以便在紧急情况发生时实施。

企业管理者要比其他人员更熟悉应急预案。管理层应首先委派一个事故应急反应预案小组。应急反应预案小组负责准备预案,并使企业预案与地方政府应急预案相互协调。

管理层应根据人员情况对资源进行分配,并考虑反应预案的准备和实施。同时也应重视应急预案的审核、定期复查、培训和演习;否则预案的有效性会极大地削弱。在预案制定过程中,管理层必须给予大力支持和鼓励。

3.1　应急救援预案的编制步骤

企业对每一个重大危险源都应有一套现场应急预案。现场应急预案应由企业管理部门准备并应包括对重大事故潜在后果的评估。世界卫生组织(WHO)欧洲办事处建议企业现场事故应急预案制定程序如图 3.1 所示。

通常企业编制事故应急预案的步骤如下:

(1) 成立预案编制小组;

(2) 收集资料并进行初始评估;

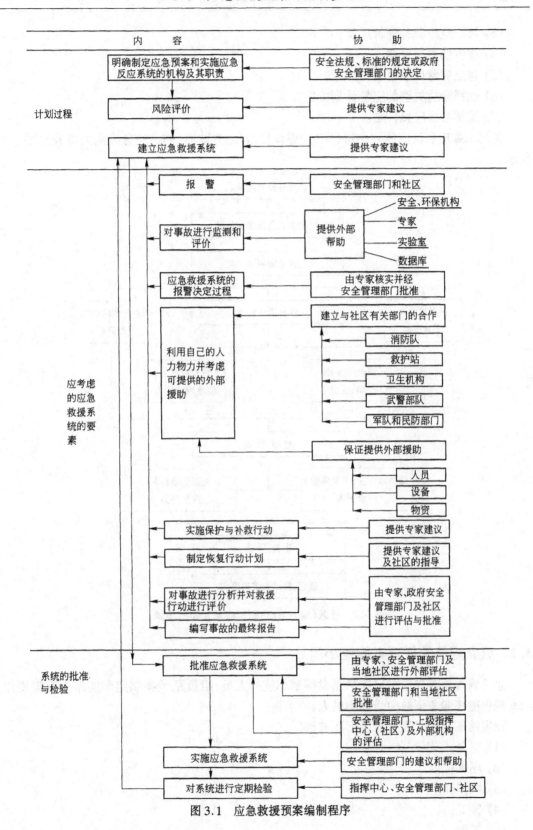

图 3.1 应急救援预案编制程序

（3）辨识危险源并评价风险；

（4）评价能力与资源；

（5）建立应急反应组织；

（6）选择合适类型的应急计划方案；

（7）编制各级应急计划。

美国国家应急反应领导小组（NRT）建议社区（地方政府）制定应急预案的步骤如图 3.2 所示。

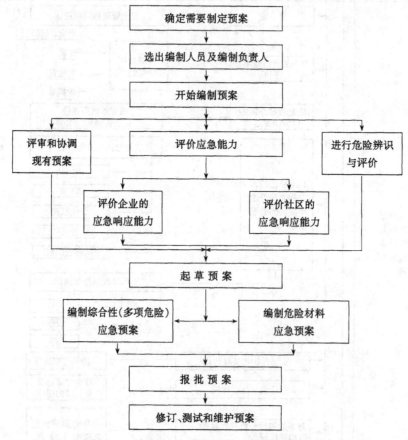

图 3.2　社区（地方政府）制定应急预案的步骤

3.2　成立应急救援预案编制小组

企业管理层首先应指定应急预案编制小组的人员，组员是预案制定和实施中有重要作用或是可能在紧急事故中受影响的人。

预案编制小组代表来自以下职能部门：

（1）安全；

（2）环保；

（3）操作和生产；

（4）保卫；

（5）工程；

(6) 技术服务；

(7) 维修保养；

(8) 医疗；

(9) 环境；

(10) 人事。

此外,小组成员也可以包括来自地方政府社区和相关政府部门的代表(例如,安全、消防、公安、医疗、气象、公共服务和管理机构等)。这样可消除现场事故应急预案与政府应急预案中的不一致性,同时这样也可明确紧急事故影响到厂外时涉及单位及其职责。

3.2.1 资料收集和初始评估

编制小组的首要任务就是收集制定预案的必要信息并进行初始评估,这包括:

(1) 适用的法律、法规和标准；

(2) 企业安全记录、事故情况；

(3) 国内外同类企业事故资料；

(4) 地理、环境、气象资料；

(5) 相关企业的应急预案等。

编制小组应提出如下问题(但不只限于这些):

(1) 会发生什么样的事故？

(2) 这种事故的后果如何(要包括对现场和企业外的影响)？

(3) 这类事故是否可预防？

(4) 如果不能,会产生什么级别的紧急情况？

(5) 会影响到什么地区？

(6) 如何报警？

(7) 谁来评价这种紧急情况,根据什么？

(8) 如何建立有效的通讯？

(9) 谁负责做什么,什么时间,怎么做？

(10) 目前具备什么资源？

(11) 应该具备什么资源？

(12) 如有可能,可得到什么样的外部援助,怎样得到？

这些问题是制定应急预案过程中必须分析和考虑的部分。在初始阶段,编制小组应辨识所有可能发生的事故场景并评价现有资源包括人力、物资和设备。初期,编制小组的工作可分为三部分:

(1) 危险辨识、后果分析和风险评价；

(2) 明确人员和职能；

(3) 明确需要的资源。

3.2.2 应急反应能力分析

根据最可能发生的事故场景,编制小组可以确定出不同紧急情况下相应的应急反应行动。据此,小组可回答以下问题:

（1）在紧急情况下谁该做什么，什么时候做，怎么做？

（2）整个应急过程由谁负责，管理结构应该如何适应这种情况？

（3）如何通报紧急情况，谁负责通知？

（4）可获得哪些外部援助，什么时候能到达？

（5）在什么情况下厂内和厂外人员应该进行避难或疏散？

（6）如何恢复正常操作？

这是预案编制过程中的综合部分，是在前面分析工作的基础上进行的研究。

3.2.3　编制应急救援预案的注意事项

事故应急预案应当简明，便于有关人员在实际紧急情况下使用。一方面，**预案的主要部分**应当是**整体应急反应策略和应急行动**，具体实施程序应放在预案附录中详细说明。另一方面，预案应有足够的灵活性，以适应随时变化的实际紧急情况。前面所提到问题的所有结论和解决办法应缩减为一个简单明了的文件，便于评价和使用。

除了这些以外，预案中非常重要的内容是预案应包括至少六个主要应急反应要素，它们是：

（1）应急资源的有效性；

（2）事故评估程序；

（3）指挥、协调和反应组织的结构；

（4）通报和通讯联络程序；

（5）应急反应行动（包括事故控制、防护行动和救援行动）；

（6）培训、演习和预案保持。

根据企业规模和复杂程度不同，应急预案也存在各种形式。编制小组的另一个任务是使总体预案的格式应用于企业的具体情况。

最后，小组应确定出如何保证预案更新，如何进行培训和演习。根据预案格式，可以把一些条款放在总体内容中，或放在附录中。

预案编制不是单独、短期的行为，它是整个应急准备中的一个环节。有效的应急预案应该不断进行评价、修改和测试，持续改进。

3.3　危险辨识与风险评价

危险辨识与风险评价是编制应急预案的关键，所有应急预案都是建立在风险评价基础之上的。

3.3.1　危险辨识与风险评价的程序

危险辨识与风险评价的一般程序如图 3.3 所示。

风险评价的程序主要包括如下几个步骤：

（1）资料收集。明确评价的对象和范围，收集国内外相关法规和标准，了解同类设备、设施或工艺的生产和事故情况，评价对象的地理、气象条件及社会环境状况等。

（2）危险危害因素辨识与分析。根据所评价的设备、设施或场所的地理、气象条件、工程建设方案、工艺流程、装置布置、主要设备和仪表、原材料、中间体、产品的理化性质等，辨识和分析可能发生的事故类型，事故发生的原因和机制。

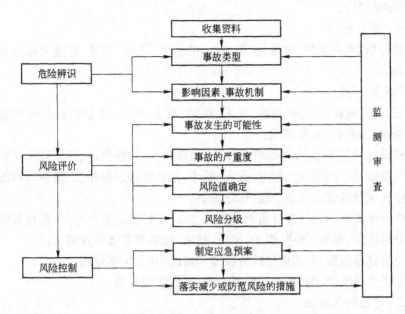

图3.3 风险评价程序

(3) 风险分级。在上述危险分析的基础上,划分评价单元,根据评价目的和评价对象的复杂程度选择具体的一种或多种评价方法。对事故发生的可能性和严重程度进行定性或定量评价,在此基础上按照事故风险的标准值进行风险分级,以确定管理的重点和需要制定应急预案的设备、设施和场所。

(4) 提出降低或控制风险的安全对策措施。根据评价和分级结果,高于标准值的风险必须采取工程技术或组织管理措施,降低或控制风险。低于标准值的风险属于可接受或允许的风险,应建立监测措施,防止生产条件变更导致风险值增加,对不可排除的风险要采取防范措施。

3.3.2 危险辨识方法

3.3.2.1 危险辨识的主要内容

危险辨识过程中,应坚持"横向到边,纵向到底,不留死角"的原则,对以下方面存在的危险、危害因素进行辨识与分析。

A 厂址及环境条件

从厂址的工程地质、地形、自然灾害、周围环境、气象条件、交通运输、抢险救灾支持条件等方面进行分析。

B 厂区平面布局

(1) 总图:应辨识与分析功能分区(生产、管理、辅助生产、生活区)布置;高温、有害物质、噪声、辐射、易燃、易爆、危险品设施布置;工艺流程布置;建筑物、构筑物布置;风向、安全距离、卫生防护距离等;

(2) 运输线路及码头:应考虑厂区道路、厂区铁路、危险品装卸区、厂码头。

C 建(构)筑物

应辨识和分析建筑物的结构、防火、防爆、朝向、采光、运输(操作、安全、检修)通道、开门,以及生产辅助设施。

D　生产工艺过程

应辨识和分析物料(毒性、腐蚀性、燃爆性)的温度、压力、速度、作业及控制条件以及事故及失控状态。

E　生产设备、装置

(1)化工设备、装置:应分析高温、低温、腐蚀、高压、振动、关键部位的备用设备以及控制、操作、检修和失误时的异常情况;

(2)机械设备:应分析运动零部件和工件、操作条件、检修作业、误运转和误操作;

(3)电气设备:应分析断电、触电、火灾、爆炸、误运转和误操作,以及静电和雷电;

(4)应分析危险性较大设备、高处作业设备;

(5)特殊单体设备、装置:应分析锅炉房、乙炔站、氧气站、石油库、危险品库等;

(6)应分析粉尘、毒物、噪声、振动、辐射、高温、低温等有害作业部位;

(7)应分析管理设施、事故应急抢救设施和辅助生产、生活设施;

(8)应分析劳动组织,生理、心理因素,人机工程学因素等。

3.3.2.2　危险辨识方法

危险是指材料、物品、系统、工艺过程、设施或场所对人、财产或环境具有产生伤害的潜能。危险辨识就是找出可能引发事故导致不良后果的材料、系统、生产过程或场所的特征。因此,危险辨识有两个关键任务:第一,辨识可能发生的事故后果;第二,识别可能引发事故的材料、系统、生产过程或场所的特征。前者相对来说较容易,并由它确定后者的范围,所以辨识可能发生的事故后果是很重要的。

事故后果可分为对人的伤害、对环境的破坏及财产损失三大类。在此基础上可细分成各种具体的伤害或破坏类型。可能发生的事故后果确定后,可进一步辨识可能产生这些后果的材料、系统、过程或场所的特征。

在危险辨识的基础上,可确定需要进一步评价的危险因素。危险评价的范围和复杂程度与辨识危险的数量和类型以及需要了解问题的深度成正比。

常用的危险辨识方法包括分析材料性质、生产工艺和条件、生产经验、组织管理措施等,制定相互作用矩阵,以及应用危险评价方法等。

A　材料性质分析

了解生产或使用的材料性质是危险辨识的基础。危险辨识中常用的材料性质如下:

急毒性	暴露极限值
·吸入(例如,LC,LO)	·TLV(阈限值)
·口入(例如,LD_{50})	生物退化性
·皮入	水毒性
慢毒性	环境中的持续性
·吸入	气味阈值
·口入	物理性质
·皮入	·凝固点
致癌性	·膨胀系数
诱变性	·沸点

致畸性

·蒸气性

·密度

·腐蚀性

·热容

·质量热容

反应性

·过程材料

·要求的反应

·副反应

·分解反应

·动力学

·结构材料

·原材料的纯度

·污染物(空气、水、锈、润滑剂等)

·分解产物

·不相容的化学品

·溶解性

自燃材料

稳定性

·撞击

·温度

·光

·聚合作用

燃烧性/爆炸性

·LEL/LFL(爆炸下限/燃烧下限)

·UEL/UFL(爆炸上限/燃烧上限)

·粉尘爆炸系数

·最小点火能量

·闪点

·自点火温度

·产生能量

初始的危险辨识可通过简单比较材料性质来进行。例如对火灾,只要辨识出易燃和可燃材料,将它们分类为各种火灾危险源,然后进行详细的危险评价工作。

通常制造商和供应商能提供产品特性、材料安全数据表(MSDS)。特殊的行业集团或协会也可提供安全处置特殊化学品的信息。另外,还可以从专业和行业组织得到有关的信息。对某些化学品的特殊要求在国家、地方的法律法规中有明确规定。

根据 GBJ16—87《建筑设计防火规范》(2001 年版),生产中物质的火灾危险性分为 5 类,见表 3.1。

表 3.1 生产的火灾危险性分类

生产类别	火灾危险性特征
甲	使用或产生下列物质的生产: 1. 闪点<28℃的液体 2. 爆炸下限<10%的气体 3. 常温下能自行分解或在空气中氧化即能导致迅速自燃或爆炸的物质 4. 常温下受到水或空气中水蒸气的作用,能产生可燃气体并引起燃烧或爆炸的物质 5. 遇酸、受热、撞击、摩擦、催化以及遇有机物或硫磺等易燃的无机物,极易引起燃烧或爆炸的强氧化剂 6. 受撞击、摩擦或与氧化剂、有机物接触时能引起燃烧或爆炸的物质 7 在密闭设备内操作温度等于或超过物质本身自燃点的生产
乙	使用或产生下列物质的生产: 1. 闪点>28℃、<60℃的液体 2. 爆炸下限≥10%的气体 3. 不属于甲类的氧化剂 4. 不属于甲类的化学易燃危险固体 5. 助燃气体 6. 能与空气形成爆炸性混合物的浮游状态的粉尘、纤维、闪点的液体雾滴

续表 3.1

生产类别	火灾危险性特征
丙	使用或产生下列物质的生产： 1　闪点≥60℃的液体 2　可燃固体
丁	具有下列情况的生产： 1　对非燃烧物质进行加工，并在高热或熔化状态下经常产生强辐射热、火花或火焰的生产 2　利用气体、液体、固体作为燃烧或将气体、液体进行燃烧作其他用的各种生产 3　常温下使用或加工难燃烧物质的生产
戊	常温下使用或加工非燃烧物质的生产

对毒性物质可参考国家标准 GB5044—85《职业性接触毒性危害程度分级》，毒物危害程度分级见表 3.2。

表 3.2　毒物危害程度分级

指　标		Ⅰ（极度危害）	Ⅱ（高度危害）	Ⅲ（中度危害）	Ⅳ（轻度危害）
			分　级		
危害中毒	吸入 $LC_{50}/mg \cdot m^{-3}$	＜200	200～	2000～	＞20000
	皮入 $LD_{50}/mg \cdot kg^{-1}$	＜100	100～	500～	＞2500
	口入 $LD_{50}/mg \cdot kg^{-1}$	＜25	25～	500～	＞5000

B　生产工艺和条件

生产工艺和条件也会产生危险或使生产过程中材料的危险性加剧。例如，水仅就其性质来说没有爆炸危险，然而，如果生产工艺的温度和压力超过了水的沸点，那么水的存在就具蒸汽爆炸的危险。因此，在危险辨识时，仅考虑材料性质是不够的，还必须同时考虑生产工艺和条件。

分析生产工艺和条件可使有些危险材料免予进一步分析和评价。例如，某材料的闪点高于 400℃，而生产是在室温和常压下进行的，那就可排除这种材料引发重大火灾的可能性。当然，**在危险辨识时，既要考虑正常生产过程，也要考虑生产不正常的情况。**

在进行危险辨识时，尤其要注意下述石化、化工工艺或设备的危险性：

（1）生产或加工有机或无机化学物品，特别是用于此目的的设备：

——烷基取代、烷（烃）化、烯烃并化作用；

——氨解产生的胺化、氨基化；

——羰基化；

——冷凝、缩合、凝聚；

——脱氢；

——酯化；

——卤化和卤素制造；

——氢化、加氢；

——水解；

——氧化；

——聚合；

——磺化；

——脱硫和含硫复合物的制造、运输；

——硝化和氮复合物的制造；

——磷的化合物的制造；

——农药制药的正规生产。

(2) 有机和无机化学物质加工或用于特别目的的设备：

——蒸馏；

——萃取；

——溶剂化，媒合；

——混合；

——干燥。

(3) 石油或石油产品的蒸馏、精炼或加工的设备。

(4) 用焚化或化学分解全部或部分处理固体或液体物质的设备。

(5) 生产或加工能源气体的设备，例如 LPG、LNG。

(6) 煤或褐煤的干馏设备。

(7) 金属或非金属生产设备(用湿法过程或用电能)。

(8) 危险物质的贮存设备。

此外，还可参考劳动部 1995 年 1 月颁布的《爆炸危险场所的安全规定》，对有关爆炸危险的工艺条件和场所进行辨识。

C 相互作用矩阵分析法

相互作用矩阵是一种结构性的危险辨识方法，是辨识各种因素(包括材料、生产条件、能量源等)之间相互影响或反应的简便工具。实际使用时，这种方法通常限制为两个因素(如图 3.4)。分析时也可加入第三个因素，如图中混合物 1 可以是化学物 C 和 D 的混合物，则此图可表明混合物 CD 与化学物 A，混合物 CD 与污染 1 的相互作用等等。若多种因素相互作用很重要，且有能力详细分析，则可建 n 维矩阵来分析。

相互作用矩阵是双对称性的，所以只需完成矩阵的一半(图中没有阴影的部分)。因为化学物 A 与 B 的作用和 B 与 A 的作用相同。

相互作用矩阵分析的因素不限于化学物质和图中所述的因素，以下列出了其他需要分析的因素。通常在矩阵的一个轴上列出另外的因素即可，因为我们仅对这些因素与生产材料的相互作用感兴趣，对这些因素之间的相互作用并不感兴趣。

相互作用矩阵分析常用的其他参数如下：

(1) 生产条件，如温度、压力、静电等；

(2) 环境条件，如温度、湿度、粉尘等；

(3) 结构材料，如碳钢、不锈钢、石棉填料等；

(4) 常用污染物，如空气、水、锈、盐、润滑剂等；

(5) 生产设备或区域中处理其他材料产生的污染；

(6) 长期和短期接触对健康的影响；

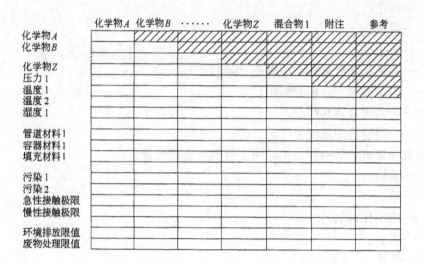

图 3.4   相互作用矩阵

（7）气味、水毒性等环境影响；

（8）库存、排放或废物处理的规定限值。

在构造相互作用矩阵时，需分析生产条件。为了分析正常和非正常的生产情况，需要构造几个相互作用矩阵。如果只有一个矩阵，则应注意其他生产条件下潜在的危险及相互作用。

构造相互作用矩阵后，就应检查矩阵中每个相互作用的潜在事故后果，如不了解某个相互作用的事故后果，则需进一步实验研究。已知的事故类型和严重度可在矩阵中适当的位置注明（有时一个相互作用会产生几种类型的事故）。将相互作用矩阵分析结果与需要辨识的潜在事故进行比较，决定是否需要进一步评价。

D   利用安全评价和分析方法

许多安全评价和分析方法既可评价风险，也可以识别风险。如安全检查表分析、如果—怎么办分析、如果—怎么办/检查表分析、危险与可操作性分析、预先危险分析、故障树分析、事件树分析等。

如果—怎么办和危险与可操作性分析方法，允许分析人员更具创造性地利用其经验。每一种方法探索问题的方式不同，但都要求分析小组提出和回答一系列问题，从而揭示可能产生的不期望的后果。因此，更有可能发现生产中独特的或不期望的危险。分析小组成员必须具有丰富的经验，否则重要的危险可能会被忽略。因此，许多公司将检查表分析和"头脑风暴"方法相结合，利用检查表分析方法的严密性与一致性，而保留"头脑风暴"方法的灵活性和创造性。

同样，其他一些评价方法也能很好地识别风险，这里不一一介绍，请参见相关部分。

通常当有足够的信息提供给分析小组开展危险辨识与评价时，仅为了危险辨识的目的而采用这些方法就会显得效率不高。但当信息有限时，如一个新建的生产过程或在新装置处于概念设计阶段，只要危险分析人员把研究集中在一定的范围内，安全评价方法也可有效地用来识别危险。如果—怎么办/安全检查表分析方法是最为广泛用来识别危险和评价风险的组合方法，但安全检查表分析方法可与任何方法联合使用。

E 利用经验

要尽可能地利用企业自己的经验来完善危险辨识工作,因为发生过问题就表明存在危险。但危险辨识仅基于企业(甚至行业)的经验不会取得满意的结果,有许多危险都会被忽视。好的安全生产经验只能表明危险已得到适当控制,并不表明危险不存在。仅仅因为某种情况没有发生过就认为它不会发生,是一种不正确的认识。

适当地利用经验,有助于建立用于危险识别活动的生产知识基础。通常,分析人员总是把一些基本的化学知识作为识别的出发点。实验室的实验结果能揭示某种化学物的基本物理性质、毒性和反应动力学特性。试生产过程能了解没有预料的反应副产品,表明生产条件要加以改变以达到最佳的效果。甚至拆除某个生产装置也能增加重要的生产经验(对生产有更深的了解),因为这可揭示在正常操作或装置关闭时系统中不明显或不了解的状况。

如果是识别很成熟的生产过程的危险,分析人员可参考相同规模企业的运行经验,哪些地方发生过泄漏,为什么发生紧急关闭情况,什么原因造成非计划的输出,回答此类问题能指出在材料性质与生产条件不明显时的危险。

如果企业的经验已文件化,可像其他的资料一样用于危险辨识。若这些经验没有记录,则需要成立由具有一定知识与经验的人员组成的小组参加危险辨识活动。如果在该小组开展活动之前已开展了其他的危险辨识活动,则效果会更好。然后该小组能简单地确定他们的经验是否匹配、是否相矛盾,或是否没有表达从其他途径收集到的信息,是否能指出在现有系统中观察到的另外的危险。即使该小组的成员对所分析的化学品没有特别的经验,但他们对表示类似危险的相似材料具有使用经验。

3.3.3 重大危险因素与危害因素的辨识

重大危险、危害因素是指能导致重大事故发生的危险、危害因素。重大事故具有伤亡人数众多、经济损失严重、社会影响大的特征,我国一些行业(如化工、石油化工、铁路、航空等)都规定了各自行业确定和划分重大事故的标准,把预防重大事故作为其安全生产工作的重点。

重大事故隐患在不同的行业或部门、不同时期各有其特定的含义和范围,人们通过发现、整改这些隐患,预防重大事故的发生。实际上它也是重大危险、危害因素的一部分。

随着化学工业、石油化学工业的发展,大量生产和使用易燃、易爆、有害有毒物质,作为工业生产的原料或产品,在生产、加工处理、储存、运输过程中,一旦发生事故,其后果非常严重。

目前,国际上已习惯将重大事故特指为重大火灾、爆炸、毒物泄漏事故。1993 年,国际劳工组织(ILO)通过的《预防重大事故公约》中,定义重大事故为:"在重大危险设施内的一项生产活动中突然发生的、涉及一种或多种危险物质的严重泄漏、火灾、爆炸等导致职工、公众或环境急性或慢性严重危害的意外事故"。

目前,国际上是根据危险、有害物质的种类及其限量来确定重大危险、危害因素的。

我国国家标准 GB18218—2000《重大危险源辨识》,将重大危险源分为生产场所重大危险源和贮存区重大危险源两种;根据物质不同的特性,将危险物质分为爆炸性物质、易燃物质、活性化学物质和有毒物质四大类,分别给出物质名称及其临界量。

3.3.4　危险辨识注意事项

危险辨识过程中,应注意以下几点:

(1) 危险、危害因素的分布。为了有序方便地进行分析,防止遗漏,一般按厂址、平面布局、建(构)筑物、物质、生产工艺及设备、辅助生产设施(包括公用工程)、作业环境危险几部分,分析其存在的危险、危害因素,列表登记,综合归纳,得出系统中存在哪些种类危险、危害因素及其分布状况的综合资料。

(2) 伤害(危害)方式和途径。

1) 伤害(危害)方式。指对人体造成伤害或对人身健康造成损坏的方式。例如,机械伤害的挤压、咬合、碰撞、剪切等,中毒的靶器官、生理功能异常、生理结构损伤形式(如黏膜糜烂、植物神经紊乱、窒息等),粉尘在肺泡内阻留、肺组织纤维化、肺组织癌变等。

2) 伤害(危害)途径和范围。大部分危险、危害因素是通过与人体直接接触造成伤害,爆炸是通过冲击波、火焰、飞溅物体在一定空间范围内造成伤害,毒物是通过直接接触(呼吸道、食道、皮肤黏膜等)或一定区域内通过呼吸带的空气作用于人体,噪声是通过一定距离内的空气损伤听觉的。

(3) 主要危险、危害因素。对导致事故发生条件的直接原因和诱导原因进行重点分析,从而为确定评价目标、评价重点,划分评价单元,选择评价方法和采取控制措施计划提供基础。

(4) 重大危险、危害因素。分析时要防止遗漏,特别是对可导致群死群伤的危险、危害因素要给予特别的关注,不得忽略。不仅要分析正常生产运转和操作时的危险、危害因素,更重要的是要分析设备、装置破坏及操作失误可能产生严重后果的危险、危害因素。

3.3.5　危险辨识结果

危险辨识活动的结果,通常是可能引起危险情况的材料、设施或生产条件清单,如表3.3所示。分析人员可利用这些结果确定适当的范围和选择适当的方法开展安全评价或风险评估。总的来说,评价的范围与复杂程度,直接取决于识别出危险的数量与类型以及对它们的了解程度。如果有些危险的范围不清楚,则在开展评价之前需要开展另外的研究或试验。

表3.3　危险辨识的结果

序　号	结　果
1	可燃材料清单
2	毒物材料和副产品清单
3	危险反应清单
4	易燃物品及清单
5	系统危险清单,如毒性、可燃性
6	危险设备、设施场所清单
7	重大危险源(危险因素)清单
8	需要制定事故应急预案的场所、设备、设施、岗位清单

3.3.6 风险评价

风险评价,也称安全评价,是对系统发生事故的危险性进行定性或定量分析,评价系统发生危险的可能性及其严重程度,以寻求最低的事故率、最少的损失和最优的安全投资效益。风险评价是应急管理和决策科学化的基础。

目前,用于生产过程或设施的危险评价方法已达到几十种。**常用的危险评价方法可分为定性评价方法、指数评价方法、半定量评价方法和概率风险评价方法等几大类。**

3.3.6.1 定性评价方法

定性评价方法主要是根据经验和判断能力对生产系统的工艺、设备、环境、人员、管理等方面的状况进行定性的评价。属于这类评价方法的有安全检查表、预先危险性分析、故障类型和影响分析以及危险可操作性研究等方法。这类方法的特点是简单,便于操作,评价过程及结果直观,目前在国内外企业安全管理工作中被广泛使用。但是,这类方法含有相当高的经验成分,带有一定的局限性,对系统危险性的描述缺乏深度。不同类型评价对象的评价结果没有可比性。

3.3.6.2 指数评价方法

美国DOW化学公司的火灾、爆炸指数法,英国帝国化学公司蒙德工厂的蒙德评价法,日本的六阶段危险评价法和我国化工厂危险程度分级方法等均为指数评价方法。指数的采用使得系统结构复杂、用概率难以表述其危险性单元的评价有了一个可行的方法。这类方法操作简单,是目前应用较多的评价方法之一。指数的采用,避免了事故概率及其后果难以确定的困难,评价指数值同时含有事故频率和事故后果两个方面的因素。这类评价方法的缺点是:评价模型对系统安全保障体系的功能重视不够,特别是危险物质和安全保障体系间的相互作用关系未予考虑。尽管在蒙德法和我国化工厂危险程度分级方法中有一定的考虑,但这种缺陷仍是很明显的。各因素之间均以乘积或相加的方式处理,忽视了各因素之间重要性的差别。评价自开始起就用指标值给出,使得评价后期对系统的安全改进工作较困难。在目前的各类指数评价模型中,指标值的确定只和指标的设置与否有关,而与指标因素的客观状态无关,致使危险物质的种类、含量、空间布置相似,而实际安全水平相差较远的系统,其评价结果相近,导致这类方法的灵活性和敏感性较差。指数评价法目前在石油、化工等领域应用较多。

3.3.6.3 概率风险评价方法

概率风险评价方法是根据元部件或子系统的事故发生概率,求取整个系统的事故发生概率。这种方法以1974年拉姆逊教授(Prof. Norman C. Rasmussen)评价民用核电站的安全性为开始,继而1977年英国坎威岛(Canvey Island)石油化工联合企业的危险评价、1979年德国对19座大型核电站的危险评价、1979年荷兰雷几蒙德(Rijnmond)六项大型石油化工装置的危险评价等都是使用概率评价方法。这些评价项目都耗费了大量的人力、物力,在方法的讨论、数据的取舍、不确定性的研究以及灾害模型的研究等方面均有所创建,对大型企业的危险评价方法影响较大。一方面这种方法系统结构清晰,相同元件的基础数据相互借鉴性强,已在航空、航天、核能等领域得到了广泛应用。另一方面,这种方法要求数据准确、充分,分析过程完整,判断和假设合理。对于化工、煤矿等行业,由于系统复杂,不确定性因素多,人员失误概率的估计十分困难,因此,这种方法至今未能在此类行业中取得进展。随着模糊概率理论的进一步发展,概率风险评价方法的缺陷将会得到一定程度的克服。但是使用概率风险评价方法需要取得组成系统各零部件和子系统发生故障的概率数据,目前在民用工业系统中,这类数据的积累还很不充分,这是使用这一方法的根本性障碍。

3.3.6.4　风险评价软件

自 1974 年美国出版了《民用核电站风险评价研究报告》(WASH—1400)以来,**大多数工业发达国家已将风险评价作为工艺过程、系统设计、工厂设计和选址以及应急预案和事故预防措施的重要依据。近年来开发了一系列商业化的风险评价软件**。英国、荷兰、美国等工业发达国家从 20 世纪 70 年代以来就开始研究风险评价软件,目前已有几十种风险评价软件包得到应用。随着信息处理技术和事故预防技术的进步,新的实用评价软件不断地进入市场。计算机风险评价软件包可以帮助人们找出导致事故发生的主要原因,认识潜在事故的严重程度,并确定减缓危险的方法。目前,用于风险评价的计算机软件包主要有四种类型:

第一种,危险辨识软件,是用来解决"为什么会出现故障"的问题。危险辨识方法主要有安全检查表、"假设"提问法、危险与可操作性研究、初步危险性分析、故障类型、影响及其严重度分析等。

第二种,事故后果模型软件,是用来确定潜在事故的后果。事故后果模拟软件主要是预测火灾、爆炸和毒物泄漏事故的后果。**火灾危害模型**可描述不同类型火灾的性质,爆炸模型可以计算密封或非密封的蒸气爆炸、固体爆炸或油罐爆炸的超压量;**毒物泄漏扩散模型**可显示释放在空气中、土壤里、地下水和地面上化学毒物的扩散行为;**事故后果模型**把热辐射、易燃或有毒蒸气的扩散以及爆炸超压的内容转换成危害区域评价,使之能以设施和财产损失、环境破坏以及人因接触有毒化学品、热辐射或爆炸压力而导致的健康危害来说明事故的危险性。

第三种,事故频率分析软件,是通过对有关的元件失效频率和人为失误频率等数据的处理可得到事故的频率。常用的方法有**事故树分析方法**和**事件树分析方法**。

第四种,综合风险定量分析软件,是根据提供的设计资料、企业情况以及设施周围区域人口分布等资料,全面地描述危险程度,计算出危险设施周围的社会(群体)和个人承担的风险值。

如果使用定量方法,有如下几种风险计算方法:

(1) 个人风险评价:定义为一个人在企业周围特定的位置上由于所有发生事故造成的某种伤害。任何一点的个人风险等于所有引起特定伤害概率的和。例如,在企业下风向某一位置,如果发生爆炸或毒气泄漏会死亡。假定两种情况是企业所有可能发生的事故,那么这个人由于事故死亡的总体概率是这些概率之和。

个人风险评价定量计算结果如果展示在企业任何位置,就可得到个人风险图;如果放在地图上,就可表现出该地区暴露的风险。

(2) 最大个人风险:在个人风险图上的最高值。

(3) 平均个人风险:是事故影响人员的平均风险的度量。它可通过企业周围人口分布数据计算出来。这个风险值是把每个风险值乘以暴露人口数再加和起来,然后除以总人口数。

(4) 事故规模-频率曲线:这是一种常用把严重事故后果作为它们概率的函数的方法。

这种方法要先确定出所有可能发生事故和每种事故伤害的后果,然后画出曲线图。x 轴为死亡数,y 轴是所有设施发生所有事故产生死亡数的积累概率。

(5) 后果分析:后果分析用来评价事故可能的影响区域,用事故的毒物浓度、超压、热通量等形式来表示评价的后果。编制人员能够使用事故泄漏模型确认对人员的健康、财产带来影响的地理区域。

后果分析的综合对应急预案是非常重要的。如果有必要说明风速、风向、泄漏的瞬时特性的任何波动,那么这便可获得实时应急模型系统,有助于应急决策。

3.4 人员和职责的确定

完成危险辨识、后果分析和风险评价后,编制小组需要确定在紧急情况下应该采取什么样的行动最合适,从报警定级到如何实施应急行动或疏散程序。这些行动要由企业或外部人员完成,因而小组的任务是根据现有人力确定紧急情况下由谁来作出什么行动。

正确实施应急预案必须要明确职责,特别是什么时候由谁来指挥。为了简便,编制小组可根据企业正常生产管理系统职位来分配紧急时的任务。这样会减少培训以保证紧急时正确指挥。决策和权威更容易被企业人员所接受,因为他们平时就是这样工作。这种被确认的领导权会增加自信,减少混乱。**编制小组应该认真评估目前企业的组织管理结构,以保证在异常情况下的正确性和充分性。**

编制小组应该认真审查领导的能力和在休假时的指挥系统,要保证负责人员,经过良好培训,能够在更高级指挥人员到来前应对局势。代理人员应该在主要领导休假或生病或由于其他原因不在时代替执行职责。该代理人必须像原主管一样能够应付紧急局势。

这些关键人员的通报和通讯联络程序必须明确下来,以保证及时决策,快速反应。

编制小组应预先辨识出现在危险地区所要实施的应急反应行动。这样会减少在危机时刻做出"特别"决策的需要。下面是**最常见的紧急时刻实施的重要应急功能:**

(1) 通讯和外部关系联络,包括媒体;

(2) 消防与营救;

(3) 物质泄漏控制;

(4) 工艺和公用设施;

(5) 工程措施;

(6) 环境状况;

(7) 医疗救护;

(8) 安全保障;

(9) 后勤保障;

(10) 行政管理。

编制小组的任务是保证所有应急功能与负责企业正常生产的人员和服务机构相匹配。可用表 3.4 作为最初功能分配表。然后编制小组应要求相关部门或机构配合制定实施总体应急救援预案的专项预案。例如,工程、操作、技术机构和维修部门应该提出在紧急情况下隔离或关闭设备或单元的应急程序。此外,可分派这些部门的人员实施应急反应行动和/或作为应急咨询员,这些行动计划也要包括在应急预案中,特别是放在附录中便于更新。

表 3.4 应急救援职责分配表

功能 部门职位						
企业经理						
生产经理						
安全主管						
维修经理						
其他						

3.5 应急资源的评估

在本阶段,编制小组要评价企业在紧急情况下所具有的资源和控制紧急事故的人员。

报警要求有良好的系统,从有声报警到电话系统和早期自动监测系统。无论采取什么样的报警方式,小组应该评价报警系统和其工作的充分性(如必要建议安装新系统)如果可能出现功能失调或超负荷情况,主要系统应设有备用系统。

应急时使用的通讯设备是至关重要的。应急人员应该保证具有这种通讯设备,而且当正常通讯设备失灵时也可以使用。

在应急时,防护或救援行动所需要的设备类型有很多,下面是最常使用的类型:

(1) 灭火系统;

(2) 消防供水系统;

(3) 火灾检测系统;

(4) 消防设备;

(5) 毒物泄漏控制设备;

(6) 个人防护设备;

(7) 医疗设备;

(8) 气象设备;

(9) 生产和照明的备用电力设备;

(10) 特殊危险的专用工具和设施;

(11) 有毒物质的侦检设备;

(12) 预测有毒化学物质扩散的软件和硬件;

(13) 交通设备、培训设备等。

在大中型企业中,预案编制小组应该尽早制定出关于应急指挥中心的规定,所有应急行动的指挥都在应急指挥中心进行。

现有资源,按人力、设备和供应进行评价。这需要确定下面内容:

(1) 人力:

1) 紧急时可动员多少全职和兼职人员或志愿者?

2) 培训水平如何?

(2) 通报和通讯联络设备:

1)有什么样的通讯设备(电话、专线电话、无线电和警笛)?

2)有多少应急指挥中心,它们位于何处?

(3) 个人防护设备:

在何处、有多少和什么类型的个人防护设备(如自持性呼吸器、防毒面具、防酸服)?

(4) 消防设备和供应:

1) 有什么类型的消防设备(消防车、消防梯、液压起重机)?

2) 有无消防水系统?

3) 有什么替代水源?

4) 有什么样和多少消防设备(例如,各种便携式灭火器、泡沫罐、灭火药剂)?

(5) 事故控制和防污染设备及供应:

1) 有什么专用工具和设备,在什么地方?

2) 有多少掘土设备?

3) 有什么类型的防污染设备和药剂(例如,中和剂)?

(6) 医疗服务机构、设施、设备和供应:

1) 当地医院和其他医疗机构的位置?

2) 它们的装备如何?

3) 有多少救护车?

4) 有多少医生、护士?

(7) 监测系统:

1) 有什么样的监测和检测系统,有多少?

2) 这些化学实验室是否能进行危险物质分析?

3) 是否有专门技术参考资料的图书馆或数据库?

(8) 气象站:

1) 有多少气象站(特别是确定风向)?

2) 它们位于何处?

(9) 交通系统:

1) 有多少卡车和其他交通设备以便在紧急时运输和供应?

2) 有多少车辆可用来运输和疏散人员?

(10) 保安和进出管制设备:

1) 是否有足够的警力以控制交通和疏散时执法?

2) 是否有足够进出管制设备(例如,路障)以便在紧急时控制交通?

(11) 社会服务机构、设施和设备:

1) 有多少接收疏散人员的设施?

2) 有多少房屋、毯子和其他设备、设施?

3.6　应急反应组织的建立

应急预案的一个最重要的目的是建立应急反应组织,能在紧急时刻,在最短时间内及时部署完毕。为此,要提出以下问题:

(1) 紧急情况发生时由谁来指挥操作?

(2) 当更多的企业和企业外反应人员到达事故现场时,指挥结构如何变化?

（3）如果紧急状况恶化时，需要更多的资源和出现更多的受影响点（包括企业内企业外），指挥结构如何变化？

（4）谁来决定分配减缓事故的资源？

（5）谁应该在紧急时与谁保持通讯联络？

（6）哪些应急功能（如消防、工程、医疗等）应该行动，什么时候？如何行动？

（7）哪些人负责专项应急反应功能？

（8）各种指挥岗位应位于哪里？

（9）谁来决定采取何种行动以保护外部人群？

（10）所有应急功能协调员互相之间如何联络？

（11）谁提供技术建议来开始反应行动？

（12）谁来决定什么时候应急结束，批准重新进入危险区？

这些问题可通过建立一个完整的反应组织指挥结构和职责表格来回答。此外，最初反应组织结构也要确定出来，以便在当班时立即启动应急反应。

3.6.1 最初反应组织

一天中的每时每刻都可能发生事故，应急反应组织必须保证在任何时候接到报警后立即行动。

及时正确的最初应急反应行动可以在事故升级前极大地降低事故的后果。**最初协调应急行动的责任一般由当班经理负责**，直到有更高级的人员来替代，如企业经理到达事故现场。**最初阶段，当班经理要临时担任企业应急总指挥的功能**，因此要根据事故严重程度来评价应急行动级别，通知相关人员、部门和机构参加应急行动。

与此类似，企业其他人员将分别担任最初反应组织的其他重要功能，直到规定人员到达事故现场替代他们。**这些职责分配仍然要预先明确下来，而不是等到紧急时刻再开始。** 图3.5给出一个最初反应组织图。最初应急操作指挥的职位由生产或技术经理担任。他们

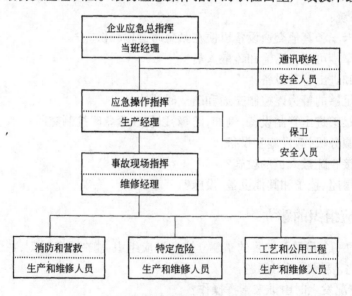

图 3.5 最初应急反应组织图

也可担任现场指挥。这两个指挥员分别负责组织反应操作和指挥事故现场的反应行动。**反应行动由生产和维修人员进行**,他们组成最初的反应小组。此外,最初重要的**通讯联络和通报任务由保卫人员担任**,他们也负责企业进出管制。

3.6.2 全体应急反应组织

不是所有事故严重到要求动员全体反应组织。可是在全体应急状态下,企业应急总指挥员应该启动所有应急预案要求的行动,包括启动全体应急反应组织。图3.6给出了一个全体应急组织的实例。

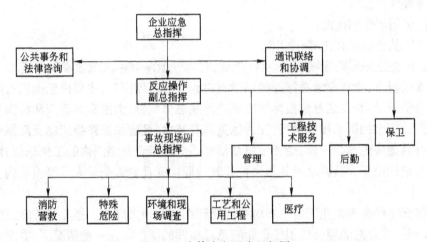

图3.6 全体应急反应组织图

也可能存在其他组织结构。这种选择将主要依赖于企业和其内部管理结构。关键是所有预案中相关应急功能应包括在组织结构中。这要求所有职责要配备足够人员,以便保证每个岗位都有人员。每个岗位可能有多个任务,所以主要人员或代理人可在全体应急反应组织启动后任何时候能承担职责。

负责图3.6所示不同功能的人员应为企业应急总指挥提供建议并执行企业应急总指挥做出的决定。这些人员主要包括负责生产、工程、技术、人事、医疗、交通、安全、环保和保卫的高级管理人员。他们将根据具体情况决定该采取哪种反应行动,如关闭企业,灭火,疏散企业人员或大众,进行应急修复工作,安排设备物资供应,进行应急检测和协调企业与当地公安消防和其他机构的行动。

3.6.3 企业应急总指挥

在任何时候企业必须只有一个人负责指挥整个应急反应组织。他的主要职责包括对所有保护公众、员工、环境和企业设施的行动,事故的救援和控制行动的指挥。**企业应急总指挥的职责为:**

(1) 分析紧急状态和确定相应报警级别,这些分析要根据相关危险类型(例如,火灾、爆炸、泄漏)、它的潜在后果(包括企业内外)、现有资源和控制紧急情况的行动类型来做出;

(2) 指挥、协调应急反应行动;

（3）与企业外应急反应人员、部门、组织和机构进行联络；

（4）直接监察应急操作人员的行动；

（5）保证现场和企业外人员安全；

（6）协调后勤方面以支援反应组织。

在执行这些任务时，企业应急总指挥会得到从事专项任务的应急反应人员的帮助。**企业应急总指挥不能把下列任务交给工作人员执行：**

（1）应急反应组织的启动；

（2）应急评估，包括升高或降低应急警报级别；

（3）通报外部机构；

（4）决定请求外部援助；

（5）决定从企业或其他部分撤离；

（6）决定企业外影响区域的安全性（例如，在毒气泄漏时建议疏散或安全避难）。

在许多情况下，企业应急总指挥的职能可由企业总经理担任，主要由于他们有类似的责任。在紧急情况下，**企业应急总指挥的主要功能是总体指挥，大量实际反应和协调任务主要由负责生产或安全的副总指挥执行，因为他更具有技术、经验和更熟悉应急反应操作。**

与所有其他应急职位一样，**企业应急总指挥是分配给企业组织内的工作职位，而不是某个人。**这会消除由于人员调动到其他岗位或其他职位变动导致企业人员组织结构变化带来的混乱。

紧急情况下保持与企业正常生产时相同管理结构有很大好处。据此当应急组织结构完全部署完毕时，企业总经理应该担任企业应急总指挥的职位。在一些情况下，委派更熟悉应急操作的人员担任企业应急总指挥比总经理更合适。如果这样是更好的选择，他应该在计划阶段绝对明确出来，并应在应急组织结构图上表示出来。在这种情况下企业总经理可能仍负责保护企业人员和大众的责任，在紧急时提供总体指导。企业应急活动的具体协调应该仍由企业应急总指挥负责。

总体上，**所有应急职位特别是企业应急总指挥应该有代理人，以免企业总经理或其他领导不在现场时代替履行职责。**当企业应急总指挥在紧急事故中受伤时，代理人员应该负责其职责。

应该制定有关规定保证企业应急总指挥在任何时候都能履行职责，他对企业的状况必须有充分的了解。初期当班经理可能是这个位置上最好的候选人，因而常被任命为企业应急总指挥直到更高级的负责人到来，从而保证指挥岗位全天时段都有人负责。

发生特大紧急事故时，决策必定影响到整个企业甚至企业以外人员的安全和它们的财产和环境。在这种情况下，应预先明确谁有法律责任来做出这种决策。职责不明确能导致不幸的结果。地方政府负责人有这种责任和权力，或者是地方政府应急指挥员，特别是在公众健康、财产和环境受到事故威胁时。

企业应急总指挥的职位变动时应该及时通知所有负责各种反应功能的人和政府反应组织和部门。

在许多情况下，公安消防部门是第一个企业外应急反应者。当企业应急总指挥仍在负责现场指挥时，当地安全、公安、消防的主管或社区负责人，能作为企业外应急指挥，甚至作为应急总指挥。

在大多数情况下,企业应急总指挥最初在控制室由操作人员帮助协调反应行动。可是,**当应急升级和应急反应组织开始部署时,应急指挥中心应该转移到指定的应急地区**,如前所述,在那里整个反应组织操作会更为合适。企业应急总指挥在此与他的工作人员一起工作,如果应急指挥中心直接暴露在事故危害区,企业应急总指挥应决定转移到其他安全区域。

3.6.4 反应操作副总指挥

反应操作副总指挥在应急指挥中心操作,他负责监察和协调具有减缓事故后果功能的各种任务。因此,**反应操作副总指挥的主要职责是:**

(1) 协助企业应急总指挥组织和指挥应急操作任务;

(2) 向企业应急总指挥提出应采取的减缓事故后果行动的对策和建议;

(3) 保持与现场操作副总指挥的直接联络;

(4) 协调、组织和获取应急所需的其他资源、设备以支援现场的应急操作。

完成这种功能的人员应该非常熟悉企业及其组织。通常维修或生产经理应该担当这个职责。

在小企业反应操作副总指挥的功能可以和企业应急总指挥的功能合并,这两个职位都由一个人担任。当应急初始阶段所有反应组织还没有部署完成,也可以出现这种情况。

3.6.5 事故现场副总指挥

事故现场副总指挥是在直接事故现场最高级的应急反应组织指挥。他的指挥部应该尽可能接近应急现场操作的位置,当然也要考虑到安全的因素。事故现场副总指挥的主要职责是:

(1) 所有事故现场操作的指挥和协调;

(2) 现场事故评估;

(3) 保证企业人员和公众的应急反应行动的执行;

(4) 控制紧急情况;

(5) 现场应急行动与在应急指挥中心的反应操作副总指挥的协调。

事故现场副总指挥必须具有丰富技术经验并熟悉企业。这个职位应由企业安全部门经理或生产经理担任。紧急初始阶段,很可能这个职位(和其他职位)都由当班经理直接担任或由地方政府应急的管理者担任。

我国核电厂应急组织由核电厂应急指挥部及其领导的应急响应组组成(详见图3.7)。核电厂应急指挥部由一名总指挥、一名副总指挥和若干方面的指挥组成,在应急指挥部下设应急运行组、工程抢险组、技术支援组、辐射防护组、应急通讯组、后勤保障组和消防与保卫组等7个行动小组。应急总指挥由核电厂厂长(总经理)担任,第一副厂长、运行负责人等作为替补人员。应急总指挥的职责是全面负责应急状态下厂区的一切应急响应活动和应急计划里规定的核电厂应当在场外执行的任务。具体包括以下主要内容:

(1) 发布进入应急状态的命令,启动场内应急组织;

(2) 按照应急计划的规定,向场外的应急组织报告应急信息;

(3) 决策场内的重大应急行动;

(4) 对场外的应急防护行动提出建议;

(5) 向场外应急组织提出应急救援请求;

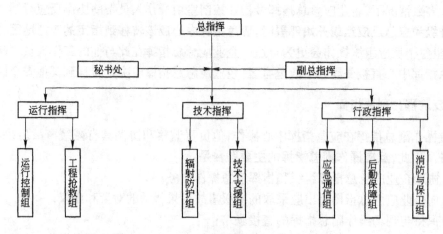

图 3.7　核电厂核事故应急组织体系示意图

(6) 宣布场内应急状态的终止;

(7) 在应急终止后,领导场内组织的恢复工作。

应急运行指挥由主管核电厂生产运行的副厂长(副总经理)担任,其首要任务是全面负责核电厂的运行、评价并向应急总指挥报告核电厂的安全状态,在应急指挥部启动之前代行应急总指挥的职权,应急运行指挥的主要职责是:

(1) 评价核电厂的安全状态和发展趋势;

(2) 管理核电厂的应急运行活动;

(3) 决定并管理对工程、设备、设施的补救活动;

(4) 向应急总指挥提出重大应急行动的建议;

(5) 随时向应急指挥部提供核电厂的事故工况信息。

技术后援指挥由主管核电厂工艺技术副厂长(副总经理)担任,负责向应急总指挥和运行指挥提供运行控制、补救措施、防护措施、环境监测等方面的技术支持。技术后援指挥的主要职责如下:

(1) 组织诊断设备和系统的安全状态,评价堆芯损伤程度;

(2) 分析事故原因,提出纠正措施和补救行动的方案;

(3) 组织评价事故的场内外辐射后果,提出应急防护措施的建议;

(4) 组织制定应急终止后的恢复计划。

各个应急行动小组在应急指挥部的领导下,各司其职,协同作业,共同完成应急预案所赋予的应急职责和应急指挥部部署的应急任务。

3.7　应急预案的组成

应急预案的具体组成主要包括准备程序、基本应急程序、特殊危险应急程序等内容。

3.7.1　准备程序

准备程序是整个应急预案的第一部分内容,主要论述针对事故应急行动所需采取的应急准备,包含若干子程序。准备程序能指导应急准备,主要有以下子程序:

3.7.1.1 评审程序

在修改或制定一个新的应急预案之前,对已有的计划或程序进行评审和回顾是非常必要的,因为这种回顾不仅能为预案制定者提供新预案制定的参考模式,特别是针对类似事故的应急预案制定,而且还能使制定者弥补原有预案的不足和缺陷,避免原有预案中不适当应急步骤的再次出现。该程序包括了对应急预案的横向回顾与纵向回顾:

(1) 横向回顾:主要是指对社会各类应急组织和政府部门所拥有的应急预案和程序以及它们的工作状况和运转过程的了解,包括消防部门、应急医疗部门、当地政府部门等。此种回顾有助于明确各部门的应急责任分配,在应急行动中互相提供援助。

(2) 纵向回顾:主要是指对曾经发生过的事故的应急预案和程序的回顾,具体包括对危险品运输手册、火灾预防计划、危险品泄露应急预案、自然灾害应急预案、事故评价报告等。此种回顾可以充分了解事故应急方法的演变历史,以利于制定新预案时扬长避短,保持预案的连续性和时效性以及对应急资源的合理有效的利用。

3.7.1.2 明确应急责任程序

本书第一章"应急救援系统"已经叙述了各机构的主要职责,制定应急预案时必须熟知该部分内容,因为它牵涉到预案中应急行动的责任分配。由于它的重要性,所以该程序应对事故应急者的职责作一个简单的说明:

A 总指挥

来自应急指挥中心。主要负责事故应急行动期间各单位的运作协调,按照应急预案合理部署应急策略,和事故现场指挥者协同工作,保证事故应急救援工作的顺利完成。

B 事故现场指挥者

来自事故现场指挥中心。主要负责对事故现场的控制,协调应急队员的救援工作,识别危险物质及存在的潜在危险并对事故现场进行分析,执行有效的应急操作,保证应急行动队员的个人安全,并负责事故后的现场清除工作。

C 公共关系代表

来自媒体中心。主要负责在发生紧急情况时与新闻媒体的联系工作,接受他们的采访,必要时负责召开新闻发布会,并与安全人员和法律人员及其他事故应急者保持联系。

D 支持人员

来自技术支持机构,包括安全人员、环境工作者、医疗人员等。在事故应急期间,接受事故指挥者的调遣,提供各类应急所需的技术支持和医疗支持,例如,负责处理发生事故时的安全问题,如发生危险品的泄漏、火灾、喷溅等情况时的人员疏散、交通控制等工作;负责伤员的治疗、救护,并回答医疗方面或毒理学方面的问题;负责向现场应急管理者和事故指挥者提供有关安全、环境方面的法规条文和信息等等。

E 信息管理人员

来自信息管理部门。负责接收事故报警信息,并在事故应急期间向事故应急者提供他们所需的信息,负责各应急小组之间的通讯联系,设置专线电话等。

3.7.1.3 应急资源和应急能力评价程序

应急资源包括人员、应急设备、装置和物资;应急能力包括人员的技术、经验和接受的培训。预案制定者应该评价与预知危险相匹配的应急资源和能力,从而选择最现实、最有效的应急策略,并制定相应的应急预案。

A　应急资源

(1) 应急人员：评价应急人力资源时，主要考虑应急人员的数量、素质和在紧急情况下应急人员的可获得性，以及人员对紧急情况的承受能力和应变能力。

(2) 应急设备：可分为现场应急设备和场外应急设备。

1) 现场应急设备包括：灭火装置、危险品泄漏控制装置、个人防护设备、通讯设备、医疗设备、营救设备、文件资料等。在对现场所有区域事故发生可能性及危险性的分析基础上，预案制定者可以依据需要来制定所需设备清单，以便进行具体工作的部署。

2) 场外应急设备：这是指在列出设备清单以后，不必自备的应急设备，因为在事故发生现场的附近单位和公共安全机构会有一些必需的应急设备。利用这些设备，可以使内部和外部的应急资源得到相互补充，提高应急工作的效率，节约经费的支出，使节约的资金可以用于其他用途。

B　应急能力

在完成了应急资源评价以后，更重要的工作是对应急能力的评价，因为应急能力的大小会影响一个应急行动是否能实现快速有效，其重要性是不可忽视的。与应急资源的评价相似，应急能力评价也分为内部应急能力和外部应急能力的评价。

(1) 内部应急能力：指事故发生单位自身对事故的应急能力，这种能力可以确保事故单位采取合理的预防和疏散措施来保护本单位的人员，其余的事故应急工作留给应急救援系统中的其他机构来完成。

(2) 外部应急能力：指利用事故单位以外的外部机构来对紧急情况进行应急的处理能力。发展外部应急能力可以节省发展内部应急能力所需的过多的人员培训、人力资源补充和装备配置的费用。

通常，在对现场内和现场外的应急能力进行评价以后，应根据实际情况合理确定两种能力发展的比例。

3.7.1.4　培训程序

培训程序是应急准备中的重要环节，因为无论应急资源多么充分，应急组织多么完善，如果缺乏必要的人员培训和应急行动的演练，任何一个事故应急救援行动都不会获得成功。培训程序的制定就是为了保证所有应急队员都能接受有效的应急培训，从而具备完成其应急任务所需的知识和技能。

培训程序必须标明"做什么"、"怎么做"、"谁来做"，并在程序中指明应急预案和相关法规所列出的事故危险和应急责任，保证提供每个应急角色所需的培训。培训的效果好坏是整个应急预案能否成功得到实施的关键性因素。

不管针对哪种事故应急，培训都必须包括以下内容：

(1) 灭火器的使用以及灭火步骤的训练；

(2) 个人防护措施；

(3) 对潜在事故的辨识；

(4) 事故报警；

(5) 紧急情况下人员的安全疏散。

培训程序的制定和实施都应该指派具有丰富的应急经验的人员来执行，并由专人负责管理培训程序、开发新型训练内容、评价培训的充分性、决定每个应急职位所需的培训水平等,为开展应急训练和演习提供充分的准备。

3.7.1.5 训练与演习程序

训练与演习作为培训的目的,其主要作用是检测应急准备的充分性,包括物质资源、设备及人员的应急水平等。训练与演习的主要目的包括:

(1) 测试预案和程序的充分程度;

(2) 测试应急培训的有效性和应急人员的熟练性;

(3) 测试现有紧急装置、设备和其他资源的充分性;

(4) 提高与现场外的事故应急部门的协调能力;

(5) 通过训练来判别和改正预案和程序中的缺陷。

在程序中应该注明训练和演习的类型与频率,以及训练演习的组织、指导、评价等具体步骤。要实际开展应急演习,必须做好下列准备:

(1) 制定完整的演习计划;

(2) 做好演习中所有管理部门的准备工作;

(3) 现场外的应急队员与应急部门的准备。

应急演习为应急人员提供一次实战模拟训练,使应急人员熟悉必需的应急操作,并积累应急工作经验,为真正的事故应急行动提供宝贵的经验保证。应急演习必须定期举行,但间隔的长短根据实际情况而定。

3.7.2 基本应急程序

基本应急程序的内容主要是针对任何事故应急都必需的基本应急行动,包括有一系列的子程序,以保证应急行动的连续性,为事故指挥者和应急管理者提供有效的现场应急指导,保证应急行动的及时性与合理性。

3.7.2.1 报警程序

在发生紧急情况或突发事故的过程中,任何人员都有可能发现事故或险情,此时他们的首要任务就是向有关部门报警,提供事故的所有信息,并在力所能及的范围内采取适当的应急行动。该程序主要指导人员如何使用报警与通讯设备,如电话、报警器、信号灯、无线电等,并明确安全人员、操作人员或其他人员的报警职责。

在具体执行报警操作时,应该根据事故的实际情况,决定报警的接受对象即通告范围。通常决定因素包括紧急情况的类型和紧急情况的严重程度。例如:一旦发生火灾,通知范围就应该包括消防部门、应急救援系统的各个机构以及其他相关的社会部门;如果发生特殊类型的事故或者涉及危险品的特大事故时,通知范围就应该包括参与现场应急的所有人员、地方政府的应急预案制定部门、政府的环境部门及国家应急中心等。

制定报警程序时,还必须考虑到一些对程序有用的补充图表或说明,例如,制定简易流程图表以显示信息散发的途径、如何执行紧急呼叫等内容,这些补充图表或说明能为报警人员提供便利。

3.7.2.2 通讯程序

通讯程序描述在应急中可能使用的通讯系统,以保证应急救援系统的各个机构之间保持联系。程序中应该考虑下列通讯联系:

(1) 应急队员之间;

（2）事故指挥者与应急队员之间；

（3）应急救援系统各机构之间；

（4）应急指挥机构与外部应急组织之间；

（5）应急指挥机构与伤员家庭之间；

（6）应急指挥机构与顾客之间；

（7）应急指挥机构与新闻媒体之间。

与报警程序制定相似，在制定和执行该通讯程序时，应该考虑到一些必要的补充，例如，重要人员的家庭、办公电话号码、寻呼机号码和手机号码，事故应急中可能涉及到的关键部门的名称和电话列表等。

3.7.2.3　疏散程序

疏散程序主要内容是从事故影响区域内疏散的必要行动。疏散程序的重要地位是十分明显的，因为发生事故时，有关人员安全有序的疏散是最重要的应急行动。

疏散程序应该说明疏散的操作步骤及注意事项并确定由谁决定疏散范围（是小部分的还是全部的），还应告知给被疏散人员疏散区域所使用的标识与具体的疏散路线。在疏散程序中还应针对受伤人员的疏散制定特殊的保护措施。

对该程序的补充包括提供事故现场区域的路线地图、危险区的标注、可供人员休息或隐蔽的掩体等内容，目的是为了保证疏散过程中的人员安全，降低事故损失。

3.7.2.4　交通管制程序

危险品运输车辆通过重要区段时，为防止交通堵塞和人员的过于密集带来的危险，应该施行交通管制，从而使危险品车辆迅速顺利地通过复杂的关键路段，可以极大地降低危险。

交通管制程序主要包括以下几方面。

A　警戒

在事故现场或实施交通管制时期，一定的警戒都是必需的。警戒人员主要负责的警戒任务包括：保护事故现场、防止外来干扰、保护现场所有人员安全等。根据事故情况决定警戒人员的数量。

B　约定的交通管制

这是指事先约定的，并按预案制定者所推荐的参考资料和管制步骤，有充足的准备来有序和安全的实行交通管制。

C　快速交通管制

这是指当发生特殊事故或人员生命面临危险时，并且没有足够时间开展有序的约定交通管制时，应该立刻实行快速交通管制，以控制事故情况并拯救伤员，减轻事故的影响。

3.7.2.5　恢复程序

当事故现场应急行动结束以后，应该开展的最紧迫的工作是使在事故中一切被破坏或耽搁的人、物和事得到恢复，进入正常运作状态，这就是恢复程序的基本内容。由于它需要人员、资源、计划等诸多因素的支持才能开展，它的执行需要较长的时间，所需时间的长短一般取决于下列因素：

（1）受损程度；

（2）人员、资源、财力的约束程度；

（3）有关法规的要求；

（4）气象条件和地形地势等其他因素。

在执行恢复程序中,不可避免地要与新闻媒体接触,接受采访,甚至召开新闻发布会等,必须由负责媒体部门全面负责此类工作,保证不要出现差错以免影响事故恢复的进程。

3.7.3　特殊危险应急程序

特殊危险应急程序是主要针对具体事故以及特殊条件下的事故应急而制定的指导程序。其具体的程序内容根据不同事故情况而定,通常除了包括基本应急程序的行动内容以外还应该包括特殊事故的特殊应急行动内容。

存在有毒、有害、易燃、易爆物质的企业常发生的事故是,危险品的泄漏及由其引发的火灾、爆炸等,然而在特殊情况下可能会遭遇台风、洪水等自然灾害的侵袭。为保障安全,有必要制定一系列下述条件下的特殊危险应急程序。

3.7.3.1　危险品泄漏

企业中最常发生的事故就是危险品的泄漏,而且泄漏有可能会导致火灾、爆炸等其他恶性事故的发生,因此,针对危险品泄漏制定特殊应急程序是十分必要的。程序中应详细描述应急队员在控制危险品泄漏时所需采取的具体行动,并标明不同于其他事故应急的特殊应急步骤。

程序中应该明确建立事故指挥中心应注意的事项:

（1）位于通风地带;

（2）根据风向确定安全距离;

（3）观察事故要有良好视野;

（4）有足够空间开展应急操作。

事故指挥者利用该程序作为现场应急的指导,除了按基本应急程序部署必要应急行动以外,更要注意处理危险品泄漏事故的特殊性。例如,**在事故应急行动开始时,应首先收集到下列信息:**

（1）正在泄漏的化学品种类;

（2）泄漏源的位置;

（3）泄漏过程的描述;

（4）泄漏的后果;

（5）蒸气云是否存在及其位置;

（6）蒸气云是否可燃;

（7）蒸气云下风向的细节;

（8）泄漏是否可以控制;

（9）是否存在火源以及火源的位置;

（10）估计控制需要时间;

（11）是否需要额外援助。

除此之外,程序中还应注明,在应急过程中需要实施的人员防护,以免应急队员因过度暴露而受到伤害。

3.7.3.2　火灾

火灾是最常见也是最易发生的事故之一,如果不能对其实施有效应急以控制火势蔓延,那么就有可能造成巨大的事故损失,酿成灾祸悲剧。因此在拥有了基本应急程序的基础上,应针对火灾事故的特点,制定特定应急程序,重点突出在应急行动中的灭火要点、应特别注意和回避的事项,使应急行动具有更强的针对性,提高行动的效率。

程序应详细说明各应急组织和应急队员的灭火能力、任务和各自的职责,说明事故指挥者、安全人员及其他应急者的个人责任等。程序将有助于制定行动计划、决定是否需要额外援助、指导事故指挥者收集有用信息等等。

3.7.3.3　台风

台风是我国沿海地区常见的自然现象,由于它的无法控制性和巨大的破坏性,因此常造成严重的经济损失和人员伤亡。在交通方面,台风更易导致交通阻断,引发运输事故。因此,在台风易发生时期,必须考虑到在台风季节针对台风的应急措施,以预防恶性事故的发生以及一旦发生事故时如何将事故影响控制在最小范围内。

制定台风的应急程序应与当地的应急救援部门和气象服务中心紧密联系,根据政府气象服务部门所提供的气象信息和指导,应急管理者应提前在 24～48 小时内采取适当的行动措施。制定"台风"应急程序时,需要根据预报的台风种类、强度、登陆点不同确定相应的应急行动措施。由于台风会影响到工作、生活、交通等各个方面,因此每个部门都应在台风到来之前部署好应急行动,以保证人员的安全。

3.7.3.4　洪水

洪水应急程序主要适用于企业所在的区域历史上有洪水记录或可能发生洪水时对可能事故的预防和发生事故后的应急。该程序根据各个不同的企业所能承受的不同洪水强度,考虑气象中心发布的应采取的洪水应急措施来制定具体的程序内容。

程序中的事故预防措施应包括对洪水预兆标志(暴雨、雷阵雨、冬季冰雪的融化等)的识别,以实现在洪水到来之前或气象中心发布洪水警报之前采取必要的预防性措施。在事故应急措施中,应列出在洪水应急中需采取的特别行动,例如对需要用沙包填充区域的划分、沙包的获得和补充、重要设备的移动、对建筑物的记录、疏散路线的确认、汽车特别是储罐车的防滑等各项具体措施。

由于各个企业的具体条件不同,气象条件的不同,可能发生的事故也会有相当大的差异,其相应的应急行动也就不尽相同,针对具体事故类型可制定出各自的应急程序,突出具体的应急特点,可参考上述特殊应急程序进行具体程序的制定。

第四章

应急救援行动

　　应急救援行动是指在紧急情况发生时,即发生火灾、爆炸和有毒物质泄露等重大事故时,为及时营救人员、疏散撤离现场、减缓事故后果和控制灾情而采取的一系列抢救援助行动。

　　事故发生前应该设计和建立应急系统,制定应急预案,并进行培训、训练和演习,以保证应急行动的有效性;一旦事故发生时,则应及时调动并合理利用应急资源,包括人力资源和物质资源投入行动;在事故现场,针对事故的具体情况选择应急对策和行动方案,从而能及时有效地使伤害和损失降低到最低程度和最小范围。

4.1　应急救援行动的一般程序

　　一旦发生重大事故,启动企业内应急救援行动的一般程序如下。

4.1.1　事故发生区

　　事故现场、企业或社区负责人或安全主管部门应采取以下行动:

　　(1) 掌握情况。不论事故现场何种局面,**必须掌握的情况有:事故发生时间与地点;种类、强度;已泄漏物质数量;已知的危害方向;事故现场伤亡情况,现场人员是否已安全撤离;是否还在进行抢险活动;有无火灾与爆炸伴随,这种伴随的可能性;现场的风向、风速;泄漏(释放)危及企业外的可能性。**

　　(2) 报告与通报。在基本掌握事故情况,并判明或已经发现事故危及企业外时,应立即向各有关部门进行如下报告:1)报告负责本厂附近应急工作的市或区的应急指挥中心;2)上报本系统直接领导部门;3)根据事故的严重程度及情况的紧急程度,按预案规定的应急级别发出警报。

　　(3) 组织抢救与抢险。制止危害扩散的最有效措施是迅速消除事故源,制止事故扩展。同时,事故发生单位最熟悉事故设施和设备的性能,懂得抢险方法,必须组织尽早抢救与抢险。事故发生单位**要迅速集中抢险力量和未受伤的岗位职工,投入先期抢险**,这包括:1) 抢救受伤害人员和在危险区的人员,组织本单位医务力量抢救伤员,并将伤员迅速转移至安全地点;2) 堵漏、闭阀、停止设备运转、灭火、隔离危险区等;3)清点撤出现场的人员数量,必要时,组织本单位人员撤离危害区;4)组织力量消除堵塞,为前来应急救援的队伍创造条件。

4.1.2　事故发生区的附近地区

　　首先受到危害的应该是事故发生区下风方向贴近事故区的公众。如果事故发生区与城市居民区呈交织状态,情况就会十分复杂。如果事故泄漏(释放)物质一般为有色有味,判断有毒有害气体的到达是有可能的。一旦发现已经受到危害,或听到事故发生区的警报后,各有关部门应采取以下应急行动:

(1) 交通民警:1)立即向上级报告;2)根据指令或情况危急程度,封锁通往事故发生区的交通路口;3)迅速疏导车辆与行人撤离决定封锁的通道;4)维持封锁区内的治安;5)注意自身防护。

(2) 社区或街道(居民委员会)工作人员:1)立即报告上级;2)根据指令或情况危急程度,指导高层楼居民进行隐蔽(关闭门窗)或撤出;3)协助民警疏导行动中的人流,有秩序地向安全方向移动;4)检查有否进入非密闭的地下工事或地下室的公众,并迅速组织撤离;5)组织公众自救与互助,并注意自身防护。

4.1.3　应急指挥中心(部)

(1) 值班员的行动:1)记录事故发生区报告的基本情况;2)按预案规定,通知指挥部所有人员到达集中地点,并规定到达时限;3)报告市(区)行政当局值班室;4)与参与应急救援工作的当地驻军取得联系,并向他们通报情况;5)根据情况的危急程度,或按预案规定通知各应急救援组织做好出动准备。

(2) 指挥组的行动:1)根据事故发生区报告的情况,指示安全技术人员进行危害估算;2)会同专家咨询组判断情况,研究应急行动方案,并向总指挥提出建议。其主要内容是:事故危害后果及可能发展趋势的判断,应急的等级与规模,需要调动的力量及其部署,公众应采取的防护措施,现场指挥机构开设的必要性、开设的地点与时间;3)按总指挥的指令调动并指挥各应急救援组投入行动;4)开设现场指挥机构;5)向驻军通报应急救援行动方案,并提出要求支援的具体事宜。

(3) 其他有关组织的行动:1)专家咨询组进行技术判断及力量使用估计,会同指挥组向总指挥提供建议的内容;2)安全评价(扩散估算)组根据事故发生区报告的基本情况和已知的气象参数,进行事故后果评价,扩散趋势预测,向指挥组做出技术报告;3)气象保障组收集天气资料,若有可能可在现场开设气象观测哨;4)各保障组做好后援准备;5)各应急救援专业组织按指挥组指令投入行动。

4.2　事故评估程序

在应急救援的不同阶段实施什么行动要依靠决策过程,反过来这要求对事故发展过程的连续评价。**无论是谁只要发现危险的异常现象,第一反应人就要开始启动应急。**这种事故评估过程在特定时间首先由主管协调反应行动的人来履行,然后由企业应急总指挥和其工作人员来执行,这些以后再详细讨论。在紧急事件初始阶段,某人可能是第一个发现者,会决定是否启动报警程序,这也会启动相应的反应机制。应急行动启动的顺序流程图见图4.1。

对事故分级有几种方法。不同的人判断相同事故会产生不同的分级。为了消除紧急情况下产生的混乱,应参考企业和政府有关部门制定的事故分级指南。

应急行动级别是事故不同程度的级别数。事故越严重,数值越高。根据此分级标准,负责人可在特定时刻把事故严重程度转化为相应的应急行动级别。应急行动级别数值跟企业性质和内在危险有关。大多工业企业采用三级分类系统就足够了。

一级——预警,这是最低应急级别。根据企业不同,这种应急行动级别可以是可控制的异常事件或容易被控制的事件。像小型火灾或轻微毒物泄漏对企业人员的影响可以忽略。

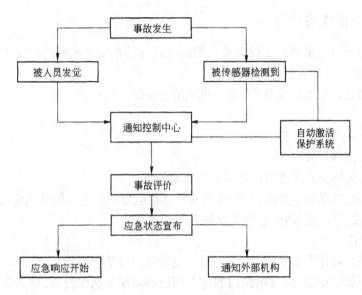

图 4.1 应急行动流程图

这样的事故可定为此级。根据事故类型,可向外部通报,但不需要援助。

二级——现场应急,这是中间应急级别,包括已经影响企业的火灾、爆炸或毒物泄漏,但还不会超出企业边界。外部人群一般不会受事故的直接影响。这种级别表明企业人员已经不能或不能立即控制事故,这时需要外部援助。企业外人员像消防、医疗和泄漏控制人员应该立即行动。

三级——全体应急,这是最严重的紧急情况,通常表明事故已经超出了企业边界。在火灾、爆炸事故中,这种级别表明要求外部消防人员控制事故。如有毒物质泄漏发生,根据不同事故类型和外部人群可能受到影响,可决定要求进行安全避难或疏散。同时也需要医疗和其他机构的人员支持,启动企业外应急预案。

不同于上述应急行动级别,核工业应急标准有更详细的分级。

在核电厂应急预案中,通常根据事故的特征、性质、规模、后果及严重程度,把核事故应急状态划分为 4 个等级即:应急待命、厂房应急、厂区应急和总体应急,明确地规定了宣布进入各级应急状态的条件和准则。

(1)应急待命:已经出现或即将出现可能导致危及核电厂安全运行的特定内部或外部事件。核电厂进入应急待命状态,核电厂的有关人员得到警报并做好应急待命的准备。

(2)厂房应急:事故后果仅局限于核电厂的局部区域。核电厂工作人员按照场内应急预案的要求采取各种应急响应行动,向场外的应急组织发出应急通知。

(3)场区应急:事故后果局限于场区边界以内。核电厂工作人员按场内应急预案的要求采取各种应急响应行动,场外应急组织得到应急通知并处于待命状态。

(4)总体应急:事故后果超出场区边界。场内外应急组织全面投入应急响应行动。

无论采用什么分级方法,都应该有利于应急组织机构对不同级别的事故应急反应的标准化,简化和改善通讯联络。

政府主管部门和企业就应急分级的标准,达成一致非常重要。此外所有企业人员都应该知道这种分级方法和它的含义,因为当得知紧急时,每个人都可能需要采取行动。

4.3 通告和通讯联络程序

通讯联络对于有效地协调不同应急组织的应急行动是非常重要的。在实施防护措施时也至关重要,像疏散可能受影响的公众。

下述通告和通讯联络的设备、方法和程序是必要的:

(1) 报警;

(2) 通知企业内人员紧急行动;

(3) 如必要,通知外部机构;

(4) 建立和保持企业应急组织之间的通讯联络;

(5) 建立和保持现场应急组织、外部机构和其他应急组织之间的通讯联络;

(6) 如果社区居民受影响,通知企业外人员应急救援;

(7) 通知媒体。

事故最初通告程序尤其重要,因为它们决定在何时启动应急预案。

为避免通讯联络中断,应急组织内的每个岗位必须配备通讯设备,否则会严重影响应急预案的有效性。

4.3.1 报警

报警是实施应急预案的第一步。通常在许多企业,任何员工都能拉响警报或至少向报警人员报告。这个程序有利于尽早地预警可能出现的异常情况。如果有充分的事前准备,任何企业员工或操作人员都会知道在这种情况下首先该采取什么行动(例如,打企业应急热线电话)。从这开始,应急反应会按计划实施:热线操作人员将通知最初的应急评估负责人,他要确定应急级别并根据应急行动级别启动相应的应急反应预案。

4.3.2 通知企业人员

最初应急组织有许多任务,首先是让企业内人员知道发生紧急情况。无论使用什么报警系统完成这个目的,最常使用的是声音报警。报警有两个目的:动员应急人员并提醒其他无关人员采取防护行动(例如,转移到更安全的地方,进入安全避难点,或撤离企业)。

就企业应急通讯系统(包括人员和设备)而言,让应急人员知道应急发生是关键。组织有序和经过演习验证的预案使每个人知道做什么。

4.3.3 通知外部机构

根据应急的类型和严重程度,企业应急总指挥或企业有关人员(业主或操作人员)必须按照法律、法规和标准的规定将事故有关情况上报政府安全生产主管部门。事故应急的通知单可参见表4.1。通报应该包括以下信息:

(1) 将要发生或已发生事故或泄漏的企业名称和地址;

(2) 通报人的姓名和电话号码;

(3) 泄漏化学物质名,该物质是否为极危险物质;

(4) 泄漏时间或预期持续时间;

(5) 实际泄漏量或估算泄漏量,是否会产生企业外效应;

(6) 泄漏发生的介质是什么;

(7) 已知或预期的事故的急性或慢性健康风险和关于接触人员的医疗建议;

(8) 由于泄漏应该采取预防措施,包括疏散;

(9) 获取进一步信息,需联系人的姓名和电话号码;

(10) 气象条件,包括风向和风速和预期企业外效应;

(11) 应急行动级别。

表 4.1 应急通知单

应急通知单

1. 企业_____
   单元_____
   地址_____

2. 日期_____ 通报时间_____

3. 通报人姓名_____
   通报人职位_____
   通报人电话号码_____

4. 事故/泄漏发生时间_____
   事故/泄漏持续时间_____

5. 事故/泄漏类型_____

6. 应急警报级别:选一个
   预警   [ ]
   现场应急   [ ]
   全体应急   [ ]

7. 毒物泄漏状况描述
   泄漏化学物质名称_____
   泄漏量或泄漏率_____
   估算泄漏期_____
   泄漏类型(固、液、气)_____
   毒性/易燃性_____
   企业外影响后果_____
   估计泄漏影响区域_____

8. 天气状况_____
   风速_____

9. 死亡人数/破坏_____
   _____

10. 事故过程描述_____
    _____
    _____
    _____

11. 请求援助_____
    _____
    _____
    _____

签字_____ 日期_____ 时间_____

　　尽管可靠的电话系统很有效,但在应急过程中设置应急通知的热线会十分有用。应急人员必须熟悉这种程序并理解它的重要性。

　　应急通报是强制的,不只是因为是法规要求。还在于通报企业外应急反应组织,并动员他们。此外,通知应急严重程度时,使用一套事先确定的应急行动级别非常有效。企业外的应急行动是否启动,要根据应急预案中事故类型和严重程度由现场应急总指挥的判断来决定。

4.3.4　建立与保持企业内的通讯联络

　　一旦企业应急总指挥决定启动应急预案,通讯协调和联络部门就要负责保持各应急组织之间高效的通讯能力。最重要的通讯联络是应急指挥中心,它装备有固定通讯设备。任何应急指挥中心与外部的通讯中断(特别是应急指挥中心与现场应急组织之间),必须报告通讯联络负责人,他会动员现有资源和人力来解决问题。

　　可以使用警笛和公共广播系统向企业人员通报应急情况,必要时通知他们疏散,从企业部分或全部撤离。

4.3.5　建立和保持与外部组织的通讯联络

　　一旦应急预案启动,企业应急总指挥和副指挥在应急指挥中心进行应急指挥与协调,保持与外部机构联络,现场操作负责人直接与应急指挥中心联系。

4.3.6　向公众通报应急情况

　　在事故影响到社区居民的情况下,可采取两种行动:疏散或避难在建筑物内。无论采取什么行动,社区居民和公众必须得到应急通知。如果没有有效的通讯程序,这几乎不可能实现。用警笛报警系统通知事故发生的社区效果较差,而且这种系统只有在公众明白警报的含义,知道该采取的行动才会有效。紧急广播系统与警笛报警系统结合使用会更有效。紧急广播系统能发射无线电和电视信号,信息内容应该尽可能简明,告诉公众该如何采取行动。此外,应该通知公众避免使用电话通报附近地区发生紧急情况(避免增加电话线负担)。如果决定疏散,应该通知居民避难所位置和疏散路线。

　　公众防护行动的决定权一般由当地政府主管部门掌握。应急组织应该做好如下一系列准备行动:

　　(1)准备向当地政府主管部门提供建议;

　　(2)(根据危险分析)制定关于何时进行公众疏散或是安全避难的指南;

　　(3)根据事故性质、气象条件、地形和原有逃生路线提出疏散的最佳路线;

　　(4)保存当地电台、电视台的电话簿;

　　(5)事先联系这些电台以协调信息发布;

　　(6)建立填单式信息向公众广播(这样减少紧急时的混乱和避免忽略某些信息)。

　　企业负责人没有权力决定涉及公众的行动,可是这并不减少他们的事故责任。因而他们应该(特别对大众)确保建立起防护措施和有效通讯机制,尽量减小事故后果。

4.3 7 向媒体通报应急信息

在紧急情况下，媒体很可能获悉事故消息，当地报纸、电视和电台的记者会踊到事故现场或至少到企业大门前采集有关新闻消息。保卫人员应该确保若非允许不得入内。尤其是无关人员，不能进入应急指挥中心或应急人员正在控制险情的地方，因为他们会干扰应急行动。要防止媒体错误报道事件，因此，应急组织中要有专门负责处理公众、媒体的部门。

此项功能的负责人应该定期举办新闻发布会，提供准确信息，避免错误报道。当没有进一步信息时，应该让人们知道事态正在调查，将在下次新闻发布会通知媒体。无理由地回避或掩盖事实真相只可能让日后尴尬。

在这种情况下，用预先制好的填空式信息单在新闻发布会上宣读是很方便的。在任何情况下，应准备好书面说明以便在新闻发布时分发，发布前由负责人员审定。作为应急准备方案的一部分在新闻发布会使用的其他材料，如地图、表格、黑板和其他声像材料应该事先准备好。

4.4 现场应急对策的确定和执行

应急人员赶到事故现场后首先要确定应急对策，即应急行动方案。正确的应急行动对策，不仅能够使行动达到所预期的目的，保证应急行动的有效性，而且可以避免和减少应急人员的自身伤害。无数事实表明，在营救过程中，应急救援人员的风险很大。没有一个清晰、正确的行动方案，会使应急人员面临不必要的风险。应急对策实际上是正确的评估判断和决策的结果，而初始的评估来源于最初应急行动所经历的情况。

现场应急对策的确定和执行包括：

(1) 初始评估；

(2) 危险物质的探测；

(3) 建立现场工作区域；

(4) 确定重点保护区域；

(5) 防护行动；

(6) 应急行动的优先原则；

(7) 应急行动的支援。

4 4.1 初始评估

事故应急的第一步工作是对事故情况的初始评估。**初始评估应描述最初应急者在事故发生后几分钟里观察到的现场情况，包括事故范围和扩展的潜在可能性，人员伤亡，财产损失情况，以及是否需要外界援助。**初始评估是由应急指挥者和应急人员共同决策的结果，可以使用下述 LOCATE 方法进行初始评估：

例如，在火灾的前几分钟，应急人员必须做出一些决定，像放置水带的位置，人员疏散时间和地点。应急者必须根据有效的信息，快速做出决定，因为前几分钟决定着后面的结果。

一个有用的方法叫做 LOCATE 因素分析，它描述了在初始评价阶段需要考虑的问题。

Life	生　　命：	危险区人员以及如何保护应急者、雇员和附近居民的生命安全
Occupancy	影响程度：	事故范围与破坏车辆、储槽、管道和其他设备的情况
Construction	建　　筑：	结构尺寸、高度和类型
Area	附近区域：	在直接区域和周边区域需要的保护
Time	时　　间：	日期，季节，火灾燃烧泄漏持续时间，到行动之前有多长时间
Exposure	暴　　露：	在事故中有什么是需要保护的，比如人员、建筑、附近区域、环境

初始应急者必须在到达现场时考虑这些因素。应用 LOCATE 因素分析，应急者能够制定一个良好的应急行动对策。

另一种初始评估技术方法是 DECIDE 方法：

Detect	探　　测：	探测何种危险物质的存在
Estimate	估　　计：	估计在各种情况下的危害
Choose	选　　择：	选择应急的目标
Identify	确　　定：	确定行动
Do	行　　动：	做最好的选择
Evaluate	评　　价：	评价进展

处理危险物质泄漏引发的事故的关键是确定事故物质。没有确定物质之前，没法采取适当正确的行动。初始评估的事故应急指挥者要和操作人员交流，以确定所包含的物质，识别事故发生的原因。掌握事故的原因有助于应急人员减轻或控制事故，例如，爆炸引起了管道破坏，指挥者可以通过遥控开关来抑制事故源，或停止操作阻止管道泄漏。

4.4.2　危险物质的探测

危险物质的探测实际上是对事故及事故起因的探测。第一种方法是由两个人组成的小组在远离（在逆风向的较高位置，并且确保他们不会接触危险物质）事故现场的地方测定发生事故的物质；第二种方法可能更危险些，要求两名应急人员组成的小组，到事故区域进行状况评估，采用这种方法，应急人员要穿上防护服。

需要探测和了解的情况包括：

（1）所涉及到物质的类型和特性。例如，闪点、燃烧值、蒸气密度、蒸气压力、可溶性、活性、pH 值、相容性、燃烧的产物。

（2）泄漏、反应、燃烧的数量。

（3）密闭系统的状况，例如，当前的压力和温度（特别是在不正常的情况下）、容器损坏的数量和类型、正在进行中的反应及泄漏的后果。

（4）控制系统的控制水平和转换、处理、中和的能力。

4.4.3　建立现场工作区域

在初始评估阶段，另一项重要的任务是建立一个现场工作区域。在这个区域明确应急人员可以进行工作，这样有利于应急行动和有效控制设备进出，并且能够统计进出事故现场的人员。

在初始评价阶段确定工作区域时，主要根据事故的危害、天气条件（特别是风向）和位置（工作区域和人员位置要高于事故地点）。在设立工作区域时，要确保有足够的空间。开始时所需要的区域要大，必要时可以缩小。

对危险物质事故要设立的三类工作区域,即危险区域、缓冲区域、安全区域,如图4.2所示。

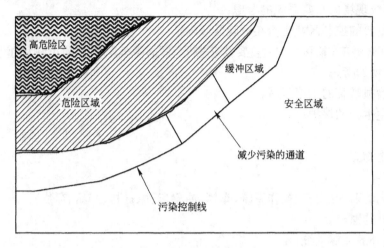

图 4.2 现场工作区域的划分

危险区域是把一般人员排除在外的区域,是事故发生的地方。它的范围取决于事故级别的范围以及清除行动的执行。只有受过正规训练和有特殊装备的应急操作人员能够在这个区域作业。所有进入这个区域的人员必须在安全人员和指挥者的控制下工作。还应设定一个可以在紧急情况下得到后援人员帮助的紧急入口。

环绕危险区域的是**缓冲区域**,也是进行净化和限制通过的区域。在这里污染将会受到净化,可称之为入口通道,只有受过训练的净化人员和安全人员可以在这里工作。根据现场的实际情况,净化过程可以是简单的,例如,仅仅使用一桶水和一把刷子;也可以是非常复杂的多重步骤。净化工作非常必要,排除污染的方法必须和所污染的物质相匹配。

第三个区域是**安全区域**(也叫做支持区域),这个区域是指挥和准备区域。它必须是安全的,只有应急人员和必要的专家能在这个区域。

限制区域的大小、地点、范围将依赖于泄漏或事故的类型、污染物的特性、天气、地形、地势和其他的因素。在现场实时的观察、仪器的读数、多方面的参考资料能决定受控制区域的大小和程度。有关组织编制的运输应急指南、化学事故应急信息系统、应急预案指南、物质安全数据(MSDS)和其他的资料与信息也能帮助将建立控制区域。

其他的控制区域可能由现场内和现场外的防护区域组成。例如,疏散区域和掩体。应急预案应该包括决定疏散或进入掩体的原则。经过授权进行防护性行动的人员必须要对他们的任务和处理的方法有过良好的培训。特殊行动修改或扩大保护性行动必须由应急指挥者决定。如果泄漏有可能向现场外扩展,指挥者应该及时与当地政府应急主管部门联系。

4.4.4 确定重点保护区域

通过事故后果模型和接触危险物质浓度,应急指挥者能够估计出事故影响的区域,在这个区域内,要考虑:

(1)人员接触:

1)哪些人最可能接触危险;

2)影响程度;

3）达到危险浓度的时间。

（2）对事故现场内重要系统的考虑：

1）任何重要的控制区域是否在危险区域内；

2）是否有必要在危险区域内对重要设施进行有序的停车程序，以防止更大的潜在危险。

（3）对环境的考虑：

1）对危险很敏感的土壤区域；

2）对野生生物的保护；

3）渔业；

4）水生生物。

（4）财产：

1）现场内的财产（设备、操作系统、车辆、油罐车、原材料、产品、存货）；

2）现场外的财产。

（5）现场外的关键系统：

1）可能受到事故影响的主要运输系统；

2）可能受到事故影响的公用水、电、气、通讯服务系统等。

（6）应急人员的工作区域：

1）指挥中心；

2）准备区域；

3）支援的路线。

4.4.5　防护行动

防护行动目的在于保护应急中企业人员和附近公众的生命和健康。这些行动常包括：

（1）搜寻和营救行动；

（2）人员查点；

（3）疏散；

（4）避难；

（5）危险区进出管制。

这些行动大多要求完善的准备和与各种应急组织和机构的广泛合作以便在应急中有效实施。此外实施某些行动，例如，疏散可能要求与许多轻度危险或无危险区人员的合作。这要求必须认真进行事先计划。

4.4.5.1　搜寻和营救行动

此类行动通常由消防队或救护队执行。如果人员受伤、失踪或困在建筑和单元中，就需要启动搜寻和营救行动。

进行营救行动的人员应该穿戴防护服。执行速度是至关重要的。在建筑或单元中的营救行动是极困难和危险的。营救人员应成对工作，应该配备自持式呼吸器。内部营救常要求移动受害者身体，因为他们可能已经让烟或气体熏倒昏迷。这种行动大多需要小队联合行动，也可能要求其他小队提供水喷淋掩护以减少热影响和驱散气体。在行动过程中随时进行通讯联络是绝对必要的。此外，在进行营救行动前或过程中，需要实施防护行动，例如切断动力、单元隔离或灭火。

4.4.5.2　人员查点和集合区

重大事故应急可能要求所有企业人员实行防护行动。无论采取什么行动,不能使任何人被遗漏,这很重要。这要求在应急时进行人员查点。

企业每个单元或建筑应该派有疏散监督管理员。这些人通常是没有其他专门职责的企业员工,他们负责向其他员工报警和在疏散最初阶段负责查找人员。他们应该指挥关闭所有设备、设施、空调和通风系统。当决定放弃单元或建筑时,他们应该保证没有人被遗漏。在这种事故时,他们应该检查所有房屋(包括可能遗漏区域,如厕所),引导员工到集合点。这些疏散监管员应该熟悉内部报警系统(例如,不同的警笛声调)和集合地点,指挥人员按预定逃生路线疏散。所有员工都应能辨认警报,并知道集合点和熟悉逃跑路线和总体疏散程序。

非应急人员的集合点应该预先指定。如果原有集合点不稳定或不安全,应指定其他的集合点。逃生路线和替代逃生路线也应该事前确定出来。天气条件,特别是风向,将确定最合适的逃跑路线,应该使用工厂报警系统,向工厂不同位置进行通报。

如果可能发生毒物泄漏的危险,应该设置专用避难所作为指定集合点。应该制定专门程序减少人员到达避难所前的风险。

4.4.5.3　疏散

在重大事故应急发生时,可能要求从事故影响区疏散企业人员到其他区域。有时甚至要求全企业人员除了负责控制事故的应急人员都必须疏散。小企业或事故迅速恶化时,可直接进行全体疏散。被影响区无关人员应该首先撤离,接着是当全面停车时的剩余工人撤离。所有人员应该熟悉关于疏散的有关信息,在放弃他们的企业时,应该根据指示关闭所有设施和设备。此外,单元操作人员应该确切知道如何以安全方式进行应急停车。对于控制主要工艺设备停车的应急设备和公用工程,如果没有通知不能实施停车程序。

现场疏散的实际计划通常与企业大小、类型和位置有关。应事先确定出通知企业员工疏散的方法、主要或替换集合点、疏散路线和查点所有员工的程序。应该制定规定以警示和查找企业来访者。保卫人员应该持有这些人的名单。企业陪同人员负责来访者的安全。

如果发生毒气泄漏,应该设计转移企业人员的逃生方法,特别对于泄漏影响地区。所有在影响区域的人员都应配备应急逃生呼吸器。如果有毒物质泄漏能透过皮肤进入身体,还应该提供其他防护设备。**人员应该横向穿过泄漏区下风以减少在危险区的暴露时间。**逃生路线、集合点和企业地图应该在整个企业内设置,并清楚标识出来。此外,晚上应保证照明充足,便于安全逃生。企业内应该设置风标和南北指示标志,让人员辨识逃生方向。

4.4.5.4　现场安全避难

当毒物泄漏时,一般有两类保护人员的方法:疏散或安全避难。选择正确的保护方案要根据泄漏类型和有关标准,表4.2可作参考。

表4.2　确定最佳防护行动的标准

防护方式	现场安全避难	疏　　散
毒物泄漏情况	物品从容器中一次或全部泄漏 蒸气云迅速移动、扩散 天气状况促进气体快速扩散 泄漏容易控制 没有爆炸性或易燃性气体存在	大量物品长时间的泄漏 容器有进一步失效的可能 避难保护不够充分 持续火灾伴有毒烟 天气状况不利蒸气快速扩散

当人员受到毒物泄漏的威胁,且疏散又不可行时,短期安全避难可给人员提供临时保护。

如果有毒气体渗入量在标准范围内,大多建筑都可提供一定程度保护。行政管理楼内也可设置避难所。

短期避难所通常是具有空气供给的密封室,空气可由瓶装压缩空气提供。一般控制室设计为短期避难所,使操作人员在紧急时安全使用。有些控制室如果为保证有序停车防止发生更大事故,需要设计为防止有毒气体的渗入。选择短期避难所的另一原因是人员到达可长期避难场所的距离过远,或因缺少替代疏散路线而不能安全疏散。

指挥者根据事故区域大小、相对距离的远近和主导风向,为其员工选择短期避难所。避难所不应过远,使人员不能及时到达。在选定某建筑作为短期避难所前,指挥者应该考虑一下其设计特点:

(1) 结构良好,没有明显的洞、裂口或其他可能使危险气体进入内部的结构弱点;

(2) 门窗有良好的密封;

(3) 通风系统可控制。

短期避难所不能长期驻留。如果需要长期避难设施,在计划和设计时必须保证安全的室内空气供给和其他支持系统。

避难场所应该能提供限定人员足够呼吸的空气量和足够长的时间下有效保护。对大多常见情况,临时避难所是窗户和门都关闭的任何一个封闭空间。

在许多情况下(如快速、短暂的气体泄漏等),采取安全避难是一个很有效的方法,特别是与疏散相比它具有实施所需时间少的优点。

4.4.5.5　企业外疏散和安全避难

在紧急情况尤其是发生毒物泄漏时,企业经理或应急指挥者一个首要任务是向外报警并建议政府主管部门采取行动保护公众。

接到企业通报,地方政府主管部门应决定是否启动企业外应急行动,协调并接管应急总指挥的职责。

前面提到,计算机软件可预测有毒气体在环境中扩散的情况,这些软件建立在数学扩散模型基础上,它包括许多参数,像泄露类型、泄露物质物化特性、释放形式、释放位置、天气条件和地形等。企业或技术支持机构应配有这些计算机软件提供有毒物质浓度的信息,这种信息在确定采取最佳行动时极为有用。在特大毒物泄漏事故时,惟一现实的选择几乎只有疏散或避难。如果地方政府没有周密的应急预案,疏散或避难是很难做到的。

迅速有效地对公众通报应急是十分重要的。使用可听报警器,如警笛系统和无线电广播系统,也非常有效。通报的应急信息应该能提醒和通知大众该做什么。安全避难一般不涉及到后勤问题。如前面提到对于短期毒气泄漏,如果通风系统停止,渗漏甚小,大多数房屋甚至车辆也能作为临时避难所。如果建议进行疏散,后勤问题难度会很快升级,例如,通常是在下风向1公里区域内开始疏散,在大城市地区需要疏散人群数目会很大,要求更多时间。没有组织周密的计划结果可能是灾难性的。

为了建立有效疏散计划,企业管理层不能单独行动。企业管理层应该积极与地方政府主管部门合作,制定应急预案保护公众免受紧急事故危害。

4.4.6 应急救援行动的优先原则

应急行动的优先原则是：
(1) 员工和应急救援人员的安全优先；
(2) 防止事故扩展优先；
(3) 保护环境优先。

以火灾为例：

首先，要建立疏散和营救遇险者及探测者可以进入的安全区域；其次，选择一个防御性的计划来防止火势蔓延。**在实施防御措施中，事故指挥者一定不要忘了第一优先是人员的安全。**要努力保护环境使其免受燃烧流体、烟雾和危险气体的污染，例如，应急者临时构筑防堤，防止燃烧流体与附近化学物质发生反应。应急人员进入事故区域灭火并设法减少损失。

灭火的基本对策就是抑制和扑灭火焰。尽管这听起来非常简单，在浓烟滚滚的情况下决定如何和在哪里切断火势并不容易，营救员工可能使操作更加复杂。

4.4.7 应急救援行动的支援

支援行动是当实施应急救援预案时，需要援助事故反应行动和防护行动的行动。这种活动可以包括对伤员的医疗救治，建立临时区，企业外部调入资源，与临近企业应急机构和地方政府应急机构协调，提供疏散人员的社会服务、企业重新入驻以及在应急结束后的恢复等。

4.4.7.1 医疗救治

许多组织可提供应急医疗救治和医疗援助：
(1) 接受过急救和心脏恢复培训的应急反应人员；
(2) 企业医生或护士；
(3) 当地医生、护士和其他医疗人员；
(4) 当地救护公司；
(5) 来自附近企业的医疗人员和其他救援小组；
(6) 当地卫生部门官员；
(7) 医疗设备和医药供应商；
(8) 毒物控制中心。

为实现有效的医疗救治应该注意：介入的迅速性和介入单位之间的协调。负责医疗救治的人员必须熟悉最基本的急救技术。保证在应急行动后立刻开始医疗救治。迅速把伤员从事故现场转移到临时区域，他们可在那里得到充分医疗救治。

4.4.7.2 临时区行动

临时区是应急救援活动后勤运作的活动区域，包括以下操作：
(1) 接收、临时储存和给应急救援人员分发后勤物资；
(2) 应急部署前集合企业外应急人员；
(3) 停放所有运输车辆、救护车、起重机械、消防车和其他来到现场的车辆；

（4）提供直升机的降落场地；

（5）建立非污染区。

临时区不应该离事故现场太远，当然也要考虑安全。临时区域应该有充足的车位，保证应急车辆自由移动。应设置保卫防止无关人员进入此区域，临时区选址时要考虑保证电力照明和水源充足。

临时区可位于应急指挥中心附近。临时区的位置应该让所有有关人员知道，要张贴标识以指示应急人员。

临时区的一个很重要任务是保存物资清单，包括收到什么、发放给应急人员什么。企业应急指挥必须知道现有物资、设备和需求，这样可及时提出申请。**临时区常用的供应物资、设备是：呼吸器、灭火剂、泡沫、水管、水枪、检测器、挖土和筑堤设备、吸收剂、照明设备、发电机、便携式无线电和其他通讯设备、重型设备和车辆、特种工具、堵漏设备、食物、饮料、卫生设施、衣物、汽油、柴油。**

临时区也可以用于接收伤员、管理急救和安排伤员转入待用救护车。在严重事故时，临时区可以作为临时停尸所。

清除污染也是临时区任务的一部分，尽管清污场所可能处于其他位置。应配有塑料盆和安装喷头以擦洗防护设备和进行人员清洁。处理水和溢流水也应该尽可能收集，在消毒后处理。

4.4.7.3　互助与协调外部机构行动

附近企业经常是拥有技术、人员、物资和设备的另一个资源。其他当地外部机构只有事先介入计划才能有效合作。可以成立互助协会，成员单位事先知道能提供什么合作和由谁提供。

4.4.7.4　值勤和社会服务

应急时事故影响区的值勤主要由保安和当地公安部门负责。他们的主要任务是防止无关人员和旁观者进入企业或事故现场，指挥交通以保证公众安全，保护应急行动。企业保安也要控制人员进入应急指挥中心、新闻发布室、有重要记录和商业秘密的敏感地区。

全体应急时，当地警方有指挥疏散和在疏散区执法（防止抢劫）的任务，这些在政府应急预案中应有详细说明。

社会服务，如对事故受害者家属的援助或对疏散者的帮助应该在政府主管部门的直接指挥下进行，编制地方政府应急预案应予以考虑。对企业员工的其他救助可由企业管理层通过人事部门和当地志愿组织提供。

4.4.7.5　恢复和重新进入

从应急到恢复和重新进入现场需要编制专门程序，根据事故类型和损害严重程度，具体问题具体解决。主要考虑如下内容：

（1）组织重新进入人员；

（2）调查损坏区域；

（3）宣布紧急结束；

（4）开始对事故原因调查；

（5）评价企业损失；

（6）转移必要操作设备到其他位置；

(7) 清理损坏区域;

(8) 恢复损坏区的水、电等供应;

(9) 清除废墟;

(10) 抢救被事故损坏的物资和设备;

(11) 恢复被事故影响的设备、设施;

(12) 解决保险和损坏赔偿。

当应急结束,企业应急总指挥应该委派有关人员重新入驻,清理重大破坏地区和保证恢复操作的安全。根据危险的性质和事故大小,重新入驻人员可能不同,可包括应急人员、企业技术、工程、维修人员。重新入驻人员的安全应该保证,如果危险,人员应佩带个人防护设备。重新入驻要直接观察现场和采取适当措施后才能进入破坏区域。

进入现场的人员应将发现的情况及时通知企业应急指挥,他会决定是否宣布应急结束。**只有在所有火灾扑灭、没有点燃危险存在、所有气体泄漏物质已经被隔离和剩余气体被驱散时,才可以宣布结束应急状态。**

小型应急事故,可以及时指示企业人员重新进入建筑或企业单元,并恢复正常操作。可是重大事故时,应急指挥者可能决定暂不允许大多数员工进入。人事部门负责通知员工什么时候可以开始工作。

事故调查应该尽早进行,并应严格遵守有关事故调查处理法规和标准。

如果事故涉及有毒或易燃物质,清理工作必须在进行其他恢复工作之前进行。消除污染包括建立临时净化单元如洗池,用于清除场所内所有有毒物质和使用前的处理。由于事故直接造成的或者由于进行应急操作时(例如消防用水,如果污染水流失没有存留和回收)造成的土壤污染可能已经发生,土壤净化是一项花费时间、消耗大量资金的极为复杂的任务。

水、电供应的恢复只有在对企业彻底检查之后才能开始,以保证不会产生新危险。

恢复工作的最终目的是恢复到企业原有状况或更好。所需时间进程、费用和劳动力与事故的严重程度有关。无论怎样,从事故中吸取教训是极为重要的,包括重新安装防止类似事故发生的装置,这也是审查应急反应预案、评价应急行动有效性的一个因素。通过加入新的内容,改善原应急预案,提高事故预防水平。

4.5 核电站应急行动

在应急状态下,核电厂将采取通知与应急组织的启动、应急通讯、事故后果评价、防护行动、补救行动、应急照射控制、污染控制、医疗救护等应急响应行动,以防止事故的发展,减轻事故后果。

4.5.1 通知与应急组织的启动

核电厂应急预案中详细规定了在各级应急状态下进行应急通知和场内应急组织启动的方法和程序。以应急待命为例,当值班长发现异常事件并判断已经达到应急待命条件时,立即向运行指挥报告并接受行动指令,运行指挥进行综合分析后,向应急总指挥建议进入应急待命状态,应急总指挥根据核电厂的运行工况批准并宣布进入应急待命状态。此时,应急通讯系统向有关部门人员发出应急待命的紧急警报。如果值班长发现异常事件达到应急待命的条件并发展迅速,立即通过应急通讯系统发出应急待命的紧急警报。有关的应急人员接到应急待命信息之后,立即赶赴规定工作场所,向应急组织报到,做好应急响应的准备工作。

4.5.2　应急通讯

畅通的应急通讯是有效开展应急响应行动的基本保证。应急通讯的目的,一是接受场外有关部门的应急指示;二是及时地把场内的应急状况向场外应急组织报告;三是向场外应急组织请求支援;四是指挥场内应急组织的应急响应行动。在确认核电厂发生事故进入应急待命及以上应急状态后,15分钟之内以电话和传真的方式向场外各有关部门发出初始报告。

核电厂的应急通讯系统以多样化和冗余度为可靠保证,随时接受场外应急组织的指示,提供必要的应急信息。

4.5.3　事故后果评价

事故后果评价在应急预案中包括事故工况诊断和环境影响评价。事故工况诊断的目的是利用工艺参数了解核电厂系统和设备的安全状况,对核电厂系统和设备安全状况进行诊断和分析,对事故的环境辐射影响进行评价。

事故工况诊断主要依靠核电厂的工艺参数监测系统来进行的。在核电厂的主控室、应急控制中心和技术支援中心都设置有核电厂关键安全参数的显示终端,供反应堆操作员、应急响应人员和技术支援人员进行事故工况的诊断和分析,判断和评估核燃料元件、一回路、二回路以及安全壳的完整性及其发展趋势,进而估算事故释放情景和释放源项。

环境影响评价以事故工况的诊断结论和流出物监测结果为依据,利用周围地区的气象测量和预报结果,计算气载和液态放射性流出物对周围公众和环境的辐射影响,并提出辐射防护措施和放射性监测的建议。

4.5.4　防护行动

防护行动的目的是合理地避免或减轻核电厂核事故对工作人员和公众的辐射照射。只有能够使人员避免照射剂量达到干预水平或环境放射性浓度达到导出干预水平时,防护措施的实行才是正当的。

在不同的事故阶段,主要照射途径各不相同,应当采取的防护措施也不一样。在事故早期,主要的照射途径为放射性烟羽的浸没外照射和吸入气载放射性,相应的防护措施有紧急撤离、隐蔽和服用稳定碘。在事故中晚期,主要的照射途径是地表沉积外照射、食入内照射和再悬浮吸入内照射,相应的防护措施有临时搬迁、永久搬迁、去污和食物控制等。

4.5.5　补救行动

补救行动的主要目的是制止或缓解事故现场事态的恶性发展。当核电厂发生事故时,工程设施和部件受到严重的损害,需要工作人员和救援人员迅速采取补救行动,修复或更换受到损害的部件,消除正在发生火灾之类的危险,执行应急操作程序使反应堆系统保持安全状态或实现安全停堆。

4.5.6 应急照射控制

在核事故应急状态下,应急响应人员为了营救其他人员或者执行紧急任务,可能要受到超过职业照射剂量限值的应急照射。在核电厂应急预案中,对此有一系列的明确规定,例如,控制应急照射的原则、应急照射的控制值、控制应急剂量的方法、应急照射的审批制度、应急照射的剂量记录。

4.5.7 污染控制和医学救护

污染控制旨在限制污染范围的扩大和防止工作人员和公众成员受到放射性污染。污染控制措施包括表面放射性污染监测、污染物的鉴别、污染区域的确定、污染区域的进入限制、放射性污染物的管理等。

核电厂按照应急预案的要求,建立场内医学救护小组,负责对场内受伤人员的就地救治和护送转移到规定的医院。

4.5.8 应急状态的终止

当场内应急组织确认核电厂事故已经受到控制,放射性释放已经降低到可以接受的水平,场内的辐射水平已经趋于稳定时,将考虑终止应急状态。

应急状态的终止由场内应急总指挥做出决定,并报告场外应急组织,通报应急后援单位。但是,场内应急状态的终止并不意味着场内的应急组织完全停止所有的应急行动,仍然需要开展必要的工作以配合场外应急组织的应急行动。

4.5.9 核电厂应急设施

核电厂主要的应急设施有应急控制中心、后备应急控制中心、主控制室、第二控制室、技术支援中心、应急通讯中心、应急监测中心、应急后果评价中心,此外还有医学救护设施、消防设施和后勤支援设施等。

应急控制中心是场内应急组织的应急指挥部,设在核电厂场区之内,其主要功能是向场区应急人员发布应急指令、指挥场区的应急响应行动,接受上级有关部门的应急指示、向上级有关部门报告应急信息、向公众提供有关应急的事故信息。

后备应急控制中心是在应急控制中心不可居留时作为场内应急组织的应急指挥部,继续领导场内应急组织的应急响应行动。

主控制室是核电厂的监控中心,对反应堆的运行状态实行集中监测和控制,具有很高的防护性能,在发生最大可信设计基准事故的情况下,仍然可以居留相当长的时间,以完成应急操作任务,控制或缓解事故的演变。

鉴于事故后果的严重性在很大程度上取决于对反应堆系统的控制能力,核电厂设置了**备用控制室**或**第二控制室**,用于在主控制室失去可居留性时,继续保持对反应堆系统的控制。

技术支援中心是核事故应急智囊团的活动场所。在发生核事故时,各方面的专家汇集技术支援中心,分析事故现状、事故原因,向应急指挥部提出解决方案和建议,随时向各种应急响应队伍提出行动建议。

　　应急通信中心是联系场内应急组织的纽带,是场内和场外应急组织交换信息的桥梁。应急通讯中心的职能是确保应急信息的上传下达畅通无阻,通讯设备具有多样化并有一定的冗余度。

　　应急监测中心配备不同量程的放射性污染监测仪表,以进行事故情况下的放射性流出物监测以及场所和个人的剂量监测,为进行核事故的辐射后果评价提供基础数据。另外一个重要的监测项目是气象测量,对核电厂周围的气象条件进行连续的测量,以估算放射性污染物在大气中的弥散,估算可能对公众造成的辐射剂量。

　　应急后果评价中心的主要目的是开展污染物大气扩散估算、剂量计算、防护对策评估,一般配备充足的通讯工具和先进的计算机系统,以获取和传递工艺参数、流出物监测结果、环境监测结果并进行大量的计算和数据处理工作。

4.6　应急设备与资源

　　应急设备与资源是开展应急救援工作必不可少的条件。为保证应急工作的有效实施各应急部门都应制定应急救援装备的配备标准。平时做好装备的保管工作,保证装备处于良好的使用状态,一旦发生事故就能立即投入使用。

　　应急救援装备的配备应根据各自承担的应急救援任务和要求选配。选择装备要根据实用性、功能性、耐用性和安全性,以及客观条件配置。

　　事故应急救援的装备可分为两大类:**基本装备**和**专用救援装备**。

4.6.1　基本装备

　　基本装备,一般指应急救援工作所需的通讯装备、交通工具、照明装备和防护装备等。

　　(1)通讯装备。目前,我国应急救援所用的通讯装备一般分为有线和无线两类,在救援工作中,常采用无线和有线两套装置配合使用。移动电话(手机)和固定电话是通讯中常用的工具,由于使用方便,拨打迅速,在社会救援中已成为常用的工具。在近距离的通讯联系中,也可使用对讲机。另外,传真机的应用缩短了空间的距离,使救援工作所需的有关资料及时传送到事故现场。

　　(2)交通工具。良好的交通工具是实施快速救援的可靠保证,在应急救援行动中常用汽车和飞机作为主要的运输工具。

　　国外,直升飞机和救援专用飞机已成为应急救援中心的常规运输工具,在救援行动中配合使用,提高了救援行动的快速机动能力。目前,我国的救援队伍主要以汽车为交通工具,在远距离的救援行动中,借助民航和铁路运输。

　　(3)照明装置。重大事故现场情况较为复杂,在实施救援时需要良好的照明。因此,需对救援队伍配备必要的照明工具,有利救援工作的顺利进行。

　　照明装置的种类较多,在配备照明工具时除了应考虑照明的亮度外,**还应根据事故现场的特点,注意其安全性能**。工程救援所用的电筒应选择防爆型电筒。

　　(4)防护装备。有效地保护自己,才能取得救援工作的成效。在事故应急救援行动中,对各类救援人员均需配备个人防护装备。个人防护装备可分为防毒面罩和防护服。救援指挥人员、医务人员和其他不进入污染区域的救援人员多配备过滤式防毒面具。对于工程、消防和侦检等进入污染区域的救援人员应配备密闭型防毒面罩。目前,常用正压式空气呼吸器。防护服应能防酸碱。

4.6.2 专用装备

专用装备,主要指各专业救援队伍所用的专用工具(物品)。

各专业救援队在救援装备的配备上,除了本着实用、耐用和安全的原则外,还应及时总结经验自己动手研制一些简易可行的救援工具。特别在工程救援方面,一些简易可行的救援工具,往往会产生意想不到的较好效果。

侦检装备,应具有快速准确的特点。现多采用检测管和专用气体检测仪,优点是快速、安全、操作容易、携带方便,缺点是具有一定的局限性。国外采用专用监测车,车上除配有取样器、监测仪器外,还装备了计算机处理系统,能及时对水源、空气、土壤等样品就地实行分析处理,及时检测出毒物和毒物的浓度,并计算出扩散范围等救援所需的各种救援数据。

医疗急救器械和急救药品的选配应根据需要,有针对性地加以配置。急救药品,特别是特殊、解毒药品的配备,应根据化学毒物的种类备好一定的数量,解毒药品与适用中毒症状见表4.3。为便于紧急调用,需编制事故医疗急救器械和急救药品配备标准,以便按标准合理配置。在现场紧急情况下需要使用的大量的应急设备与资源。如果没有足够的设备与物质保障,例如消防设备、个人防护设备、清扫泄漏物的设备,设备选择不当将导致对应急人员或附近的公众造成严重的伤害,即使受过很好的训练的应急队员也无法减缓紧急事故。

表4.3 解毒药品与适用中毒症状

解毒药品名称	中毒症状
亚甲蓝注射液	解氰化物中毒
解磷注射液	解有机磷中毒
氯磷定注射液	解有机磷中毒
乙酰胺注射液	解氟乙酰胺中毒
青霉胺片	解金属中毒
盐酸纳洛酮注射液	解乙醇及药物急性中毒
硫酸阿托品注射液	中毒抢救配套用药
高锰酸钾片	中毒抢救配套用药
季德胜蛇药片	解蛇咬中毒

注:以上药物药店可以买到。

事故现场必需的常用应急设备与工具:

(1) 消防设备(依赖于消防队的水平):输水装置、软管、喷头、自用呼吸器、便携式灭火器等;

(2) 危险物质泄漏控制设备:泄漏控制工具、探测设备、封堵设备、解除封堵设备等;

(3) 个人防护设备:防护服、手套、靴子、呼吸保护装置等;

(4) 通讯联络设备:对讲机、移动电话、电话、传真机、电报等;

(5) 医疗支持设备:救护车、担架、夹板、氧气、急救箱等;

(6) 应急电力设备:主要是备用的发电机;

(7) 资料:计算机及有关数据库和软件包、参考书、工艺文件、行动计划、材料清单、事故分析和报告及检查表、地图、图纸等；

(8) 重型设备：翻卸车、推土机、起重机、叉车、破拆设备等。

4.6.3 现场地图和图表

应急信息图表是应急救援的重要工具,在发生事故时地图能提供出主要的现场特征,将有利于应急者识别潜在的后果。

对于应急预案,地图是必需的。这些地图最好能由计算机快速方便地变换和产生。理想情况是,地图应该是现场计算机辅助系统的一部分。

紧急情况下,所使用的地图不应太复杂,它的详细程度和水平最好让绘图者和应急者来决定。使用的符号要符合预先规定的或是政府部门的相关标准。

然而,现场经常有变化(例如,新路线的开通和原有路线的更新),把它们变化的数据标到地图上是很重要的,定期的更新将确保地图的信息的质量,确保应急者有最新的地图版本。

现场的地图能够提供应急者和管理者对事故现场的恢复及确认易受影响的工序、设备和公共设施。应急指挥能使用地图来追踪应急人员、应急效果、其他的特定事故的信息。

紧急情况下应急救援所需的现场地图和图表的目录见表4.4。

表4.4 应急救援所需的现场地图和图表的目录

厂区规划	物料运输	公用工程	现场外的特征
1.材料贮存区域	1.主要的工艺管线	1.消防水管道	到敏感位置的距离与敏感区域的方向
——储罐	——装/卸材料	——消防栓	——学校,医院,其他公共场所
——仓库	——贮存区域、工艺区域	——监控器	——居民区
——铁路轨道汽车路线	2.泵	——泡沫站	——隧道,桥梁,高速公路
2.工艺区域	3.传送带	2.水管网(道)	
——设备	4.组合阀	——工艺	
——建筑物		——冷却	
——控制室		——饮用	
——实验室		3.蒸气管道	
3.服务区域		4.其他的加热/冷却液体管道	
——办公室		5.气体服务	
——实验室		——氮气	
——动力室		——空气及其他气体	
——紧急修理厂		6.电力分配	
——诊所		——主线	
4.路径		——开关箱	
——现场道路		——变压器	
——出口/入口		7.下水道管线	

续表4.4

厂 区 规 划	物 料 运 输	公 用 工 程	现场外的特征
——现场的出路		——雨水	
——船坞		——化学品废水	
		——公共厕所	
		——污水坑	
		——扬升站	
		——油/水分离器	
		——pH值/可燃性气体监控站	

应急救援培训、训练与演习

5.1　应急培训、训练与演习的指导思想及基本任务

有了应急预案并不能使个人、企业和政府主管部门有效地对实际发生的事故做出响应。经验表明,如果应急响应人员不能充分理解每项职责和步骤,在对事故进行应急救援时,就会出现严重的问题。为了执行应急行动预案,政府应急官员和相关支持单位还必须就预案的整个理念、他们在其中的职责以及执行程序进行培训。培训要确保帮助事故应急救援的有关部门和应急人员充分理解预案。不进行培训与训练,就好似只发给执法人员枪支,而不教给他们如何装子弹、瞄准和击发一样。这件武器不仅没用,甚至可能发生危险。同样,一个具有事故应急预案,而不理解和不明白如何执行的个人、企业和政府,在事故应急救援中就不能达到预期目标。

为提高救援人员的技术水平与救援队伍的整体能力,以便在事故的救援行动中,达到快速、有序、有效的效果。经常性地开展应急救援培训、训练或演习应成为救援队伍的一项重要的日常性工作。

应急救援培训、训练与演习的指导思想应以加强基础,突出重点,边练边战,逐步提高为原则。

应急培训、训练与演习的基本任务是,锻炼和提高队伍在突发事故情况下的快速抢险堵源、及时营救伤员、正确指导和帮助群众防护或撤离、有效消除危害后果、开展现场急救和伤员转送等应急救援技能和应急反应综合素质,有效降低事故危害,减少事故损失。

5.2　应急培训

5.2.1　应急培训计划

应急预案是行动指南,应急培训是应急救援行动成功的前提和保证。通过培训,可以发现应急预案的不足和缺陷,并在实践中加以补充和改进;通过培训,可以使事故涉及到的人员包括应急队员、事故当事人等都能了解一旦发生事故,他们应该做什么,能够做什么,如何去做以及如何协调各应急部门人员的工作等。应急培训计划的制定步骤如图 5.1 所示。

应急培训的范围应包括:(1)政府主管部门的培训;(2)社区居民培训;(3)企业全员培训;(4)专业应急救援队伍培训。

政府应急主管部门培训的重点,应放在事故应急工作指导思想和与政府部门有关的事故应急行动计划的关键部分。但也有必要了解整个预案,以保证参加培训的人员理解他们如何适应大局。为确保充分理解事故应急行动计划和应急预案,最好的办法是应急管理人

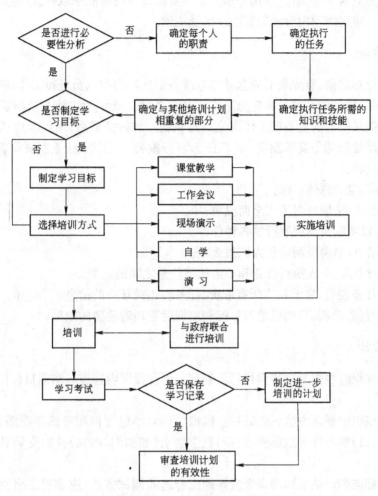

图 5.1 培训计划的制定

员同他们单位的领导一起进行培训。

政府主管部门培训可在地方消防队或医院、企业现场进行。所有负有应急管理职责的地方政府部门、志愿者,如果可能,还应包括军队都应参加。**下列机构和人员应该接受应急救援培训:安全、消防、校车司机、学校校长、医院职工、急救人员以及应急指挥中心的工作人员。**

公安消防部门通常参加他们自己的专业课程。应急管理人员也可以参加消防部门进行的应急管理培训。它将帮助消防队员了解他们在协调应急工作中的作用,也给应急管理人员同消防队员和培训主管人员接触的机会。

除了哪些人要接受培训以外,另一个重要问题是,应该怎么进行培训。在技术上已经有了很大的选择范围:闭路电视、有线电视和电视录像,这些都可用于培训。

当发生事故时,期望现场附近居民能采取某些行动或遵从应急管理人员的指挥。于是,需要对事故应急做出准备的居民便是应急管理培训规划的一部分。与居民交流的主要方式是书面材料(招贴画、报纸和传单),电视(宣讲、通告、座谈和专访),广播(宣讲、座谈),有线电视(政府官员出面、宣讲、播放培训录像带)以及报告会(学校、社区组织)。

为了有效的应急响应工作,居民必须知道对可能发生的事故采取什么应急响应行动,还必须遵守命令。对这两项内容他们都必须接受培训。

5.2.2 需求分析

制定培训计划之前,首先要对应急救援系统各层次和岗位人员进行工作和任务分析,确定应急工作效果、培训的必要性和应急工作的必要条件。培训者应该系统辨识和分析实现高效应急反应效果所有的重要的工作岗位及其职能。分析完成后,培训者应该按任务和职责对每个应急岗位的能力要求制定一个"工作/任务摘要"。工作/任务摘要简表的基本格式应该包括以下内容:

(1) 使命:岗位的总体目标;

(2) 重要职责:按职责对工作全面说明;

(3) 任务:每项职责下要履行的各种任务;

(4) 任务说明:明确说明责任人该怎么做;

(5) 小组与个人:个人执行任务和小组执行任务之间的区别。

完成应急任务表后,应该核实所有职责、任务和相关任务的信息。

根据工作/任务分析,可明确学习目标和培训后受训者希望的效果。

5.2.3 课程设计

应急培训课程应根据专项培训目标而制定。所有授课内容应以培训目标作为主要决策基础。

培训者应该确定授课方法,例如讲座、模拟、自学、小组受训和考试等授课方法,应根据以下要求确定:(1)学习任务效能要求;(2)教学要求(如初训、再训);(3)受训者和教师互动要求。

根据效能标准和评估准则培训者应该制定合适的测试方法,应该规定出使考试与实际应急工作一致性和相关性的必要程序和导则。所有培训内容都应该进行考试。培训者应该系统分析测试结果,给受训者有效的反馈。这种分析不仅帮助改进受训者的缺陷,它也帮助培训者辨识出培训计划缺点以便改善培训计划。

培训计划应该详细说明教学设施(例如大楼、实验室、设备)和教学媒介。一些应急培训可能在特定机构进行,像国家火灾科学重点实验室和武警培训学院。

应注意依照培训管理计划来实施培训。光有一个良好的应急培训计划,却不能遵照执行是巨大的资源浪费。还应该**建立教师任职资格制度**,以保证培训效果。

5.2.4 应急培训的基本内容

基本应急培训是指对参与应急行动所有相关人员进行的最低程度的应急培训,要求应急人员了解和掌握如何识别危险、如何采取必要的应急措施、如何启动紧急警报系统、如何安全疏散人群等基本操作,尤其是火灾应急培训以及危险物质事故应急的培训,因为火灾和危险品事故是常见的事故类型。因此,培训中要加强与灭火操作有关的训练,强调危险物质事故的不同应急水平和注意事项等内容。

5.2.4.1 报警

(1) 使应急人员了解并掌握如何利用身边的工具最快最有效地报警,比如使用移动电话(手机)、固定电话、寻呼机、无线电、网络或其他方式报警。

(2) 使应急人员熟悉发布紧急情况通告的方法,如使用警笛、警钟、电话或广播等。

(3) 当事故发生后,为及时疏散事故现场的所有人员,应急队员应掌握如何在现场贴发警示标志。

5.2.4.2 疏散

为避免事故中不必要的人员伤亡,应培训足够的应急队员在事故现场安全、有序的疏散被困人员或周围人员。对人员疏散的培训主要在应急演习中进行,通过演习还可以测试应急人员的疏散能力。

5.2.4.3 火灾应急培训

如上所述,由于火灾的易发性和多发性,对火灾应急的培训显得尤为重要。要求应急队员必须掌握必要的灭火技术以便在着火初期迅速灭火,降低或减小导致灾难性事故的危险,掌握灭火装置的识别、使用、保养、维修等基本技术。由于灭火主要是消防队员的职责,因此,火灾应急培训主要也是针对消防队员开展的。

5.2.4.4 不同水平应急者培训

针对危险品事故应急,应明确不同层次应急队员的培训要求。通过培训,使应急者掌握必要的知识和技能以识别危险、评价事故危险性、采取正确措施,以降低事故对人员、财产、环境的危害等等。

具体培训中,通常将应急者分为五种水平,每一种水平都有相应的培训要求。

A 初级意识水平应急者

该水平应急者通常是处于能首先发现事故险情并及时报警的岗位上的人员,例如保安、门卫、巡查人员等。对他们的要求包括:

(1) 确认危险物质并能识别危险物质的泄漏迹象;

(2) 了解所涉及到的危险物质泄漏的潜在后果;

(3) 了解应急者自身的作用和责任;

(4) 能确认必需的应急资源;

(5) 如果需要疏散,则应限制未经授权人员进入事故现场;

(6) 熟悉事故现场安全区域的划分;

(7) 了解基本的事故控制技术。

B 初级操作水平应急者

该水平应急者主要参与预防危险物质泄漏的操作,以及发生泄漏后的事故应急,其作用是有效阻止危险物质的泄漏,降低泄漏事故可能造成的影响。对他们的培训要求包括:

(1) 掌握危险物质的辨识和危险程度分级方法;

(2) 掌握基本的危险和风险评价技术;

(3) 学会正确选择和使用个人防护设备;

(4) 了解危险物质的基本术语以及特性;

(5) 掌握危险物质泄漏的基本控制操作;

(6) 掌握基本的危险物质清除程序;

（7）熟悉应急预案的内容。

C　危险物质专业水平应急者

该水平应急者的培训应根据有关指南要求来执行，达到或符合指南要求以后才能参与危险物质的事故应急。对其培训要求除了掌握上述应急者的知识和技能以外还包括：

（1）保证事故现场的人员安全，防止不必要伤亡的发生；

（2）执行应急行动计划；

（3）识别、确认、证实危险物质；

（4）了解应急救援系统各岗位的功能和作用；

（5）了解特殊化学品个人防护设备的选择和使用；

（6）掌握危险的识别和风险的评价技术；

（7）了解先进的危险物质控制技术；

（8）执行事故现场清除程序；

（9）了解基本的化学、生物、放射学的术语和其表示形式。

D　危险物质专家水平应急者

具有危险物质专家水平的应急者通常与危险物质专业人员一起对紧急情况做出应急处置，并向危险物质专业人员提供技术支持。因此要求该类专家所具有的关于危险物质的知识和信息必须比危险物质专业人员更广博更精深。因此，危险物质专家必须接受足够的专业培训，以使其具有相当高的应急水平和能力：

（1）接受危险物质专业水平应急者的所有培训要求；

（2）理解并参与应急救援系统的各岗位职责的分配；

（3）掌握风险评价技术；

（4）掌握危险物质的有效控制操作；

（5）参加一般清除程序的制定与执行；

（6）参加特别清除程序的制定与执行；

（7）参加应急行动结束程序的执行；

（8）掌握化学、生物、毒理学的术语与表示形式。

E　应急指挥级水平应急者

该水平应急者主要负责的是对事故现场的控制并执行现场应急行动，协调应急队员之间的活动和通讯联系。该水平的应急者都具有相当丰富的事故应急和现场管理的经验，由于他们责任的重大，要求他们参加的培训应更为全面和严格，以提高应急指挥者的素质，保证事故应急的顺利完成。通常，该类应急者应该具备下列能力：

（1）协调与指导所有的应急活动；

（2）负责执行一个综合性的应急救援预案；

（3）对现场内外应急资源的合理调用；

（4）提供管理和技术监督，协调后勤支持；

（5）协调信息发布和政府官员参与的应急工作；

（6）负责向国家、省市、当地政府主管部门递交事故报告；

（7）负责提供事故和应急工作总结。

不同水平应急者的培训要与危险品公路运输应急救援系统相结合，以使应急队员接受充分的培训,从而保证应急救援人员的素质。

5.2.5 特殊应急培训

基本应急培训提供了一般事故伤害的应急培训,但一旦事故发生,应急队员就很有可能暴露于化学、物理伤害,放射性和病菌感染等各种特殊事故危险中,仅掌握一般应急技能是远远不足以保护应急队员的生命安全的,因此必须对他们进行此类特殊事故危害的应急培训。

本节主要论述的特殊应急培训包括针对接触化学品、受限空间的营救、病原体感染、沸腾液体扩展蒸气爆炸(BLEVE)的事故危害的应急培训。

5.2.5.1 接触化学品

任何化学品都有一个在空气中的最高允许浓度,高于此浓度,接触者需使用呼吸防护设备。通过培训,应急队员应该了解这些浓度标准,并知道如何使用监测设备和呼吸防护设备。

对于呼吸防护的培训要求,应该由专业机构进行。

5.2.5.2 受限空间营救

受限空间是指缺少氧气或充满有毒气体、有爆炸危险的浓缩气体等的狭小空间,通常只有经过培训并有必要防护设备的应急人员,才被允许进入受限空间进行营救工作。受限空间营救培训包括:

(1) 营救任务分配之前的培训;

(2) 营救任务改变之前的培训;

(3) 在营救过程中发生意外事故的培训;

(4) 营救程序发生偏离时的培训。

一般对应急队员的培训内容包括如何辨识受限空间、有害气体、物理化学危险,熟悉应急程序和行动计划等。受训者应该先学习必要的营救技术,并每年进行一次模拟营救演习,对受训合格者应颁发证书。

5.2.5.3 病原体感染

这类特殊培训主要是针对应急行动中的应急医疗人员的,因为他们在对受伤人员进行医疗救助时可能会接触那些经过血液传播疾病的病原体的感染。此类疾病主要有乙肝、艾滋病(HIV)等。为了降低医疗人员的感染风险,必须对他们进行此类培训,并保持至少每年一次。

培训主要包括以下内容:

(1) 对通过血液传播疾病的病原体种类进行说明;

(2) 对流行病以及血液传播疾病的症状进行说明;

(3) 对血液传播疾病的传播途径进行说明;

(4) 对有接触危险的任务的识别;

(5) 说明如何通过程序控制和使用个人防护设备来预防和降低接触的危险;

(6) 对个人防护设备的选择、使用、正确的清洗和处理等的说明;

(7) 对乙肝疫苗的有关情况进行说明;

(8) 了解涉及到通过血液和其他途径可能感染疾病的事故应急程序;

(9) 制定接触感染后的报告和后期处理计划；

(10) 了解必要的警告标志或标记的意义；

(11) 对应急医疗技术人员进行个人技能培训。

5.2.5.4　沸腾液体扩展蒸汽爆炸

BLEVE(Boiling Liquid Expanding Vapor Explosion)是"沸腾液体扩展蒸汽爆炸"的英文缩写。它是一种快速相变过程，指在空气中液体快速地达到它的沸点以上，引起液体从液态到气态的快速转变同时伴有大量能量的释放。通常当容器内的物质泄漏、容器超压，或由于其他原因造成容器强度弱化而使容器失效、破裂，发生容器内液体的大量泄漏，液体迅速汽化并与空气快速混合，此时一旦遇到火源则易燃介质将发生燃烧并导致爆炸或产生火球。

由于这种事故的高发性以及它的巨大的破坏性，经常造成人员甚至是应急队员的受伤和死亡，因此必须进行此类事故的应急培训。具体包括：

(1) 应急队员应了解该类事故的类型，产生的原理及如何采取对策等；

(2) 应急队员必须了解容器的结构和工作压力以及容器遭受物理破坏后可能出现的情况；

(3) 应急队员应了解容器内物质的理化性质，如沸点、蒸气密度和闪点等基本情况；

(4) 应急队员应会识别与事故有关的征兆。当以下征兆出现时，应急者需立刻疏散：

1) 容器周围可燃蒸气的燃烧火势不断增加，这意味着火灾引起的沸腾液体在容器内部产生了更大的压力，有可能导致容器的爆炸；

2) 从容器的减压阀向外喷射火焰，通常这意味着压力正在不断升高；

3) 降压系统的噪声升高，这也意味着压力的升高；

(5) 应急队员应了解控制 BLEVE 发生的两种方法，一是快速地将容器冷却，二是减少或转移容器附近的热源；

(6) 应急队员应了解 BLEVE 的特性，如容器失效能导致破裂和爆裂，泄漏的可燃性液体可能会导致地面闪蒸，也可能产生向外和向上方向的火球。

(7) 应急队员应掌握一旦遇到可能的 BLEVE 时，最好的应急选择是撤离到安全的、不会受到伤害的区域。

这里仅对最常见的事故类型的应急培训做了简要论述，目的在于"抛砖引玉"。危险品事故是多种多样的，其他类型事故应急培训要求可参考上述思路制定。

5.3　应急救援训练与演习

5.3.1　应急救援训练与演习的目的

应急救援训练与演习是检测培训效果、测试设备和保证所制定的应急预案和程序有效性的最佳方法。它们的主要目的在于测试应急管理系统的充分性和保证所有反应要素都能全面应对任何应急情况。因此，应该以多种形式开展有规则的应急训练与演习，使应急队员能入"实战"状态，熟悉各类应急操作和整个应急行动的程序，明确自身的职责等。

应急救援演习是为了提高救援队伍间的协同救援水平和实战能力，检验应急救援综合能力和运作情况，以便发现问题，及时改正，提高应急救援的实战水平。

事故是小概率事件，因此应急救援预案似乎从来没有实施过，于是演习便是应急管理人员检验和评估应急救援的主要方式,以便确定他们在实际紧急事件中是否可以运行。

训练和演习将尽可能地模拟实际紧急状况,因此它们是实现以下目标的最好方法:

(1) 在事故发生前暴露预案和程序的缺点;

(2) 辨识出缺乏的资源(包括人力和设备);

(3) 改善各种反应人员、部门和机构之间的协调水平;

(4) 在企业应急管理的能力方面获得大众认可和信心;

(5) 增强应急反应人员的熟练性和信心;

(6) 明确每个人各自岗位和职责;

(7) 努力增加企业应急预案与政府、社区应急预案之间的合作与协调;

(8) 提高整体应急反应能力。

5.3.2 训练和演习类型

应急训练的基本内容主要包括基础训练、专业训练、战术训练和自选科目训练四类。

(1) 基础训练。基础训练是应急队伍的基本训练内容之一,是确保完成各种应急救援任务的前提基础。基础训练主要是指队列训练、体能训练、防护装备和通讯设备的使用训练等内容。训练的目的是应急人员具备良好的战斗意志和作风,熟练掌握个人防护装备的穿戴,通讯设备的使用等。

(2) 专业训练。专业技术关系到应急队伍的实战水平,是顺利执行应急救援任务的关键,也是训练的重要内容。主要包括专业常识、堵源技术、抢运和清消,以及现场急救等技术。通过训练,救援队伍应具备一定的救援专业技术,有效地发挥救援作用。

(3) 战术训练。战术训练是救援队伍综合训练的重要内容和各项专业技术的综合运用,提高救援队伍实践能力的必要措施。通过训练,使各级指挥员和救援人员具备良好的组织指挥能力和实际应变能力。

(4) 自选课目训练。自选课目训练可根据各自的实际情况,选择开展如防化、气象、侦检技术、综合演练等项目的训练,进一步提高救援队伍的救援水平。

在开展训练课目时,专职性救援队伍应以社会性救援需要为目标确定训练课目;而单位的兼职救援队应以本单位救援需要,兼顾社会救援的需要确定训练课目。

救援队伍的训练可采取自训与互训相结合;岗位训练与脱产训练相结合;分散训练与集中训练相结合的方法。在时间安排上应有明确的要求和规定。为保证训练效果,在训练前应制定训练计划,训练中应组织考核、验收和评比。

不论什么性质的演习,都可以分为全面演习、组合演习和单项演习。演习既可在室外也可在室内进行。演习既可由机关单独进行,以指挥、通信联络为主要内容,也可由机关带部分应急救援专业队伍进行演练。

(1) 单项演习。这是为了熟练掌握应急操作或完成某种特定任务所需的技能而进行的演习。这种单项演习或演练是在完成对基本知识的学习以后才进行的。根据不同事故应急的特点,单项演习的大体内容有:

1) 通信联络、通知、报告程序演练;

2) 人员集中清点、装备及物资器材到位(装车)演练;

3) 化学监测动作演练:固定监测网络中各点之间的配合,快速出动实施机动监测,食

物、饮用水的样品收集与分析,危害趋势分析等;

4)化学侦察动作演练:对事故发生区边界确认行动,对危害区边界变化情况时判定行动,对滞留区地点及危害程度侦察等;

5)防护行动演练:指导公众隐蔽与撤离,通道封锁与交通管制,发放药物与自救互救练习,食物与饮用水控制,疏散人员接待中心的建立,特殊人群的行动安排,保卫重要目标与街道巡逻的演练等;

6)医疗救护行动演练;

7)消毒去污行动演练;

8)消防行动演练;

9)公众信息传播演练;

10)其他有关行动演练。

(2)组合演习。这是一种为了发展或检查应急组织之间及其与外部组织(如保障组织)之间的相互协调性而进行的演习。由于部分演习主要是为了协调应急行动中各有关组织之间的相互协调性,所以演习可涉及各种组织,如化学监测、侦察与消毒去污之间的衔接;发放药物与公众撤离的联系;各机动侦察组之间的任务分工及协同方法的实际检验;扑灭火灾、消除堵塞、堵漏、闭阀等动作的相互配合练习等。通过带有组合性的部分联系,可以达到交流信息,加强各应急救援组织之间的配合协调。

(3)全面演习或称综合演习。这是应急预案内规定的所有任务单位或其中绝大多数单位参加的为全面检查执行预案可能性而进行的演习。主要目的是验证各应急救援组织的执行任务能力,检查他们之间相互协调能力,检验各类组织能否充分利用现有人力、物力来减小事故后果的严重度及确保公众的安全与健康。这种演习可展示应急准备及行动的各方面情况。因此,演习设计要求能全面检查各个组织及各个关键岗位上的个人表现。通过演习,应该能发现应急预案的可靠与可行度,能发现预案中存在的主要问题,能提供改善预案的决策性措施。全面演习要考虑公众的有关问题,尤其要顾及危险源区附近公众的情绪,使公众能够正确评价危害的性质,从而使推荐的防护措施能得到公众的确认。公众信息传播部门应借助全面演习的机会,向有关公众宣传演习的目的,以及当真实事故发生时,应该采取的措施。必要时可组织公众中骨干力量参观,甚至参加演习。全面演习应在单项和组合演习进行后实施,并应有周密的演习计划,严密的演习组织领导,充分的准备时间。

我国核电厂1~3年举办一次大型的综合演习,在核电厂投入运行前进行一次厂内外应急组织联合举办的联合演习,以后每3~5年定期举办一次。

全面演习是最高水平的演习,并且是演习方案的最高潮。全面演习是评价应急管理系统在一个持续时期里的行动能力。它通过一个高压力环境下的实际情况,检验应急救援预案的各个部分。美国联邦紧急事务管理局要求每一个接受联邦紧急事务管理局资助的管辖区每4年进行一次全面演习。

一个全面演习需要很长的准备时间,一般超过3个月。这是因为必须保证演习应急预案所规定的行动:响应机构必须做的事、资源转移、开放避难所、派遣车辆等。应急救援指挥中心作为全面演习的一部分,全面投入该项活动。

5.3.3 训练准备与计划

良好的准备是成功的关键。如前所述,虽然各种类型训练的计划准备程度及训练时间变化很大。但是训练准备都包括以下的一些基本内容:

(1) 确定目的(即必要性分析);

(2) 辨识现有资源以及进行训练的能力(即资源分析)。

为了使准备更加充分,可参考表 5.1 的"训练计划和日程安排表"。

表 5.1 训练计划和日程安排表

训练计划和日程检查表		
项　　目	计 划 日 期	完 成 日 期
1.进行必要性分析		
2.进行资源分析		
3.确定计划需要人员		
4.确定要进行训练的预案要素		
5.确定训练氛围		
6.选择训练类型		
7 明确参加者任务		
8.确定训练经费和责任		
9.优化目标/预期行动		
10.训练场景叙述		
11.确定设施/设备		
12.确定通讯联络		
13.编制训练模拟材料		
14.确定训练人员需要		
15.进行人员培训		
16.编制评估材料		
17.进行训练前讲话		
18.开始训练		

5.3.3.1 必要性分析

为方便必要性分析,表 5.2 左栏列出了训练项目,确定是否需要进行这些项目的训练可见其他栏的参考因素。这些因素是:

(1) 最新性:训练项目是否最近实施过;

(2) 修订:项目内容是否变更;

(3) 人员变动:负责实施项目的关键人员是否变化;

(4) 企业或危险变更:企业、生产操作或危险是否发生变化,能否影响应急反应能力;

(5) 最后实施或训练日期:在一项训练或实际应急中最近实施项目的日期。

表 5.2　必要性分析表

必要性分析表

训练项目	最新性	修订	人员变动	工厂/危险变化	最后实施或训练日期
应急救援指挥中心					
消防反应小组					
泄漏控制小组					
应急医疗小组					
环境监测					
保卫					
检测和报警					
事故评价					
应急通讯联络					
疏散					
企业外协调					
应急公共信息					
交通运输					
资源管理					
损失评价					
清理和营救操作					
应急停车					
火灾应急预案					
泄漏应急预案					
其他:＿＿＿＿＿					

确定选择训练项目的优先顺序如下:

(1) 全面性——任何新的训练项目应该被测试;

(2) 最后实施日期——在很长时间没有实施过的项目应该优先进行;

(3) 多项选择的训练项目应优先;

(4) 只划一个勾的项目(除了最新性),优先顺序是:

1) 修订;

2) 人员变更;

3) 工厂或危险变化。

要注意的是没有优先训练的项目并非不重要。

5.3.3.2　训练计划

一旦完成必要性分析和资源分析,就可开始计划过程。它包括以下几步:

(1) 确定范围;

(2) 选择训练类型;

(3) 确定成本和责任;

(4) 目的说明;

(5) 优化目标。

5.3.3.3 确定范围

确定训练范围就确定了训练的基础。确定训练范围包括分析下面6种条件。它们是确定操作范围、参加组织、人员、危险类型、地理区域、真实程度。

A 确定操作范围

确定操作范围要求明确参加者要完成的特定应急任务。明确了训练的整体任务,还要确定出其中特定任务或操作。例如,确定训练范围包括测试消防程序,首先要确定要采取什么方式,例如使用消防灭火器,与应急指挥中心的通讯交流和与当地消防部门协调。

B 参加组织

一旦确定某种操作,需要明确所有参与的组织。使用前面的例子,在训练中灭火操作任务要求三个组织参加:企业消防队、应急救援中心人员和当地消防部门。在计划某些训练中,参与组织可能不像这个例子这么明显。因此应该审查应急预案确定哪个组织负责实行某项任务。

C 人员

明确参加训练的组织,也就可确定这些组织中的具体人员。每个选定组织不是每个人员都需要参加每项训练。

D 危险类型

关于危险类型,要考虑两个因素:

(1) **危险必须具体。例如,如果在训练中是火灾,不应只说"发生火灾",而是"在仓库发生溶剂火灾"。**

(2) 确定风险程度。说明事故发生概率和可能的严重度。不能量化的风险可能降低训练有效性。

E 地理区域

训练地理区域应该是危险发生和采取实际应急反应行动的合理地点。

F 真实程度

真实程度是指紧张程度、复杂性和时间、压力等。真实程度必须在计划早期阶段确定。现实程度常由实际条件限制和资金限制,但实现训练目标的真实程度应该满足。

5.3.3.4 选择训练类型

完成上述分析后,可选择训练类型。要注意复杂的训练应在较简单的训练之后进行。例如,在进行全范围训练之前,应该完成一项或多项功能训练。这种渐进式方法保证训练的复杂性不超过参加者执行任务的能力。

5.3.4 演习的组织与准备

应急演习是一种综合性的训练,也是训练的最高形式,演习应该在培训和训练后进行。演习是在模拟事故的条件下实施的,是更加逼近实际的训练和检验训练效果的手段。事故应急演习也是检查应急准备周密程度的重要方法,是评价应急预案准确性的关键措施,演习的过程,也是参演和参观人员的学习和提高的过程。

演习的目的是:验证应急预案的整体或关键性局部是否可能有效的付诸实施;验证预案在应对可能出现的各种意外情况方面所具备的适应性;找出预案可能需要进一步完善和修

正的地方;确保建立和保持可靠的通信联络渠道;检查所有有关组织是否已经熟悉并履行了他们的职责;检查并提高应急救援的启动能力。

必须指出,演习特别是全面演习或综合演习,主要是在宏观上检验应急预案的可靠性与可行性,为修正预案提供依据。同时,也为各个应急救援专业组织之间、应急救援指挥人员之间的协作提供实际配合的机会,以提高他们的协同能力和水平。

应急管理部门应该按国家法律和法规的要求,定期开展事故应急与防灾演习。

5.3.4.1　成立演习委员会

成立一个演习委员会是组织地方政府和企业应急演习的有效方法。演习委员会是演习的领导机构,是演习准备与实施的指挥部门,对演习实施全面控制,其主要职责是:(1)确定演习目的、原则、规模、参演的单位。确定演习的性质与方法,选定演习的地点与时间,规定演习的时间尺度和公众参与的程度;(2)协调各参演单位之间的关系;(3)确定演习实施计划、情景设计与处置方案,审定演习准备工作计划、导演和调整计划;(4)检查和指导演习准备与实施,解决准备与实施过程中所发生的重大问题;(5)组织演习总结与评价。

根据社区的情况,应急管理人员可以担任,也可以不担任委员会的主席。除了应急管理人员,社区演习委员会包括消防、安全、环保部门、地方医院、应急医疗系统的代表。这仅仅是一个基本名单,可以根据管辖区的需要而扩大。例如,在一些社区,把红十字会、疗养院,甚至私营企业的代表也包括在他们的演习委员会中。

有人建议举行不公开宣布的演习。这样做,存在两个问题:为了搞好不宣布的演习,要求很高的效率并进行培训;而且开展不宣布的演习,对于一直把白天作为响应模式的组织来说是比较困难的。

尽管应急救援预案中某些部分的演习(如执行应急行动计划、预警和召回人员)采取不宣布的方式可能是适用的,但是对于正在进行中的工作以及日常紧急事件,采用不宣布的方式做试验却是很困难的,应该慎重决定是不是采取不宣布的演习。

5.3.4.2　阐明演习的文件

一个演习是否能成功,部分地取决于参加者是否理解这个演习。应急管理人员通过向参加者提供一份阐明演习目的、内容和做法的文件,保证帮助参加者理解这次演习。下述提纲可以作为应急管理人员组织编写演习文件的案例。应根据具体的要求和演习的种类及范围对这个提纲进行修订。

(1) 序言

(2) 演习目的

(3) 演习科目

(4) 演习日程表

(5) 演习的组织

　　1) 参加者名单

　　2) 指挥者

　　　　• 组成

　　　　• 作用

　　　　• 职责

　　3) 观察员

(6) 演习内容

　　1) 预警和警报

　　2) 决策

　　3) 指挥和控制

　　4) 疏散

　　　· 启用避难所

　　　· 交通管制

　　　· 应急救援运输

　　　· 医疗机构

　　　· 特殊需求的居民

(7) 演习事项表

(8) 准备演习通告

(9) 培训

(10) 特别指令

(11) 述评

5.3.4.3　对演习的述评

对演习的述评由指挥者准备,他们有责任确保演习达到预定计划并完成任务。指挥者们要密切观察演习,做出标记以便随后进行述评。在正常情况下,每位指挥者评估计划的某一部分(是他们特别了解的部分)。而在一些小的企业或社区,则可以由一位指挥者观察所有的演习。指挥者除了是应急管理人员外,一般来自参加演习单位以外的部门。

5.3.4.4　计算机模拟

现在对于应急演习有一个很强烈的趋势,就是把计算机模拟技术与实物演习相结合。目前,美国紧急事务管理人员通过州紧急事务管理办公室,可获得由联邦紧急事务管理局供给的计算机演习程序包。程序包包括对一些常见事故和灾害(如龙卷风、特大伤亡的事故、核事故和洪水等)的演习项目。输入地方数据,可以设计社区的演习。采用计算机演习程序包的经验表明,它是设计演习的一种极好工具。

另一种利用计算机的方法,是准备演习通告,并把它存在计算机数据库中。它们将按规定的时距自动地存储在演习科目中。这些通告根据参加者的位置,转送到演习现场以及非现场的打印机上。这种技术可以使多个应急行动在同一时间进行演习(如一个省内的几个不同城市),并且允许对演习进行良好的全面控制。但是,采用这种方法的应急管理人员应注意:每个地方都应保存通告的复印件,以防当计算机发生故障时,可采取手工操作。

5.4　评估

评估的主要目的是:

(1) 辨识应急预案和程序中的缺陷;

(2) 辨识出培训和人员需要;

(3) 确定设备和资源的充分性;

(4) 确定培训、训练、演习是否达到预期目标。

确定评估什么的第一步是审查培训、训练演习的专项目标。评估每项目标的标准应该在培训、训练、演习计划制定过程中考虑。如果它不能测定或评估,它不应考虑作为目标。

5.4.1　训练和演习的评估

训练和演习的评估可分为三个阶段:(1)评估人审查;(2)参加者汇报;(3)训练和演习的改正。

评估者和上级主管人员在一定位置观察和记录参加者的反应,通过观察参加者在训练和演习中的行动和预期行动进行比较。

许多应急预案的缺陷可通过参加者自己对照训练和演习立即辨识出来,因为评估人不能发现训练或演习中出现的每个问题。如果参加训练或演习的人数规模较小,总结时,每个参加者都要进行口头汇报,依次被提问,提出意见。如果人数规模很大,则可要求书面意见。评估会议中要使参加者反映对应急预案和应急行动的评估意见。

训练和演习改正:这项评估的不同在于它的目的不是评估应急预案和应急行动,而是要评估训练或演习管理本身。训练或演习改正单应该在训练或演习完成之后立刻发给所有参加人员并配有说明,见表5.3。

表5.3　训练或演习改正单

<table>
<tr><td colspan="2" align="center">训练或演习改正单</td></tr>
<tr><td colspan="2">请花几分钟完成这个表格。您的选择和建议会帮助我们未来训练和演习中准备得更好</td></tr>
<tr><td></td><td>选择答案</td></tr>
<tr><td>1.你是否知道训练与演习的目的和目标?</td><td>是　　否</td></tr>
<tr><td>2.你觉得是否达到了目的和目标?</td><td>是　　否</td></tr>
<tr><td>3.场景叙述是否明白?</td><td>是　　否</td></tr>
<tr><td>4.你觉得场景是否真实?</td><td>是　　否</td></tr>
<tr><td colspan="2">5.你觉得训练和演习进程是慢还是快?</td></tr>
<tr><td colspan="2">6.使用下面图例来评判整体训练或演习:</td></tr>
<tr><td colspan="2">1 2 3 4 5 6 7 8 9 10
很差　　　　　　　　　很好</td></tr>
<tr><td colspan="2">7.与以前训练和演习相比你觉得如何?</td></tr>
<tr><td colspan="2">1 2 3 4 5 6 7 8 9 10
很差　　　　　　　　　很好</td></tr>
<tr><td colspan="2">8.这次训练或演习是否有效地模拟了应急环境和测试了你的应急能力?
是_____　　否_____</td></tr>
<tr><td colspan="2">9.请列出任何问题及您对将来训练或演习的建议:</td></tr>
</table>

5.4.2　评估报告

评估报告是提出纠正措施和纠正行动的重要依据,应该由训练或演习的指挥者准备。

评估报告应经所有参加训练或演习的部门及人员充分讨论后形成,并交企业领导或上级主管机构。评估报告应包括:

(1) 训练或演习总结,包括目的、目标和场景的评论;

(2) 对重大偏差/缺陷的总结;

(3) 建议和纠正措施;

(4) 完成这些纠正措施的日程安排。

应急管理者负责检测纠正措施进展,完善应急预案和程序,改进未来的训练和演习。一旦完成所有纠正措施,应向企业经理报告。

5.4.3 应急训练和演习应注意事项

(1) 可设立专门的小组来负责训练和演习的设计、监督和评价;

(2) 负责人应拥有完整的训练和演习记录,作为评价和制定下一步计划的参考资料;

(3) 可邀请非受训部门应急人员参加,为训练、演习过程和结果的评价提供参考意见;

(4) 应尽量避免训练和演习给生产与社会生活造成干扰。

大型演习的计划和情景设计要经过有关部门的审查和批准。应急训练与演习是检测人员培训效果、测试设备和保证所制定的应急预案和程序有效性的最佳方法。因此,应该以多种形式开展有规则的应急训练与演习,使应急队员能进入"实战"状态,熟悉各类应急操作和整个应急行动的程序,明确自身的职责等。

工业化国家的经验表明:军事体制不适合于制定地方政府的应急预案。但是,尽管远离军队的模式,地方应急管理人员仍需要标准格式的指导。这种指导有助于各级培训和所有部门的接受与执行。

其次,必须加快应急管理人员的职业化,雇用标准要严格,而且要通过培训进一步强化,必须扩大利用计算机模拟,以帮助地方政府应急管理人员和其他与应急管理有关人员的培训和演习。

第六章

企业应急预案格式与内容示例

无论企业规模大小,应急预案或计划本身都应简单明了。每个应急功能的详细指南可放在预案附录中。

应该注意的是预案中必须包括所有基本的要素(基本要素见本书第二章),而应急预案的格式则可以随企业不同而变化。

6.1 简介

依据国家《安全生产法》、《职业病防治法》、国务院 302 号令,国务院 344 号令、国务院第 373 号令,制定本应急预案。本预案的格式和内容根据企业事故应急救援预案指南和其他相关文件来确定。在编制此预案时,借鉴和参考了国内外同类企业的预案。

企业现在已经与省、市和县政府负责应急反应的机构建立了紧密的合作,并且以后也将继续保持,以确保本预案与各级政府的事故应急预案、行动和要求相匹配。

6.1.1 目的

本应急预案的目的是说明企业应急救援组织具有的资源和运作的方法,以处理企业可能发生的各种紧急情况,减少事故损失,保障员工和附近居民的健康与安全。

6.1.2 职责

制定应急预案,建立和保持应急准备状态的职责属于企业经理。企业经理负责预案的分发,保证预案和实施程序每年进行审查和修订。安全经理负责应急人员培训的管理以确保具有充足的应急反应能力。技术经理负责保证进行充分演习。所有员工都有义务执行本预案中各自的职责。

6.2 应急预案依据的法律、法规

6.2.1 国家法律、法规

(1)《安全生产法》;

(2)《职业病防治法》;

(3)《消防法》;

(4)《关于特大安全事故行政责任追究的规定》;

(5)《危险化学品安全管理条例》;

(6)《特种设备安全监察条例》;

(7)其他法律、法规。

6.2.2 地方政府法规

（略）

6.3 定义

（1）预警：即将发生极危险物质泄漏的状态，也被定义为企业内事故，像火灾或泄漏，需要当班组织采取应急，不会造成企业外后果。

（2）现场应急：极危险物质发生泄漏，可能不会对企业外造成影响的状态，也定义为严重的火灾、泄漏、爆炸或其他影响企业安全运行的事故，必须采取行动以保护现场人员，不会造成企业外后果。

（3）全体应急：极危险物质泄漏很可能造成企业外影响的状态。也定义为重大火灾、泄漏、爆炸和其他破坏企业安全运行的事故，必须采取行动保护现场人员，很可能造成企业外影响。

（4）极危险物质（EHS）：由安全环保机构列出的物质。

（5）应急指挥中心（EOC）：应急反应组织管理应急反应活动的中心场所（通常称为主控室）。

（6）企业应急总指挥（SEC）：在紧急情况下负责实施应急反应预案的人。

（7）操作员：有资格或正在接受生产操作培训的员工。

（8）物质安全数据单（MSDS）：记录物质物化特性和健康危害的文档。

（9）应急反应预案（ERP）：记录企业应对紧急事故的反应预案的文件，包括总预案、程序文件、说明书和记录。

（10）应急人员：所有在紧急情况下负有某一职能的企业人员。

6.4 范围和适用性

本应急预案描述了 X-Y-Z 企业应对紧急情况时设施、设备、组织、服务和必要的通讯联络。本应急预案应适应于企业各类紧急情况，从较小的紧急事件到可能对附近居民和公众有健康和安全影响的重大事故。

6.4.1 企业概况

（1）企业发展历史（略）。

（2）生产能力（略）。

（3）组织机构（略）。

（4）重大危险源清单：

1）企业包含极危险物质的主要工艺单元为：

（名单略）

2）企业使用的危险物质为：

（名单略）

3）企业生产使用的危险物质的危险物质安全数据单（MSDS）见预案附录（略）。

4）企业平面布置图附在后面（略）。

5) 包含企业全部区域的企业地图(略)。

6.4.2　适用性

本应急预案适用于 X-Y-Z 企业,同时也适用于企业周边地区参与应急救援的政府机构。另外,本预案也适用于紧急时给企业提供援助的部门、组织、承包商和设备供应商。

6.4.2.1　危险辨识、评价

企业辨识出潜在危险的已经包括在本应急预案中(ERP)(主要是油品泄漏、极危险物质泄漏)。这些紧急情况发生时应采取的预期行动,例如应急定级和应急通知,都在预案中有说明,并由应急预案(ERP)操作程序补充。

潜在的极危险物质的泄漏:极危险的化学品是气体(G),如果它泄漏就会极大影响企业正常生产并严重威胁企业人员和企业附近居民的健康和安全。

(危险辨识、评价内容、结果略)

6.4.2.2　实施程序

具体应急反应行动在应急反应程序中有详细说明。这些程序要经过企业经理的审查和批准。这些实施程序提供根据预案中基本原则编制的反应机理。应急反应程序表见本章后附录 A。

有关应急操作、维修、保卫等程序也已制定并颁布,以提供实施说明。这些程序如预案中所述也可能在反应行动中实施。

6.4.2.3　其他企业/机构的预案

企业可以按已签协议请求其他的企业或机构提供某种程度的援助。本应急预案与相关单位的应急预案协调。(参见附录 C,略)。

6.4.2.4　相关政府机构

为保证相关预案的兼容性必须与相关政府机构保持持续联络。这些机构包括(略)。

6.5　操作的概念

本应急预案和相关的应急反应程序可指导应急人员,以保证员工和公众的安全健康。本预案确定的操作的概念为:

(1) 应急状况的评价;

(2) 应急状况及时有效的减缓;

(3) 应急反应行动的管理;

(4) 通知企业和厂外人员和组织;

(5) 紧急状况的恢复。

当出现紧急情况,最初警报可由中央控制室的仪器设备和报警装置给出,或通过各单元或区域的操作人员,一旦发现险情,立即报告给值班主管。值班主管接到通报后,指挥现场人员立即行动以减缓紧急情况,并评价紧急状态,判断级别。一旦将紧急情况判定为预警、现场紧急或全体紧急状态,值班主管立即担负起企业应急总指挥的职责并启动企业应急反应预案。

一旦定级为预警状态,企业应急总指挥授权通讯联络负责人向厂外有关机构通报,并召集其他支援人员,通知生产经理或企业经理。一旦他们到达现场,企业经理接替企业应急总

指挥的角色,根据应急预案来管理紧急情况,而值班主管恢复到损失控制反应小组负责人的角色。

一旦定级为现场或全体紧急,企业应急总指挥应该立即通报相关的厂外政府机构如必要建议采取公众防护行动,启动全体应急反应组织。紧急状态下主控制室作为应急指挥中心。

一旦应急结束,企业应急总指挥与企业管理层协调启动恢复行动。

6.6 应急分级

根据有关规定和指南,紧急情况分为三类。与这些分级相关的应急行动级别在应急反应程序中有明确定义,现说明如下。

6.6.1 预警

这个级别包括发生影响企业安全的所有事件。对于极危险物质,预警意味着泄漏可能就要发生。现场人员要履行他们的职责,可能需要厂外援助,如消防队援助,救护车营救受伤人员,或应急人员协助减轻化学物质泄漏的蔓延。

6.6.2 现场应急

这个级别包括事故已经发生或升级,企业重要部分需要关闭,要立即采取行动以保护现场人员的事件。对于极危险物质事故,现场应急意味着极危险物质泄漏已经发生,可能不会造成企业外影响。现场人员应履行他们的职责。可能需要厂外援助,要求企业内应急反应组织全面启动。

6.6.3 全体应急

这个级别包括那些危险已经发生或升级,需要关闭企业重要单元的事故。需要采取立即行动以保护现场人员和建筑设施,以保证企业邻近区的安全。对于极危险物质事故,全体应急意味着极危险物质泄漏已经发生,很可能对企业外造成影响,现场人员应履行他们的职责。要求企业外援助以减轻事故的影响,应急组织要全面启动。

6.7 指挥和控制

事故应急的指挥和控制包括各种确保员工和企业附近公众安全健康的主要管理功能。这些主要功能总结如下,在本应急预案和应急反应程序中有详细说明。

(1) 紧急检测;

(2) 紧急评价;

(3) 紧急定级;

(4) 紧急减缓;

(5) 通报管理人员;

(6) 通报地、县的政府机构;

(7) 现场和企业外援助人员的启动和反应;

(8) 如必要,持续评价和重新定级;

（9）启动保护行动；

（10）救助受伤人员；

（11）恢复和重新入驻。

有效地实施这些功能需要具有充足的应急设施、设备和接受培训的人员。需要支持这些功能的组织和人员在下面列出。

6.7.1　最初应急组织

在紧急情况下，值班的操作人员组成最初应急组织。一旦发现或检测到紧急情况，值班的主管接到通知，评价状况，如果超过应急行动级别，确定应急级别，担任企业应急总指挥，调动值班操作人员作为应急反应小组。在此阶段的指挥和控制通过主控中心来执行，它作为应急指挥中心。根据企业应急总指挥的指示，通讯指挥通报厂外机构和企业管理层。如果需要其他援助，企业应急总指挥指派通讯负责人以联络相关资源，最初应急反应组织见图6.1。

根据企业应急总指挥的指挥，对所有纠正和防护行动进行连续评价和控制。如果极危险物质发生泄漏或可能发生泄漏，企业应急总指挥根据主控中心送来的气象信息来评价危险程度和范围，如必要，实施防护行动。

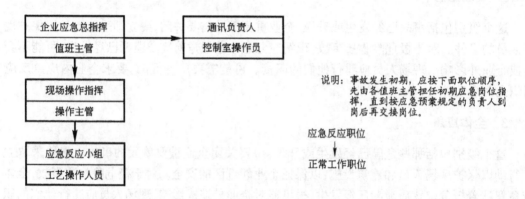

说明：事故发生初期，应按下面职位顺序，先由各值班主管担任初期应急岗位指挥，直到按应急预案规定的负责人到岗后再交接岗位。

应急反应职位
↓
正常工作职位

图6.1　最初的应急反应组织

6.7.2　全体应急反应组织

一旦应急确定为现场或全体应急，企业应急总指挥召集全体应急反应组织。主控中心作为应急指挥中心，反应组织由下面职位组成，见图6.2。

6.7.2.1　企业应急总指挥

根据主控中心和单元操作员提供的信息和警报，企业应急总指挥负责：

（1）事故定级；

（2）管理减缓事故的全体应急反应行动；

（3）确保向厂外通报；

（4）确保通报和召集企业员工和援助人员；

（5）持续进行危险评估和重新定级；

（6）指挥现场人员防护行动；

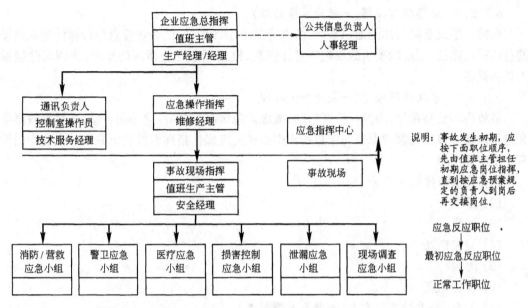

图6.2 全体应急反应组织

（7）建议企业外公众采取防护行动。

6.7.2.2 通讯联络负责人

通讯联络负责人保证与相关企业外机构和援助组织正常通讯联络，召集其他援助人员，并通知企业应急总指挥，见图6.3。

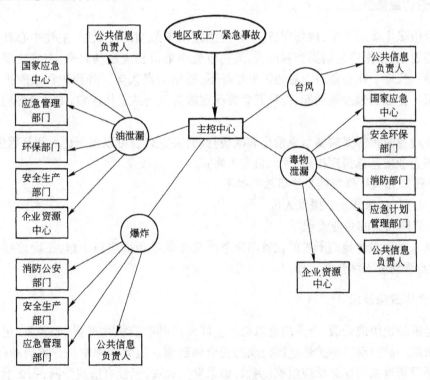

图6.3 通报/指挥流程图

6.7.2.3　应急操作指挥(一般为维修经理)

保持与事故现场指挥的通讯联络,协调应急小组的活动,给企业应急总指挥计划或启动的行动提出建议,帮助减缓事故影响或进行恢复,根据事故现场指挥的要求,协调其他援助人员和设备。

6.7.2.4　事故现场指挥(一般为安全经理)

事故现场最高领导,协调反应区行动,减缓紧急情况,指挥应急小组行动,减轻事故影响和进行恢复。该现场领导保证与应急指挥中心的反应操作指挥保持通讯联络。企业专门设有6个应急小组:

(1) 消防和营救

(2) 警卫

(3) 医疗

(4) 损失控制

(5) 泄漏

(6) 现场调查

6.7.2.5　公共信息负责人(一般为人事经理)

向管理部门汇报,与媒体建立联系,向媒体提供关于应急情况的恰当消息,并与政府新闻媒体主管部门协调。

6.8　应急行动

6.8.1　最初应急反应

一旦值班主管对预警,现场应急,全体应急做出了最初的分级后,主控中心就作为应急指挥中心启动,根据应急的类型和位置,最初应急小组也相应启动起来,在事故现场指挥的指挥下做出反应。在企业应急总指挥的指导下,通讯负责人向厂外组织和政府机构做出最初的通报。企业经理接到通知,而且紧急情况定级为现场或全体应急,那么全体应急组织就会启动。

企业应急总指挥要监测紧急情况和减缓行动,决定是否可以重新进入和开始恢复。

根据企业应急总指挥指示,通讯负责人将:

(1) 通知相关厂外机构发生事故的类型

(2) 必要时,通知企业援助人员

(3) 通知相关的企业管理层

援助人员要报告他们所在的位置与应急小组协调或帮助应急小组,正确地减缓事故的影响,开始重新进入和恢复工作。

6.8.2　全体应急反应

一旦事故定级或升级,企业应急总指挥立即向厂外政府机构通报,如必要,建议政府主管部门采取防护行动以保护邻近区公众的安全和健康。应急指挥中心开始启动(如果还没有),立即召集有关的应急反应组织(例如,如果发生火灾,但没有造成泄漏,那么泄漏小组可以不行动)。一旦救援人员到达,根据应急预案和它们详细的应急反应程序规定,各负其责。

指定通讯联络人员要与现场的最初反应小组保持通讯联络,直到现场指挥以及现场救援和企业外机构到来接替。现场指挥担负应急反应小组的指挥与控制,要立即开始应急减缓行动。现场警卫将负责查点所有原有现场人员。如果不能保证全部到齐,要派遣搜查和营救小组,指挥寻找失踪人员。一旦紧急情况得到控制,企业应急总指挥可降低事故级别,指示重新进入和恢复行动。

6.9 应急能力

为了保持应急反应能力,应急设施必须保证处于准备状态,确保具有充足物资供应和设备。在一些情况下,不可能保证全部配备应对所有紧急情况的应急设备。这样就要与附近和有关机构或企业达成协议,必要时可得到援助。这些组织的通报和启动在应急反应程序中有详细说明。

6.9.1 设施

主要应急反应设施如下:

主控中心:一旦紧急情况定级,主控中心就作为应急指挥中心。本设施配有人员全天值班,具有连续监测操作的仪表、控制和报警装置。如果本中心需要撤离,该功能应该转移到企业消防站。

企业消防站(替代应急指挥中心):如果发生紧急情况需要从主控中心撤离,企业消防站就作为全体应急指挥和控制的场所。主控中心人员要转移到该处。

行政大楼会议室:一旦紧急情况定级,行政大楼会议室就作为媒体中心运作。

6.9.2 设备

各种紧急状态下,需要的设备要预先准备好。通常这类设备既可在正常操作时使用,也可在应急时使用。要制定程序以保证定期清点和重新购置应急设备。应急中使用的设备名单可见预案附录 B(略)。

主控中心、企业消防站和行政大楼都要保存所有设备的明细表和它们所在的位置图。

6.9.3 应急电力和照明

企业要配备柴油发电机,当失去所有企业外电力时会自动启动。柴油机大小应选择适当以保证企业应急照明、关键应急设备、主控中心显示屏、所有重要仪表以及企业所有报警装置的供电。

6.10 防护行动

防护行动是为预防或尽可能减小人员接触危险物质或事故危害的应急行动,如果不采取防护行动,就可能造成伤害。

人员防护有两个不同区域:企业内和企业外。根据受影响人员的特点,这两个区域的预案有所不同。正常情况下,企业人员可帮助减缓事故或恢复生产。企业外人员一般不参与事故的应急。

6.10.1 企业内

6.10.1.1 行动基准

企业仪表检测、直接观察和口头汇报紧急情况是开始防护行动的基础。除了正常操作功能,企业仪表和控制系统也具有应对异常操作情况的措施。这种功能从隔离子系统到完全停产。

6.10.1.2 通知企业人员

救援和管理人员的通知可通过无线电、手机、电话。应急反应人员应一天24小时,每星期7天,随时可通过企业操作员联系到。

企业应急总指挥通知企业人员出现紧急情况,要求采取防护措施。使用无线电、网络和电话通知厂内的人员的时间要求不超过5分钟。通知时间要包括通知所有参观者,承包商和员工。对于局部紧急发生,可通过无线电系统、现场报警装置或企业应急报警系统通知人员。

企业应急报警系统是:

(1) 火警——高声呼叫;

(2) 气体泄漏报警——间断高/低声;

(3) 全体报警——持续。

对企业或现场疏散,要有说明和指示,对应急救援人员要说明具体的专门应急反应任务和集合区域。

企业应急总指挥应该通知主控中心工作人员是否需要实行疏散。工作人员然后根据应急反应程序来指挥疏散。

6.10.1.3 人员清点

警卫负责查点人数。在集合点招集人员,并确定到达集合区人员的名单。没有到达集合区人员的名单上报给企业应急总指挥,由他来决定是否启动搜寻和营救操作程序。

6.10.1.4 人员疏散重新集合

根据企业应急总指挥的决定,检查疏散人员受伤和接触危险化学物质的情况,决定是否使用备用资源。

6.10.1.5 搜寻和营救

搜寻和营救操作一般在下面的两种情况下开始:(1)已经明确有人中毒或受伤。(2)已经知道有人失踪,其他人与他联系不到。

如果人员查点后,确定有人失踪,要尽力寻找该人员。搜寻和营救小组可根据应急反应程序实施该项操作。搜寻与营救行动要一直进行,直到企业应急总指挥认为不必要。搜寻和营救小组、现场操作指挥和主控中心之间应该保持通讯联络。

6.10.1.6 重新进入

这种操作是指在紧急情况稳定或已经过重新评估后谨慎有计划地进入先前撤离的危险区。重新进入的目的是在紧急情况减轻后确定危险性质和程度,支援操作人员,实施使企业恢复操作的措施。

6.10.2 企业外

6.10.2.1 行动基准

当发生影响企业外人员的危险物质严重泄漏事故或其他影响企业外人员的紧急事故,要立即宣布全体紧急状态。依照应急反应程序立即通知企业外机构(省、市和县政府主管部门)。

6.10.2.2 外部通报和反应

应急定级和迅速通知外部机构之间的时间一般不应该超过15分钟。

省、市、县政府应急预案包括警示受影响区域公众,提供该地区人员保护的详细说明,包括受破坏区人员疏散的内容。

在立即通知给上级主管部门后,要由企业应急总指挥重新进行确认评估。这些评估内容根据现场措施或企业区域的气象条件来确定。现场调查小组要立即准备并派遣下去,通过无线电在现场大约15~30分钟内向企业应急总指挥汇报情况。

6.10.2.3 安全躲避和疏散

在县、市应急预案中包括安全躲避和疏散等防护行动。预案包括:(1)安全躲避或疏散等防护行动的措施,包括通知大众的程序;(2)使用警笛、配有广播系统的公安巡逻车和其他应急车辆通知受影响的人员。

6.11 通报和通讯联络

及时、准确地将应急情况通知企业内、外,对于减缓紧急情况和减少对企业内、外人员的影响是非常重要的。在附录A的应急反应程序中详细说明紧急情况出现,立刻应急通报的步骤。根据国家法律和地方政府法规,程序包括联系机构和人员的名单。

6.11 1 现场

一旦由企业人员、操作人员或警卫发现紧急情况,要立刻使用无线电系统或企业内部电话通知给值班主管。值班主管确定应急级别,担任企业应急总指挥,向企业管理层和企业外机构通报,按实施程序启动应急反应组织。

6.11.2 企业外

根据应急类型、发生时间和严重程度,依照法律、法规和标准必须要向企业外通报。在企业应急总指挥的指导下,通讯联络负责人按应急预案规定行动。图6.3表明了需要通报的企业外机构。

6.11.3 公共信息

按法律、法规的要求向股东、员工、公众提供企业及有关活动的信息。

6.11.3.1 新闻发布和事故报告

向报纸、电台、电视台发布。紧急事故和任何人员受伤的信息,只有以下人员有权发布:(1)企业经理;(2)人事经理。

6.11.3.2　社区反应

如果企业火灾或其他紧急情况会对周围社区造成危险,指定的通讯负责人应该与当地安全生产主管部门、消防部门、国家应急中心、卫生部门或环保部门保持联系。他们应该得到对紧急情况的简单介绍和任何必要的专门说明。

所有在岗的企业人员的通讯联系都可以通过企业接线员来接通。

6.12　保持应急反应能力

为了确保快速、有序和有效的应急反应能力,企业人员必须熟悉可能产生的各种紧急事故和应急行动。所有员工要接受安全和应急培训,使他们熟悉警报,疏散路线,安全躲避场所等。此外,应急反应组织的成员要求进行专业培训,并定期进行训练和演习。

6.12.1　应急预案培训

在应急预案中分配应急职能岗位要结合有关人员以往的经验,培训以及日常工作。因此担任应急反应组织某一职位的资格要符合管理部门或生产部门分派的职位的特点并接受一定的培训。如表6.1所示。

表6.1　最低的应急反应培训要求

培训＼职位	总应急预案	指挥协调	应急通讯	公共信息	搜寻和营救	应急保卫	医疗救护	损失控制	泄漏反应	现场调查	疏散
经理	●	●	●	●							
生产经理	●	●	●	●							
值班主管	●	●	●		●						
安全经理	●	●	●				●	●	●		
安全员	●	●	●								
警卫	●				●	●					●
技术人员	●										
环保员	●								●	●	
人事经理				●							
维修人员	●							●	●		
生产值班管理员	●	●	●					●	●		
终端值班管理员	●	●	●		●			●	●		
操作人员	●				●			●	●		

6.12.2　培训和教育

培训的目标是:

(1)使应急救援人员熟悉应急反应预案和程序的实施内容和方式;

(2)培训他们在应急预案和程序中分派的任务;

(3) 使有关人员知道应急反应预案和实施程序变动情况;

(4) 让应急反应组织各级人员保持高度准备性。

工作职位和常规培训例如员工安全培训是应急预案培训的基础。此外,参与训练与演习可获得实践经验。

6.12.3 训练与演习

6.12.3.1 目标

应急训练和演习有下列目标:

(1) 测试应急预案和实施程序的有效性;

(2) 检测应急设备;

(3) 确保应急组织人员熟知他们的职责和任务。

6.12.3.2 行动

进行训练和演习要尽可能接近实际情况。演习和训练应包括:

(1) 基本目标;

(2) 日期、时间和地点;

(3) 参加组织;

(4) 模拟事故;

(5) 事故大约发展阶段;

(6) 安排专门观察员;

(7) 对训练和演习进行适当的评价。

制定事故场景应该以适当的方式完成多个目标。例如,训练或演习场景包括爆炸、泄露和火灾。

6.12.3.3 评估

对训练和演习要进行评估。

评估应包括以下评价和建议:

(1) 要求立即改正的地方;

(2) 需要参加的补充培训。

6.12.3.4 应急预案训练

每 12 个月要进行训练以测试以下计划中的总体内容。

(1) 向企业外机构迅速通报,例如国家、省、市主管部门;

(2) 当地支援机构的通讯联络;

(3) 各种应急设施的启动;

(4) 应急小组任务的执行;

(5) 评价事故后果,包括确定企业内泄漏的水平和程度;

(6) 实施程序的内容和充分性;

(7) 相关应急设备的功能;

(8) 执行分配任务的人员的应急能力;

(9) 危险物质泄漏的模拟或监测显示。

6.12.4　通讯演习

每3个月,应急反应的通讯联络要在主控中心与反应机构或接收事故通报机构之间进行测试,并保存测试记录。任何不足之处应立刻改进。

6.12.5　消防培训和演习

企业人员要每年进行消防安全培训和演习。

6.12.6　应急预案和应急程序复检

应急预案和相关实施程序要每年进行审查以保证符合法律、法规和省、市政府的应急预案。必要时至少每3年更新一次。

6.12.6.1　应急预案的复检

本应急反应预案应在企业经理指导下,每年进行一次审查。审查应包括预案、应急程序、培训与训练情况,应急设备以及与政府应急管理机构的沟通。要根据以下方面来进行修改:

(1)训练和演习的书面评价,这种记录可识别出缺陷或提出更合适的方法、程序或组织,建议改动的后续行动也要审查;

(2)组织或程序中的关键人员的变动;

(3)企业组织机构的变动;

(4)支援机构的能力或功能的变动;

(5)国家或地方政府法规的变化;

(6)影响到应急预案的企业的变动;

(7)来自其他组织、国家或地方政府的建议;

(8)生产工艺或操作状况的变化。

审查的结果要由审查人存档并交给企业经理。建立备忘录说明审查的区域和每个区域的审查结果以及采取纠正的行动。

如果审查表明改变是必要的,审查人员要系统阐述建议的改动,并把它们送交给企业经理审查。

6.12.6.2　应急程序的复检

应急反应程序要修订以反映出应急预案的变动。此外,除了每年预案审查,根据企业管理惯例,应急反应程序也要审查和修订。

列出应急电话号码的专门程序至少要每季度审查和更新一次。

6.13　恢复和重新进入

在应急和防护性行动已有效控制了紧急情况时,就开始恢复和重新进入阶段。这要由企业应急总指挥来决定。这阶段的所有行动要认真部署。

6.13.1　恢复

恢复计划从实用角度出发,适应于具体的情况。紧急状态中所出现的各种情况不可能预先全部预测到。详细的恢复操作的计划和程序在必要时再编写。

6.13.2 重新进入

在重新进入之前要遵从所有重新进入的操作和程序。重新进入操作要由重新进入小组来执行,该小组归企业应急总指挥领导。小组成员要熟悉应急程序和企业布局。进入企业前要详细部署行动。在重新进入部署过程中,小组要收集所有关于紧急情况特征和目前状况的信息。企业应急总指挥有权批准重新进入。企业应急指挥总要随时了解危险状况。

重新进入是个需要慎重考虑的过程,小组要暴露在危险中。重新进入不应该干扰或影响其他应急人员或受伤人员。在进入之前,搜寻和营救小组要配备必要的防护装备和设备。

附录 A 应急程序一览表

代　号	主　题	生效日期	有效日期
ERP-101	紧急情况的分类(略)		
ERP-110	紧急情况的通报		
ERP-120	应急反应组织的启动(略)		
ERP-200	防护性行动(略)		
ERP-201	应急人员的责任(略)		
ERP-300	应急指挥中心的启动(略)		
ERP-301	媒体中心的启动(略)		
ERP-400	应急总指挥		
ERP-401	应急操作指挥(略)		
ERP-402	事故现场指挥(略)		
ERP-403	通讯联络负责人(略)		
ERP-404	公共信息负责人(略)		
ERP-500	泄漏应急小组(略)		
ERP-501	火灾应急小组(略)		
ERP-502	保卫应急小组(略)		
ERP-503	现场调查小组(略)		
ERP-504	医疗应急小组(略)		
ERP-505	损失控制应急小组(略)		
ERP-600	重进入/恢复		
ERP-700	应急结束(略)		

应急程序,ERP-110

紧急情况的通报

最初发现人:＿＿＿＿＿＿＿＿＿＿＿＿＿＿＿

批准:＿＿＿＿＿＿＿＿＿＿＿＿＿＿＿＿

应急总指挥　　　　　　　日期

＿＿＿＿＿＿＿＿＿＿＿＿＿＿＿＿

安全经理　　　　　　　日期

1.0 目的

1.1 这个程序能够给现场应急总指挥、通讯联络负责人、应急操作指挥在作出最初的通报,通报的分类以及对厂外机构通报中提供指导。

2.0 范围

2.1 这个程序适合于在启动 X-Y-Z 企业的紧急情况应急预案后所有执行企业外通报的人员。

3.0 参考文献

3.1 X-Y-Z 公司的应急预案

3.2 市、县应急管理办公室的应急预案

4.0 定义

4.1 无

5.0 责任

5.1 应急总指挥负责执行这个程序

5.2 分派的通讯联络负责人负责完成最初的,重新分类的和企业外的通报

5.3 应急操作指挥负责随后的向县、市政府主管部门进行通报

5.4 通报后,当地的安全、消防、救护和警察等支持部门随即赶到现场;事故现场指挥负责协调与保持与这些组织的通讯联络

6.0 说明

6.1 一旦应急预案启动后,应急总指挥执行这个程序并完成附件 A 中规定的适当的行动

6.2 在应急总指挥的指挥下,通讯联络负责人执行附件 B 中规定的所有的行动

6.3 一旦通知有紧急情况,应急操作指挥执行附件 C 中规定的所有的行动

7.0 附件

7.1 附件 A   现场应急总指挥通报检查列表

7.2 附件 B   通讯联络负责人检查列表(略)

7.3 附件 C   应急操作指挥通报检查列表(略)

应急程序,ERP-400

应急总指挥

编制人:＿＿＿＿＿＿＿＿＿＿＿＿＿＿＿＿＿

批准:＿＿＿＿＿＿＿＿＿＿＿＿＿＿＿＿＿

应急总指挥　　　　　　　日期

＿＿＿＿＿＿＿＿＿＿＿＿＿＿＿＿＿

安全经理　　　　　　　日期

1.0 目的

1.1 这个程序将给应急总指挥在一个紧急情况发布以后执行他/她的责任提供指导

2.0 范围

2.1 这个程序适用于在 X-Y-Z 企业的应急预案启动后

3.0 参考文献

3.1 X-Y-Z 企业的应急预案

3.2 市应急管理办公室应急预案

3.3 ERP-100,紧急情况分类

3.4 ERP-110,紧急情况通报

3.5 ERP-120,应急反应组织的启动

3.6 ERP-200,防护性行动

3.7 ERP-300,应急指挥中心的启动

3.8 ERP-600,重进入/恢复

3.9 ERP-700,结束

4.0 定义

4.1 无

5.0 责任

5.1 应急总指挥负责:

- 事故的分级
- 指挥全部的应急行动来减缓事故
- 确保对企业外部门的通报
- 提供支持人员的联系方式
- 继续对紧急状况进行评估和重新分级
- 现场人员的防护性行动
- 企业外公众防护性行动的建议
- 一旦紧急情况结束,提供出重进入/恢复计划

6.0 说明

6.1 一旦预案启动,应急总指挥执行附件 A 中规定的行动。

7.0 附件

7.1 附件 A　现场应急总指挥应急检查表

附件 A:应急总指挥应急检查表,ERP-400

A.1 最初的行动

一旦警报或其他的方式宣布了一个紧急状况,那么确定的现场应急总指挥将:

[ ]判定受影响的区域

[ ]派遣合适的人员到现场

[ ]保持与现场人员的通讯联系并评估紧急情况的程度

[ ]紧急情况的分类

[ ]确保完成对企业外部门的通报

[ ]确保适当的应急小组的启动

[ ]提供对应急小组人员采取防护性行动的指导

[ ]确保事故现场人员都有相应的责任

[ ]指挥保卫人员保持对企业入口的控制;允许企业外的应急人员和设备进入,支持保卫人员对控制中心的警戒

[ ]确保与外部的应急人员的联系

[　]确保对设备管理人员的通报

[　]如果最初的分类是现场或全体应急,那么进行 A2 步骤

[　]决定是否需要启动全体应急组织,如果被授权,应急指挥中心和/或媒体中心,执行适当的程序

[　]继续对紧急状况进行评估,进行适当的重分类

[　]定期地简要描述全体人员在紧急情况中的状况并证实所有支持人员防护和减缓行动都被充分的论述了

[　]确保定期地对厂外组织和设备管理进行简要的描述

[　]批准新闻的发布

[　]一旦紧急情况结束,执行结束程序 ERP-700

A.2 现场应急/全体应急行动

一旦把最初的紧急状况分类为现场应急或全体应急,或在重分类时定义为现场应急或全体应急,那么现场的应急总指挥将:

[　]确保对厂外通报的完成

[　]确保全体应急组织的启动

[　]证实合适的 A.1 步骤已完成

[　]开始启动应急指挥中心和媒体中心

[　]持续地评估紧急状况并确保:

- 对设备、人员的防护性行动是充足的
- 提供合适的对公众防护性行动的建议
- 以及时、有效的方式采取减缓行动
- 向企业外的部门简要通报紧急情况的形势及变化的情况
- 向全体人员简要的介绍紧急情况的形势及变化的情况
- 及时准备和批准新闻发布
- 支持减缓行动的必要资源是充足的并是可获得的
- 有效的协调以减缓事故
- 可获得适用的应急预案和程序
- 保留对所采取行动的记录

[　]一旦减缓行动完成,继续进行合适的重进入/恢复程序或结束程序

应急反应程序,ERP-600

重新进入/恢复

编制人 :＿＿＿＿＿＿＿＿＿＿＿＿＿＿＿

批准 :＿＿＿＿＿＿＿＿＿＿＿＿＿＿＿

应急总指挥　　　　　　　　日期

＿＿＿＿＿＿＿＿＿＿＿＿＿＿＿

安全经理　　　　　　　　　日期

1.0 目的

1.1 这个程序给应急总指挥,应急操作指挥,事故现场指挥在应急救援期间开始的恢复阶段执行重进入操作提供指导

2.0 范围

2.1 这个程序适用于在 X-Y-Z 企业的应急预案启动之后

3.0 参考文献

3.1 X-Y-Z 企业的应急预案

3.2 市、县应急管理办公室应急预案

4.0 定义

4.1 恢复—紧急情况后所采取的行动使设备、设施、场所尽可能的减缓到事前的状态

4.2 重进入—在最初的减缓行动完成后,在可控的条件下采取的行动,重进入已疏散的区域或建筑内

4.3 阈值—代表着一种物质在空气中的浓度水平,在这个浓度水平上大多数人每天 8 小时,每周 40 小时的工作时间内持续地接触而没有危害影响

5.0 职责

5.1 应急总指挥负责整体的应急评估活动并执行这个程序

5.2 应急操作指挥负责给应急总指挥在危害状况,启动恢复/重进入程序上提供建议

5.3 事故现场指挥负责协调/支持现场的减缓行动,并给应急总指挥提供建议在什么时候启动程序

6.0 说明

6.1 应急总指挥将执行附件 A   恢复/重进入检查列表中规定的行动

6.2 应急操作指挥将执行附件 B   应急操作指挥恢复/重进入检查列表中规定的行动

6.3 现场指挥将执行附件 C   现场操作指挥恢复/重进入检查列表中规定的行动

7.0 附件

7.1 附件 A   现场应急总指挥恢复/重进入检查列表(略)

7.2 附件 B   应急操作指挥恢复/重进入检查列表(略)

7.3 附件 C   现场操作指挥恢复/重进入检查列表(略)

6.14 社区(政府)应急救援预案大纲

美国国家应急响应领导小组(NRT)推荐社区(地方政府)应急救援预案的格式如下。

6.14.1 预案介绍

(1) 紧急事件信息描述表。制定记录和报告紧急事件重要信息的表格,其内容应包括紧急事件发生的时间、地点、位置,事故类型(火灾、爆炸、泄漏),伤亡情况,事故涉及的危险材料性质、数量,事故发展趋势,可能的影响范围,现场人员和附近人口分布等,以便于发布应急通告。

(2) 发布令 、发布令是由政府负责人签署具有法律效力和权威的预案实施文件。

(3) 法律、法规要求及应急机构的职责。简述国家法律、法规及地方政府法规要求,明确各应急救援机构的职责。

(4) 预案内容表。将预案所有内容的目录以表格形式列出,方便查阅。

（5）术语与定义。术语、定义、缩写词集中列出，方便参考。

（6）编制预案的前提条件和考虑的主要因素。根据危险分析和风险评价结果，以地图或图表形式简述社区（地区）基本情况，如重大危险源分布，敏感区域，交通网络，水、电、燃气供应，人口分布，气象条件，高峰时间、季节，编制预案假设条件等。

（7）操作的概念。

1）指导原则：简述如果紧急事件发生，应该做些什么。

2）有关机构的职责和作用：以表格形式列出应急行动前，应急行动中和应急结束后政府有关部门、负责人的职责和作用。

3）与其他预案的关系：简述与其他预案的协调和相互关系。

（8）预案使用说明。简述什么时候、如何使用预案，并列出预案分配机构和人员一览表。

（9）修改记录。列出预案更新、修改的日期、人员和内容页码。

6.14 2　应急救援相关机构联系方法

列出有关技术援助机构，如大专院校、科研机构、专业实验室、图书馆、应急救援参加单位、人员等的联系方法、电话等。

6.14 3　应急响应功能

（1）应急响应机构的初次通告。通告范围包括：24 小时应急响应热线电话成员、政府应急主管官员、应急响应人员、国家应急中心及有关机构和部门。

（2）指挥与控制。简述现场负责人姓名、指挥系统，启动应急指挥中心的标准，为应急救援队建立现场指挥部和通讯联络网的方法。启动各应急救援队的方法，应急行动的优先顺序，基于事故严重度的应急响应级别。

（3）通讯联络（在应急响应者之间）。说明所有内、外应急救援机构之间的通讯联络方式和方法，包括使用的无线电频率、通讯联络设备、防爆要求（本质安全）。

（4）报警系统和公众应急通告。说明向公众报警和通告的方法，负责此项工作的人员职务、电话，事先准备报警和通告内容，达到快速、有序、高效。

（5）公众教育/社区关系。简述公众应急救援宣传教育方法，包括利用广播、电视、发送宣传材料等。

（6）应急资源管理。列出需要的应急人员、交通工具、设备、设施名单，简述应急救援和医务人员培训计划。

（7）应急救护与治疗。简述应急救护和治疗的有关规定，确保怎样及时召集应急救护与医疗人员。

（8）应急响应人员的安全。规定进入和离开事故现场的运作程序标准，责任（包括合格培训）、清洁净化程序、安全健康设备和个人安全措施。

（9）居民保护。

1）室内保护：规定采取室内保护的决策标准，如何向居民通告和劝告离开建筑物时间和方法等。

2）疏散程序：简述负责宣布/建议疏散的部门和人员，必须疏散的地区及通知方法，疏散路线及交通管制,避难场所位置,被疏散人员的安置和接待,重新入驻程序等。

3) 其他保护措施:包括迁移,提供饮用水、生活污水系统等。

(10) 火灾及其救援。简述消防指挥系统,消防队员职责、任务和相关支持单位。

(11) 警戒与执法。简述为便于应急救援活动和疏散人群所需警戒、交通管制,保卫的指挥系统,人员及其职责和任务。

(12) 事故状态评价。简述负责事故现场、场外的有毒有害物质监测的部门和人员的职责、任务,进行事故影响评价、生物监测、污染控制的方法。

(13) 人道主义服务。简述红十字会,志愿者等在事故应急救援时可提供人道主义服务的机构及其任务。

(14) 市政部门的工作。简述事故应急救援过程中市政部门的任务和人员、职责。

(15) 其他。

6.14.4 污染控制与清洁

(1) 堵漏与清洁技术。简述减缓和控制污染、清洁净化及保护环境的方法和措施。

(2) 清洁和处置资源。说明清洁和处置单位及其服务能力、清洁材料与设备、通讯设备、应急运输设备、个人防护设备、处置场所等。

6.14.5 文件化(报告)及后续调查

简述需要报告的部门、原因和报告的格式,应急救援行动的经验、教训,事故后恢复所需费用等。

6.14.6 检测和更新预案的程序

(1) 检测预案。简述定期开展桌面训练、功能训练和全面演习的要求,说明演习主管部门、演习类型、频次,评估、纠正、完善应急救援预案的程序。

(2) 更新预案。明确负责预案定期更新的部门和负责人,确保所有预案持有人都知道预案更新的内容,预案更新内容应记录在修改记录中,定期检查应急响应人员变化情况,社区(地区)危险材料,重大危险源,名称、数量、性质、位置,重要设施地图,交通路线,新机构(医院等)、新居民区,应急资源,应急服务机构等的变化情况。

6.14.7 危险分析(一览表)

简述危险分析、风险评价、易损性分析结果。

第七章

应急救援预案检查表

制定应急救援预案的目的是快速、有序、高效地控制紧急事件的发展,将事故损失减小到最低程度。为了保证应急救援预案的完善,应建立应急救援预案检查表,以核实应急救援预案内容是否全面、系统、可靠和可行。

7.1 基本要求

应急救援预案的基本要求,应满足以下条件:

(1) 是否编制了综合性应急救援预案,预案是否包括预防、预备、响应和恢复等内容?

(2) 若没有综合性预案,是否有专项事故应急程序,如火灾、爆炸、泄漏事故应急程序等?

(3) 应急预案的内容是否符合相关安全法律、法规和标准的要求?

(4) 应急预案是否与企业重大危险源、设备、设施、场所及其风险相适应?

(5) 应急预案是否经最高管理层授权发布实施,是否有实施日期?

(6) 应急预案是否包括:目录表、变更记录、目的、企业简介、名词、术语定义、发放表等?

(7) 所有相关人员是否都可获得预案?

(8) 是否建立了应急响应(反应)机构?

(9) 下述职责是否定义清楚并分配给有关人员:

    1) 预案管理;

    2) 应急指挥;

    3) 支持、协调;

    4) 预案和程序的维护;

    5) 定期危险评估;

    6) 培训、训练和演习;

    7) 重要设备及其维护清单;

    8) 专项事故应急响应职责;

    9) 与场外应急预案的协调。

(10) 应急救援的关键职位及其替补人员、职责和指挥系统是否清楚明确?

(11) 应急预案是否提供并建立在风险评价基础上,是否确认了潜在紧急情况及其重点对策?

(12) 是否包括定期应急能力测试、训练、演习内容,是否规定通过测试、评估来纠正和完善预案?

(13) 是否定义并建立了不同应急响应级别的应急预案?

(14) 应急组织机构是否与正常生产经营组织机构协调?

(15) 应急预案中是否重点论述了人员安全、危险控制及减少损失的优先原则?

(16) 预案中是否有包括下述信息发布文件:

 1) 应急预案简介;

 2) 安全、环保方针;

 3) 对社区、政府的贡献;

 4) 企业年报或财务情况介绍;

 5) 事故/事件或危险;

 6) 生产工艺/设施、安全措施描述;

 7) 产品;

 8) 安全记录。

(17) 预案中是否包括应急前、应急中和应急后负责公共关系的部门、职责和人员?

(18) 媒体和信息发布负责人是否培训合格,是否有应急信息发布和管理程序?

7.2 危险辨识、风险评价及事故预防

应急救援预案的危险辨识、风险评价及事故预防内容,应满足以下条件:

(1) 现有的应急救援系统及预案是基于相应的风险水平吗?

(2) 危险辨识、风险评价是否考虑了:

 1) 历史上的事故、事件;

 2) 潜在事故发生的可能性及严重度(包括对场外的影响);

 3) 自然灾害;

 4) 技术灾害;

 5) 人员破坏;

 6) 其他影响因素。

(3) 所有危险材料一览表中是否列出材料的商品名称、使用及储存位置、来源、数量、性质、安全性能等,是否有危险材料生产工艺图或分布图?

(4) 是否列出重大危险源清单及其他需要编制应急预案的材料、设备、设施和场所清单?

(5) 应急响应预案中是否包括了事故状态监测和评价?

(6) 应急预案中包括预防紧急情况发生的内容吗?

(7) 是否制定了定期检测关键设备、元件、报警系统的制度,是否包括了测试方法和频度?

(8) 是否有制度规定所有新材料、新工艺、新设备符合国家法律、政府法规、国家标准、行业标准及应急预案要求?

(9) 高危险场所和岗位是否安装合适的保护性监测系统?

(10) 是否实施了减少危险材料使用量的控制措施?

(11) 是否采用了职业安全健康管理体系或其他先进的安全管理方法?

(12) 事故预防职责是否分配给相关的合格人员?

(13) 是否按消防法规和标准对消防设备及系统进行定期检查?

(14) 火灾应急预案是否包括:工作场所火灾危险性一览表、潜在火源及其控制措施、火

　　　　灾危险控制及其消防设备维护人员的姓名、职责等。

　(15) 安全或保护装置及系统的维护程序中是否包括设备失效时的备用程序或措施?

　(16) 预案中对现场临时性人员(承包商、来访人员等)是否规定了应急防护措施方面的内容?

7.3　应急指挥与控制

　　应急救援预案的应急指挥与控制内容,应满足以下条件:

　(1) 应急预案中是否清晰描述了各级应急指挥机构职责及其地理位置,必要时的替换地点和场所?

　(2) 应急指挥中心所选位置是否安全、方便?

　(3) 应急指挥中心是否配备有必要的设备,如:

　　　1) 通讯设备;

　　　2) 报警设备;

　　　3) 人员防护装备;

　　　4) 各类地图及所需技术资料;

　　　5) 办公设备;

　　　6) 生活设施及供给(根据预期的应急时间)等。

　(4) 是否制定应急指挥场所、设备的维护程序并责任到人。

　(5) 启动应急预案的程序是否包括:

　　　1) 人员通告;

　　　2) 应急指挥中心的启用;

　　　3) 现场通讯、联络;

　　　4) 场外通讯联络;

　　　5) 救援设备和技术支持;

　　　6) 公众和媒体信息发布;

　　　7) 应急级别的确定。

　(6) 下述职责是否明确分配给有关人员:

　　　1) 事故现场协调与决策;

　　　2) 应急操作;

　　　3) 通讯联络;

　　　4) 危险及气象条件监测;

　　　5) 技术援助;

　　　6) 后勤及行政管理;

　　　7) 公众和媒体联系。

　(7) 是否有确保应急电源、照明和其他应急设备与资源的措施?

　(8) 是否规定及时更新与应急救援有关的电话号码和与场外机构的应急合作协议?

　(9) 是否制定非授权人员不能进入指挥中心的规定?

7.4　应急反应机构

应急救援预案中的应急反应(响应)机构的内容,应满足以下条件。

(1) 应急预案中是否有处置下述事故的应急反应机构、程序和资源?

    1) 火灾;

    2) 爆炸;

    3) 泄漏;

    4) 其他特大事故。

(2) 每个应急响应队是否针对具体事故进行了培训和配备装备?

(3) 应急救援的具体任务分配明确、职责清楚吗?

(4) 每项应急任务最低的人员配备是否清楚,应急队员花名册是否及时更新?

(5) 应急救援预案中是否有下述应急操作标准:

    1) 指挥;

    2) 响应方法;

    3) 应急结束;

    4) 与其他应急队之间的协调;

    5) 与场外机构的协调。

(6) 预案中除人员救助外,是否列出了应急响应行动的优先顺序?

(7) 是否针对具体危险进行知识与技能培训、训练、演习?

(8) 泄漏控制程序中是否包括:

    1) 需要清除的物品;

    2) 预定的处置场所和运输方式;

    3) 储存和运输清除物的容器。

(9) 所有应急队员体能是否符合要求并按规定配戴防护装备?

(10) 预案中是否规定了应急队员进入和离开应急区域的职责和程序?

(11) 预案中是否规定了确定和标记危险区域和限入区域的程序和方法?

(12) 预案中是否有正确选择和使用个体防护装备的指导书?

(13) 应急救援程序中是否包括:

    1) 启用备用人员及进入应急区域的程序;

    2) 规定进入路线和至少两条逃生路线;

    3) 能见度受影响时有助于识别进出路线的标记方法;

    4) 提供应急人员进入现场的备用工具,如梯子等。

7.5　监测、报警与通讯联络

应急救援预案的监测与报警内容,应满足以下条件:

(1) 预案中是否有使用下述监测系统的内容?

    1) 烟感监测系统;

    2) 热感监测系统;

    3) 遥感监测系统;

　　　　4）泄漏监测系统；

　　　　5）过程监测系统。

　　(2) 监测系统是 24 小时连续工作吗？

　　(3) 对监测系统及其装置进行定期测试、检查、维护和校准吗？

　　(4) 除监测系统外，对危险区域还有定期巡检吗？

　　(5) 预案中有向应急人员宣布紧急状态和报警的程序和方法吗？

　　(6) 用什么方式向应急人员报警：

　　　　1）电话；

　　　　2）广播；

　　　　3）网络；

　　　　4）其他。

　　(7) 是否明确向来访者、员工报警的标准、方法和责任人？

　　(8) 是否明确向附近居民或遥远地区报警的方式与方法？

　　(9) 是否有规定由合格人员对报警系统进行定期测试和维护？

　　(10) 紧急通告是否简单明确且易获取？

　　(11) 紧急通告是否能说明下述 7 个问题：

　　　　1）什么发生；

　　　　2）在哪里发生；

　　　　3）哪个人或单位发生；

　　　　4）什么时候发生；

　　　　5）如何发生；

　　　　6）目前程度；

　　　　7）所需援助。

　　(12) 应急预案中有通讯联络程序和方法吗？

　　(13) 是否确保下述通讯联络畅通：

　　　　1）应急指挥中心与各应急救援队(组)；

　　　　2）各应急救援队(组)之间；

　　　　3）应急指挥中心与场外机构；

　　　　4）应急指挥中心与后勤支持机构；

　　　　5）应急指挥中心与技术支持机构。

　　(14) 是否有备用通讯联络系统，备用指挥中心的通讯联络设备是否充足？

　　(15) 是否定期测试和维护通讯联络设备与程序？

7.6　应急关闭程序

　　应急救援预案的应急关闭程序内容，应满足以下条件：

　　(1) 应急预案中是否有应急关闭生产系统的程序？

　　(2) 是否明确实施应急关闭行动的负责人？

　　(3) 是否制定了每项具体操作、设备或区域应急关闭程序检查表？

　　(4) 生产人员和应急人员是否方便获取应急关闭程序检查表？

(5) 实施应急关闭程序的专用工具是否方便获取？

(6) 是否确定了不必关闭的操作或设备？

(7) 是否确定了需要一段时间才能完全关闭的操作或设备及所需时间？

(8) 关键设备、阀门或控制系统是否清楚标识,是否有其分布图或示意图？

(9) 应急人员是否能便于联系熟悉某项具体操作的技术人员？

(10) 应急关闭程序应尽量明细,包括门、窗、水、电关闭,文件保存,设备维护等。

7.7 应急设备与企业外援助

应急救援预案的应急设备与企业外援助内容,应满足以下条件:

(1) 应急预案中是否有确定设备需求、设备清单和获取的程序内容？

(2) 是否按制造商的要求对设备进行维护保养并建立程序？

(3) 是否按规定对应急设备进行定期检测、检验,并建立检验档案？

(4) 是否确保应急设备维护和检验人员合格培训？

(5) 是否确保每个工作班和应急人员方便获得所需设备？

(6) 是否有应急消耗器材最低供应量的程序文件？个体防护设备及其他应急供给是否与正常生产供给分开？

(7) 特殊危险材料应急设备清单是否随着材料变化而更新,应急人员可获取应急设备与供给来源的清单？

(8) 方便获取的应急设备是否包括:

   1) 急救设备；

   2) 个体防护设备；

   3) 通讯设备；

   4) 消防设备；

   5) 泄漏控制设备；

   6) 泄漏清除设备；

   7) 监测设备；

   8) 维修工具；

   9) 中和剂等。

(9) 是否能及时从企业内或企业外获取事故现场气象信息？

(10) 应急预案中是否考虑并评估了下述地方政府(社区)部门的能力和资源：

   1) 安全生产部门；

   2) 公安部门；

   3) 消防队；

   4) 救护队；

   5) 应急管理机构；

   6) 医疗、卫生部门；

   7) 环保部门；

   8) 运输部门；

   9) 水、电供应部门；

  10) 卫生防疫部门;

  11) 有关港口、机场部门;

  12) 医院;

  13) 公用局;

  14) 政府其他部门;

  15) 志愿者组织。

(11) 应急预案中是否考虑并评估了国家、省、市相关部门的能力和资源:

  1) 应急救援中心;

  2) 安全生产主管部门;

  3) 环保部门;

  4) 中毒控制中心;

  5) 防化部队;

  6) 卫生部门;

  7) 交通运输部门。

(12) 应急预案中是否考虑并评估了有关行业协会、学会、高等院校、科研机构(实验室)的资源和能力?

(13) 是否有与附近企业的应急互助协议并说明相互援助的内容和方式?

(14) 是否提供了互助设备、人员及其他资源清单?

(15) 应急互助协议具有法律效果吗?

(16) 协议和预案中是否规定了联系方法和协调应急行动的程序?

(17) 互助应急的指挥组织及其各自职责是否明确?

(18) 是否进行过互助应急培训、训练或演习?

(19) 外援机构(如消防、武警、医疗救护等)是否熟悉企业情况?

(20) 预案中是否包括合作单位、政府部门、外援机构清单?

(21) 是否定期召开应急合作会议,对场外人员培训以及通过训练和演习来测试应急程序?

(22) 是否建立下述书面操作程序:

  1) 联络;

  2) 援助的类型;

  3) 补偿;

  4) 责任范围;

  5) 要求援助的具体事项;

  6) 技术/危险情况。

7.8　疏散与警戒

应急救援预案的疏散与警戒内容,应满足以下条件:

(1) 应急预案中有人员疏散的程序、集合地点等内容吗?

(2) 每个易发事故点至少有两条疏散路线(主用和备用)吗?

(3) 是否明确了发布紧急疏散和返回命令的责任人?

(4) 是否有预定的可识别的疏散警报或信号?

(5) 工作场所有关责任人是否明确自己的责任:

　　1) 引导疏散并指明路线;

　　2) 检查有无人员未疏散;

　　3) 关闭有关设备、门、窗等。

(6) 是否确保员工掌握疏散程序,并按要求定期演练?

(7) 是否确保疏散集合场所设在安全区域,到达的路线或地图标识是否清楚?

(8) 应急预案中是否规定:

　　1) 不在安全区域的人员如何联系和行动;

　　2) 集合区人员清点程序;

　　3) 来访者清点程序;

　　4) 负责清点的人员;

　　5) 残疾人疏散程序;

　　6) 临时食宿和交通。

(9) 预案中是否有下述应急警戒程序:

　　1) 应急指挥中心或指挥部;

　　2) 医疗抢救中心;

　　3) 后勤供应库房。

(10) 是否采取了适当的预防损坏应急设备(阀门、管线等)的措施?

(11) 是否有现场附近交通管制措施?

(12) 是否有预防应急过程中偷窃行为的措施?

(13) 贵重物品的存放区是否标明并有安全保卫措施?

7.9　应急培训、训练和演习

应急救援预案的应急培训、训练和演习内容,应满足以下条件:

(1) 应急预案中有应急培训、训练和演习的内容吗?

(2) 培训计划中除应急预案本身外,是否还包括了下述相关内容:

　　1) 危险材料;

　　2) 个体防护设备;

　　3) 预防性维护;

　　4) 火灾、爆炸、泄漏;

　　5) 急救;

　　6) 其他。

(3) 培训计划是否基于具体的危险和应急响应岗位职责,并说明了培训的形式和频度?

(4) 培训记录是否包括了日期、人员、类型、效果等?

(5) 培训课程内容是否基于预案中规定的各级岗位职责,并根据危险和预案的变化而修改?

(6) 是否定期进行培训及其效果(知识、技能)评估和再培训并与场外应急培训协调?

(7) 是否在合理的时间内对新参加应急救援的人员进行培训?

(8) 是否确保各类应急救援预案都进行了培训,并通过训练和演习来评估培训的充分性?

(9) 培训方法是否包括了课堂培训、手把手的指导和现场教学?

(10) 是否将应急救援培训与生产操作培训结合在一起?

(11) 是否明确各类应急活动最低培训水平? 定期进行下述培训:

    1) 危险化学品贮存要求;

    2) 疏散程序;

    3) 应急报告程序;

    4) 灭火器的使用;

    5) 泄漏及其应急报警程序;

    6) 消防及其他专业救援人员按照消防法规和有关规定的要求进行培训。

(12) 应急培训是否做到:

    1) 针对性:针对可能的事故情景;

    2) 周期性:培训时间相对短,但有一定周期;

    3) 定期性:定期进行技能训练;

    4) 真实性:尽量贴近应急活动实际;

    5) 全员性:全员培训。

(13) 应急训练和演习是作为测试应急预案的一种手段,还是仅仅为了培训?

(14) 定期进行训练和演习,并且测试所有预案及应急能力吗?

(15) 训练和演习是否贴近实际,其结果是否评估并建档,发现问题是否采取纠正措施?

(16) 除定期进行全面训练和演习外,是否对下述关键要素进行演练:

    1) 通讯;

    2) 消防;

    3) 医疗/急救;

    4) 泄漏控制;

    5) 应急指挥中心及其工作人员;

    6) 监测与侦检;

    7) 净化与清除;

    8) 疏散。

(17) 设计训练和演习场景时是否考虑以下因素:

    1) 预案评价与需求分析;

    2) 明确目标与范围;

    3) 费用与资源;

    4) 潜在事故与可能的应急操作。

(18) (企业内、企业外)各类人员都参加相应的应急训练和演习吗?

(19) 训练、演习的策划、实施、评估职责明确吗?

7.10　重新进入和恢复

应急救援预案的恢复内容,应满足以下条件:

（1）应急预案中是否包括应急结束后的重进入和恢复程序？

（2）是否建立恢复行动小组？

（3）是否有设备更换（重购或租用）来源等资源清单？

（4）是否有保护事故现场及企业或政府主管部门如何实施事故调查的程序？

（5）是否有下述恢复、索赔、理赔等程序文件：

    1）委派清除和修理的监督人员；

    2）保存来访人员名单；

    3）暂不上班人员的通告程序；

    4）优先更换或修理的设备损失评价单；

    5）迅速发出的工作单或购置单；

    6）所需清洁设备的数量和位置；

    7）损坏物品、设备的临时存放区域；

    8）具体保险理赔及损失评估程序；

    9）应急评估与预案更新、纠正程序；

    10）污染水平测量及重新进入事故现场的危险程度评估程序。

附录 1

中华人民共和国主席令

第七十号

《中华人民共和国安全生产法》已由中华人民共和国第九届全国人民代表大会常务委员会第二十八次会议于 2002 年 6 月 29 日通过,现予公布,自 2002 年 11 月 1 日起施行。

中华人民共和国主席　**江泽民**
二○○二年六月二十九日

中华人民共和国安全生产法

(2002 年 6 月 29 日　第九届全国人民代表大会
常务委员会第二十八次会议通过)

目　　录

第一章　总　　则

第一条　为了加强安全生产监督管理,防止和减少生产安全事故,保障人民群众生命和财产安全,促进经济发展,制定本法。

第二条　在中华人民共和国领域内从事生产经营活动的单位(以下统称生产经营单位)的安全生产,适用本法;有关法律、行政法规对消防安全和道路交通安全、铁路交通安全、水上交通安全、民用航空安全另有规定的,适用其规定。

第三条　安全生产管理,坚持安全第一、预防为主的方针。

第四条　生产经营单位必须遵守本法和其他有关安全生产的法律、法规,加强安全生产管理,建立、健全安全生产责任制度,完善安全生产条件,确保安全生产。

第五条　生产经营单位的主要负责人对本单位的安全生产工作全面负责。

第六条　生产经营单位的从业人员有依法获得安全生产保障的权利,并应当依法履行安全生产方面的义务。

第七条　工会依法组织职工参加本单位安全生产工作的民主管理和民主监督,维护职工在安全生产方面的合法权益。

第八条　国务院和地方各级人民政府应当加强对安全生产工作的领导,支持、督促各有关部门依法履行安全生产监督管理职责。

县级以上人民政府对安全生产监督管理中存在的重大问题应当及时予以协调、解决。

第九条　国务院负责安全生产监督管理的部门依照本法,对全国安全生产工作实施综合监督管理;县级以上地方各级人民政府负责安全生产监督管理的部门依照本法,对本行政区域内安全生产工作实施综合监督管理。

国务院有关部门依照本法和其他有关法律、行政法规的规定,在各自的职责范围内对有关的安全生产工作实施监督管理;县级以上地方各级人民政府有关部门依照本法和其他有关法律、法规的规定,在各自的职责范围内对有关的安全生产工作实施监督管理。

第十条　国务院有关部门应当按照保障安全生产的要求,依法及时制定有关的国家标准或者行业标准,并根据科技进步和经济发展适时修订。

生产经营单位必须执行依法制定的保障安全生产的国家标准或者行业标准。

第十一条　各级人民政府及其有关部门应当采取多种形式,加强对有关安全生产的法律、法规和安全生产知识的宣传,提高职工的安全生产意识。

第十二条　依法设立的为安全生产提供技术服务的中介机构,依照法律、行政法规和执业准则,接受生产经营单位的委托为其安全生产工作提供技术服务。

第十三条　国家实行生产安全事故责任追究制度,依照本法和有关法律、法规的规定,追究生产安全事故责任人员的法律责任。

第十四条　国家鼓励和支持安全生产科学技术研究和安全生产先进技术的推广应用,提高安全生产水平。

第十五条　国家对在改善安全生产条件、防止生产安全事故、参加抢险救护等方面取得显著成绩的单位和个人,给予奖励。

第二章　生产经营单位的安全生产保障

第十六条　生产经营单位应当具备本法和有关法律、行政法规和国家标准或者行业标准规定的安全生产条件;不具备安全生产条件的,不得从事生产经营活动。

第十七条　生产经营单位的主要负责人对本单位安全生产工作负有下列职责:

(一)建立、健全本单位安全生产责任制;

(二)组织制定本单位安全生产规章制度和操作规程;

(三)保证本单位安全生产投入的有效实施;

(四)督促、检查本单位的安全生产工作,及时消除生产安全事故隐患;

(五)组织制定并实施本单位的生产安全事故应急救援预案;

(六)及时、如实报告生产安全事故。

第十八条　生产经营单位应当具备的安全生产条件所必需的资金投入,由生产经营单位的决策机构、主要负责人或者个人经营的投资人予以保证,并对由于安全生产所必需的资金投入不足导致的后果承担责任。

第十九条　矿山、建筑施工单位和危险物品的生产、经营、储存单位,应当设置安全生产管理机构或者配备专职安全生产管理人员。

前款规定以外的其他生产经营单位,从业人员超过三百人的,应当设置安全生产管理机构或者配备专职安全生产管理人员;从业人员在三百人以下的,应当配备专职或者兼职的安全生产管理人员,或者委托具有国家规定的相关专业技术资格的工程技术人员提供安全生产管理服务。

生产经营单位依照前款规定委托工程技术人员提供安全生产管理服务的,保证安全生产的责任仍由本单位负责。

第二十条　生产经营单位的主要负责人和安全生产管理人员必须具备与本单位所从事的生产经营活动相应的安全生产知识和管理能力。

危险物品的生产、经营、储存单位以及矿山、建筑施工单位的主要负责人和安全生产管理人员,应当由有关主管部门对其安全生产知识和管理能力考核合格后方可任职。考核不得收费。

第二十一条　生产经营单位应当对从业人员进行安全生产教育和培训,保证从业人员具备必要的安全生产知识,熟悉有关的安全生产规章制度和安全操作规程,掌握本岗位的安全操作技能。未经安全生产教育和培训合格的从业人员,不得上岗作业。

第二十二条　生产经营单位采用新工艺、新技术、新材料或者使用新设备,必须了解、掌握其安全技术特性,采取有效的安全防护措施,并对从业人员进行专门的安全生产教育和培训。

第二十三条　生产经营单位的特种作业人员必须按照国家有关规定经专门的安全作业培训,取得特种作业操作资格证书,方可上岗作业。

特种作业人员的范围由国务院负责安全生产监督管理的部门会同国务院有关部门确定。

第二十四条　生产经营单位新建、改建、扩建工程项目(以下统称建设项目)的安全设施,必须与主体工程同时设计、同时施工、同时投入生产和使用。安全设施投资应当纳入建设项目概算。

第二十五条　矿山建设项目和用于生产、储存危险物品的建设项目,应当分别按照国家有关规定进行安全条件论证和安全评价。

第二十六条　建设项目安全设施的设计人、设计单位应当对安全设施设计负责。

矿山建设项目和用于生产、储存危险物品的建设项目的安全设施设计应当按照国家有关规定报经有关部门审查,审查部门及其负责审查的人员对审查结果负责。

第二十七条　矿山建设项目和用于生产、储存危险物品的建设项目的施工单位必须按照批准的安全设施设计施工,并对安全设施的工程质量负责。

矿山建设项目和用于生产、储存危险物品的建设项目竣工投入生产或者使用前,必须依照有关法律、行政法规的规定对安全设施进行验收;验收合格后,方可投入生产和使用。验收部门及其验收人员对验收结果负责。

第二十八条　生产经营单位应当在有较大危险因素的生产经营场所和有关设施、设备上,设置明显的安全警示标志。

第二十九条　安全设备的设计、制造、安装、使用、检测、维修、改造和报废,应当符合国家标准或者行业标准。

生产经营单位必须对安全设备进行经常性维护、保养,并定期检测,保证正常运转。维护、保养、检测应当作好记录,并由有关人员签字。

第三十条　生产经营单位使用的涉及生命安全、危险性较大的特种设备,以及危险物品的容器、运输工具,必须按照国家有关规定,由专业生产单位生产,并经取得专业资质的检测、检验机构检测、检验合格,取得安全使用证或者安全标志,方可投入使用。检测、检验机构对检测、检验结果负责。

涉及生命安全、危险性较大的特种设备的目录由国务院负责特种设备安全监督管理的部门制定,报国务院批准后执行。

第三十一条　国家对严重危及生产安全的工艺、设备实行淘汰制度。

生产经营单位不得使用国家明令淘汰、禁止使用的危及生产安全的工艺、设备。

第三十二条　生产、经营、运输、储存、使用危险物品或者处置废弃危险物品的,由有关主管部门依照有关法律、法规的规定和国家标准或者行业标准审批并实施监督管理。

生产经营单位生产、经营、运输、储存、使用危险物品或者处置废弃危险物品,必须执行有关法律、法规和国家标准或者行业标准,建立专门的安全管理制度,采取可靠的安全措施,接受有关主管部门依法实施的监督管理。

第三十三条　生产经营单位对重大危险源应当登记建档,进行定期检测、评估、监控,并制定应急预案,告知从业人员和相关人员在紧急情况下应当采取的应急措施。

生产经营单位应当按照国家有关规定将本单位重大危险源及有关安全措施、应急措施报有关地方人民政府负责安全生产监督管理的部门和有关部门备案。

第三十四条　生产、经营、储存、使用危险物品的车间、商店、仓库不得与员工宿舍在同一座建筑物内,并应当与员工宿舍保持安全距离。

生产经营场所和员工宿舍应当设有符合紧急疏散要求、标志明显、保持畅通的出口。禁止封闭、堵塞生产经营场所或者员工宿舍的出口。

第三十五条　生产经营单位进行爆破、吊装等危险作业,应当安排专门人员进行现场安全管理,确保操作规程的遵守和安全措施的落实。

第三十六条　生产经营单位应当教育和督促从业人员严格执行本单位的安全生产规章制度和安全操作规程;并向从业人员如实告知作业场所和工作岗位存在的危险因素、防范措施以及事故应急措施。

第三十七条　生产经营单位必须为从业人员提供符合国家标准或者行业标准的劳动防护用品,并监督、教育从业人员按照使用规则佩戴、使用。

第三十八条　生产经营单位的安全生产管理人员应当根据本单位的生产经营特点,对安全生产状况进行经常性检查;对检查中发现的安全问题,应当立即处理;不能处理的,应当及时报告本单位有关负责人。检查及处理情况应当记录在案。

第三十九条　生产经营单位应当安排用于配备劳动防护用品、进行安全生产培训的经费。

第四十条　两个以上生产经营单位在同一作业区域内进行生产经营活动,可能危及对方生产安全的,应当签订安全生产管理协议,明确各自的安全生产管理职责和应当采取的安全措施,并指定专职安全生产管理人员进行安全检查与协调。

第四十一条　生产经营单位不得将生产经营项目、场所、设备发包或者出租给不具备安全生产条件或者相应资质的单位或者个人。

生产经营项目、场所有多个承包单位、承租单位的,生产经营单位应当与承包单位、承租单位签订专门的安全生产管理协议,或者在承包合同、租赁合同中约定各自的安全生产管理职责;生产经营单位对承包单位、承租单位的安全生产工作统一协调、管理。

第四十二条　生产经营单位发生重大生产安全事故时,单位的主要负责人应当立即组织抢救,并不得在事故调查处理期间擅离职守。

第四十三条　生产经营单位必须依法参加工伤社会保险,为从业人员缴纳保险费。

第三章　从业人员的权利和义务

第四十四条　生产经营单位与从业人员订立的劳动合同,应当载明有关保障从业人员劳动安全、防止职业危害的事项,以及依法为从业人员办理工伤社会保险的事项。

生产经营单位不得以任何形式与从业人员订立协议,免除或者减轻其对从业人员因生产安全事故伤亡依法应承担的责任。

第四十五条　生产经营单位的从业人员有权了解其作业场所和工作岗位存在的危险因素、防范措施及事故应急措施,有权对本单位的安全生产工作提出建议。

第四十六条　从业人员有权对本单位安全生产工作中存在的问题提出批评、检举、控告;有权拒绝违章指挥和强令冒险作业。

生产经营单位不得因从业人员对本单位安全生产工作提出批评、检举、控告或者拒绝违章指挥、强令冒险作业而降低其工资、福利等待遇或者解除与其订立的劳动合同。

第四十七条　从业人员发现直接危及人身安全的紧急情况时,有权停止作业或者在采取可能的应急措施后撤离作业场所。

生产经营单位不得因从业人员在前款紧急情况下停止作业或者采取紧急撤离措施而降低其工资、福利等待遇或者解除与其订立的劳动合同。

第四十八条　因生产安全事故受到损害的从业人员,除依法享有工伤社会保险外,依照有关民事法律尚有获得赔偿的权利的,有权向本单位提出赔偿要求。

第四十九条　从业人员在作业过程中,应当严格遵守本单位的安全生产规章制度和操作规程,服从管理,正确佩戴和使用劳动防护用品。

第五十条　从业人员应当接受安全生产教育和培训,掌握本职工作所需的安全生产知识,提高安全生产技能,增强事故预防和应急处理能力。

第五十一条　从业人员发现事故隐患或者其他不安全因素,应当立即向现场安全生产管理人员或者本单位负责人报告;接到报告的人员应当及时予以处理。

第五十二条　工会有权对建设项目的安全设施与主体工程同时设计、同时施工、同时投入生产和使用进行监督,提出意见。

工会对生产经营单位违反安全生产法律、法规,侵犯从业人员合法权益的行为,有权要求纠正;发现生产经营单位违章指挥、强令冒险作业或者发现事故隐患时,有权提出解决的建议,生产经营单位应当及时研究答复;发现危及从业人员生命安全的情况时,有权向生产经营单位建议组织从业人员撤离危险场所,生产经营单位必须立即作出处理。

工会有权依法参加事故调查,向有关部门提出处理意见,并要求追究有关人员的责任。

第四章　安全生产的监督管理

第五十三条　县级以上地方各级人民政府应当根据本行政区域内的安全生产状况,组织有关部门按照职责分工,对本行政区域内容易发生重大生产安全事故的生产经营单位进行严格检查;发现事故隐患,应当及时处理。

第五十四条　依照本法第九条规定对安全生产负有监督管理职责的部门(以下统称负有安全生产监督管理职责的部门)依照有关法律、法规的规定,对涉及安全生产的事项需要审查批准(包括批准、核准、许可、注册、认证、颁发证照等,下同)或者验收的,必须严格依照有关法律、法规和国家标准或者行业标准规定的安全生产条件和程序进行审查;不符合有关法律、法规和国家标准或者行业标准规定的安全生产条件的,不得批准或者验收通过。对未依法取得批准或者验收合格的单位擅自从事有关活动的,负责行政审批的部门发现或者接到举报后应当立即予以取缔,并依法予以处理。对已经依法取得批准的单位,负责行政审批的部门发现其不再具备安全生产条件的,应当撤销原批准。

第五十五条　负有安全生产监督管理职责的部门对涉及安全生产的事项进行审查、验收,不得收取费用;不得要求接受审查、验收的单位购买其指定品牌或者指定生产、销售单位的安全设备、器材或者其他产品。

第五十六条　负有安全生产监督管理职责的部门依法对生产经营单位执行有关安全生产的法律、法规和国家标准或者行业标准的情况进行监督检查,行使以下职权:

(一) 进入生产经营单位进行检查,调阅有关资料,向有关单位和人员了解情况。

(二) 对检查中发现的安全生产违法行为,当场予以纠正或者要求限期改正;对依法应当给予行政处罚的行为,依照本法和其他有关法律、行政法规的规定作出行政处罚决定。

(三) 对检查中发现的事故隐患,应当责令立即排除;重大事故隐患排除前或者排除过程中无法保证安全的,应当责令从危险区域内撤出作业人员,责令暂时停产停业或者停止使用;重大事故隐患排除后,经审查同意,方可恢复生产经营和使用。

(四) 对有根据认为不符合保障安全生产的国家标准或者行业标准的设施、设备、器材予以查封或者扣押,并应当在十五日内依法作出处理决定。

监督检查不得影响被检查单位的正常生产经营活动。

第五十七条　生产经营单位对负有安全生产监督管理职责的部门的监督检查人员(以下统称安全生产监督检查人员)依法履行监督检查职责,应当予以配合,不得拒绝、阻挠。

第五十八条　安全生产监督检查人员应当忠于职守,坚持原则,秉公执法。

安全生产监督检查人员执行监督检查任务时,必须出示有效的监督执法证件;对涉及被检查单位的技术秘密和业务秘密,应当为其保密。

第五十九条　安全生产监督检查人员应当将检查的时间、地点、内容、发现的问题及其处理情况,作出书面记录,并由检查人员和被检查单位的负责人签字;被检查单位的负责人拒绝签字的,检查人员应当将情况记录在案,并向负有安全生产监督管理职责的部门报告。

第六十条 负有安全生产监督管理职责的部门在监督检查中,应当互相配合,实行联合检查;确需分别进行检查的,应当互通情况,发现存在的安全问题应当由其他有关部门进行处理的,应当及时移送其他有关部门并形成记录备查,接受移送的部门应当及时进行处理。

第六十一条 监察机关依照行政监察法的规定,对负有安全生产监督管理职责的部门及其工作人员履行安全生产监督管理职责实施监察。

第六十二条 承担安全评价、认证、检测、检验的机构应当具备国家规定的资质条件,并对其作出的安全评价、认证、检测、检验的结果负责。

第六十三条 负有安全生产监督管理职责的部门应当建立举报制度,公开举报电话、信箱或者电子邮件地址,受理有关安全生产的举报;受理的举报事项经调查核实后,应当形成书面材料;需要落实整改措施的,报经有关负责人签字并督促落实。

第六十四条 任何单位或者个人对事故隐患或者安全生产违法行为,均有权向负有安全生产监督管理职责的部门报告或者举报。

第六十五条 居民委员会、村民委员会发现其所在区域内的生产经营单位存在事故隐患或者安全生产违法行为时,应当向当地人民政府或者有关部门报告。

第六十六条 县级以上各级人民政府及其有关部门对报告重大事故隐患或者举报安全生产违法行为的有功人员,给予奖励。具体奖励办法由国务院负责安全生产监督管理的部门会同国务院财政部门制定。

第六十七条 新闻、出版、广播、电影、电视等单位有进行安全生产宣传教育的义务,有对违反安全生产法律、法规的行为进行舆论监督的权利。

第五章 生产安全事故的应急救援与调查处理

第六十八条 县级以上地方各级人民政府应当组织有关部门制定本行政区域内特大生产安全事故应急救援预案,建立应急救援体系。

第六十九条 危险物品的生产、经营、储存单位以及矿山、建筑施工单位应当建立应急救援组织;生产经营规模较小,可以不建立应急救援组织的,应当指定兼职的应急救援人员。

危险物品的生产、经营、储存单位以及矿山、建筑施工单位应当配备必要的应急救援器材、设备,并进行经常性维护、保养,保证正常运转。

第七十条 生产经营单位发生生产安全事故后,事故现场有关人员应当立即报告本单位负责人。

单位负责人接到事故报告后,应当迅速采取有效措施,组织抢救,防止事故扩大,减少人员伤亡和财产损失,并按照国家有关规定立即如实报告当地负有安全生产监督管理职责的部门,不得隐瞒不报、谎报或者拖延不报,不得故意破坏事故现场、毁灭有关证据。

第七十一条 负有安全生产监督管理职责的部门接到事故报告后,应当立即按照国家有关规定上报事故情况。负有安全生产监督管理职责的部门和有关地方人民政府对事故情况不得隐瞒不报、谎报或者拖延不报。

第七十二条 有关地方人民政府和负有安全生产监督管理职责的部门的负责人接到重大生产安全事故报告后,应当立即赶到事故现场,组织事故抢救。

任何单位和个人都应当支持、配合事故抢救,并提供一切便利条件。

第七十三条 事故调查处理应当按照实事求是、尊重科学的原则,及时、准确地查清事故原因,查明事故性质和责任,总结事故教训,提出整改措施,并对事故责任者提出处理意见。事故调查和处理的具体办法由国务院制定。

第七十四条 生产经营单位发生生产安全事故,经调查确定为责任事故的,除了应当查明事故单位的责任并依法予以追究外,还应当查明对安全生产的有关事项负有审查批准和监督职责的行政部门的责任,对有失职、渎职行为的,依照本法第七十七条的规定追究法律责任。

第七十五条 任何单位和个人不得阻挠和干涉对事故的依法调查处理。

第七十六条 县级以上地方各级人民政府负责安全生产监督管理的部门应当定期统计分析本行政区域内发生生产安全事故的情况,并定期向社会公布。

第六章 法 律 责 任

第七十七条 负有安全生产监督管理职责的部门的工作人员,有下列行为之一的,给予降级或者撤职的行政处分;构成犯罪的,依照刑法有关规定追究刑事责任:

(一)对不符合法定安全生产条件的涉及安全生产的事项予以批准或者验收通过的;

(二)发现未依法取得批准、验收的单位擅自从事有关活动或者接到举报后不予取缔或者不依法予以处理的;

(三)对已经依法取得批准的单位不履行监督管理职责,发现其不再具备安全生产条件而不撤销原批准或者发现安全生产违法行为不予查处的。

第七十八条 负有安全生产监督管理职责的部门,要求被审查、验收的单位购买其指定的安全设备、器材或者其他产品的,在对安全生产事项的审查、验收中收取费用的,由其上级机关或者监察机关责令改正,责令退还收取的费用;情节严重的,对直接负责的主管人员和其他直接责任人员依法给予行政处分。

第七十九条 承担安全评价、认证、检测、检验工作的机构,出具虚假证明,构成犯罪的,依照刑法有关规定追究刑事责任;尚不够刑事处罚的,没收违法所得,违法所得在五千元以上的,并处违法所得二倍以上五倍以下的罚款,没有违法所得或者违法所得不足五千元的,单处或者并处五千元以上二万元以下的罚款,对其直接负责的主管人员和其他直接责任人员处五千元以上五万元以下的罚款;给他人造成损害的,与生产经营单位承担连带赔偿责任。

对有前款违法行为的机构,撤销其相应资格。

第八十条 生产经营单位的决策机构、主要负责人、个人经营的投资人不依照本法规定保证安全生产所必需的资金投入,致使生产经营单位不具备安全生产条件的,责令限期改正,提供必需的资金;逾期未改正的,责令生产经营单位停产停业整顿。

有前款违法行为,导致发生生产安全事故,构成犯罪的,依照刑法有关规定追究刑事责任;尚不够刑事处罚的,对生产经营单位的主要负责人给予撤职处分,对个人经营的投资人处二万元以上二十万元以下的罚款。

第八十一条 生产经营单位的主要负责人未履行本法规定的安全生产管理职责的,责令限期改正;逾期未改正的,责令生产经营单位停产停业整顿。

生产经营单位的主要负责人有前款违法行为,导致发生生产安全事故,构成犯罪的,依照刑法有关规定追究刑事责任;尚不够刑事处罚的,给予撤职处分或者处二万元以上二十万元以下的罚款。

生产经营单位的主要负责人依照前款规定受刑事处罚或者撤职处分的,自刑罚执行完毕或者受处分之日起,五年内不得担任任何生产经营单位的主要负责人。

第八十二条 生产经营单位有下列行为之一的,责令限期改正;逾期未改正的,责令停产停业整顿,可以并处二万元以下的罚款:

(一)未按照规定设立安全生产管理机构或者配备安全生产管理人员的;

(二)危险物品的生产、经营、储存单位以及矿山、建筑施工单位的主要负责人和安全生产管理人员未按照规定经考核合格的;

(三)未按照本法第二十一条、第二十二条的规定对从业人员进行安全生产教育和培训,或者未按照本法第三十六条的规定如实告知从业人员有关的安全生产事项的;

(四)特种作业人员未按照规定经专门的安全作业培训并取得特种作业操作资格证书,上岗作业的。

第八十三条 生产经营单位有下列行为之一的,责令限期改正;逾期未改正的,责令停止建设或者停产停业整顿,可以并处五万元以下的罚款;造成严重后果,构成犯罪的,依照刑法有关规定追究刑事责任:

(一)矿山建设项目或者用于生产、储存危险物品的建设项目没有安全设施设计或者安全设施设计未按照规定报经有关部门审查同意的;

(二)矿山建设项目或者用于生产、储存危险物品的建设项目的施工单位未按照批准的安全设施设计施工的;

(三)矿山建设项目或者用于生产、储存危险物品的建设项目竣工投入生产或者使用前,安全设施未经验收合格的;

(四)未在有较大危险因素的生产经营场所和有关设施、设备上设置明显的安全警示标志的;

(五)安全设备的安装、使用、检测、改造和报废不符合国家标准或者行业标准的;

(六)未对安全设备进行经常性维护、保养和定期检测的;

(七)未为从业人员提供符合国家标准或者行业标准的劳动防护用品的;

(八)特种设备以及危险物品的容器、运输工具未经取得专业资质的机构检测、检验合格,取得安全使用证或者安全标志,投入使用的;

(九)使用国家明令淘汰、禁止使用的危及生产安全的工艺、设备的。

第八十四条 未经依法批准,擅自生产、经营、储存危险物品的,责令停止违法行为或者予以关闭,没收违法所得,违法所得十万元以上的,并处违法所得一倍以上五倍以下的罚款,没有违法所得或者违法所得不足十万元的,单处或者并处二万元以上十万元以下的罚款;造成严重后果,构成犯罪的,依照刑法有关规定追究刑事责任。

第八十五条 生产经营单位有下列行为之一的,责令限期改正;逾期未改正的,责令停产停业整顿,可以并处二万元以上十万元以下的罚款;造成严重后果,构成犯罪的,依照刑法有关规定追究刑事责任:

（一）生产、经营、储存、使用危险物品，未建立专门安全管理制度、未采取可靠的安全措施或者不接受有关主管部门依法实施的监督管理的；

（二）对重大危险源未登记建档，或者未进行评估、监控，或者未制定应急预案的；

（三）进行爆破、吊装等危险作业，未安排专门管理人员进行现场安全管理的。

第八十六条 生产经营单位将生产经营项目、场所、设备发包或者出租给不具备安全生产条件或者相应资质的单位或者个人的，责令限期改正，没收违法所得；违法所得五万元以上的，并处违法所得一倍以上五倍以下的罚款；没有违法所得或者违法所得不足五万元的，单处或者并处一万元以上五万元以下的罚款；导致发生生产安全事故给他人造成损害的，与承包方、承租方承担连带赔偿责任。

生产经营单位未与承包单位、承租单位签订专门的安全生产管理协议或者未在承包合同、租赁合同中明确各自的安全生产管理职责，或者未对承包单位、承租单位的安全生产统一协调、管理的，责令限期改正；逾期未改正的，责令停产停业整顿。

第八十七条 两个以上生产经营单位在同一作业区域内进行可能危及对方安全生产的生产经营活动，未签订安全生产管理协议或者未指定专职安全生产管理人员进行安全检查与协调的，责令限期改正；逾期未改正的，责令停产停业。

第八十八条 生产经营单位有下列行为之一的，责令限期改正；逾期未改正的，责令停产停业整顿；造成严重后果，构成犯罪的，依照刑法有关规定追究刑事责任：

（一）生产、经营、储存、使用危险物品的车间、商店、仓库与员工宿舍在同一座建筑内，或者与员工宿舍的距离不符合安全要求的；

（二）生产经营场所和员工宿舍未设有符合紧急疏散需要、标志明显、保持畅通的出口，或者封闭、堵塞生产经营场所或者员工宿舍出口的。

第八十九条 生产经营单位与从业人员订立协议，免除或者减轻其对从业人员因生产安全事故伤亡依法应承担的责任的，该协议无效；对生产经营单位的主要负责人、个人经营的投资人处二万元以上十万元以下的罚款。

第九十条 生产经营单位的从业人员不服从管理，违反安全生产规章制度或者操作规程的，由生产经营单位给予批评教育，依照有关规章制度给予处分；造成重大事故，构成犯罪的，依照刑法有关规定追究刑事责任。

第九十一条 生产经营单位主要负责人在本单位发生重大生产安全事故时，不立即组织抢救或者在事故调查处理期间擅离职守或者逃匿的，给予降职、撤职的处分，对逃匿的处十五日以下拘留；构成犯罪的，依照刑法有关规定追究刑事责任。

生产经营单位主要负责人对生产安全事故隐瞒不报、谎报或者拖延不报的，依照前款规定处罚。

第九十二条 有关地方人民政府、负有安全生产监督管理职责的部门，对生产安全事故隐瞒不报、谎报或者拖延不报的，对直接负责的主管人员和其他直接责任人员依法给予行政处分；构成犯罪的，依照刑法有关规定追究刑事责任。

第九十三条 生产经营单位不具备本法和其他有关法律、行政法规和国家标准或者行业标准规定的安全生产条件，经停产停业整顿仍不具备安全生产条件的，予以关闭；有关部门应当依法吊销其有关证照。

第九十四条 本法规定的行政处罚，由负责安全生产监督管理的部门决定；予以关闭的行政处罚由负责安全生产监督管理的部门报请县级以上人民政府按照国务院规定的权限决定;给予拘留的行政处罚由公安机关依照治安管理处罚条例的规定决定。有关法律、行政法规对行政处罚的决定机关另有规定的,依照其规定。

第九十五条　生产经营单位发生生产安全事故造成人员伤亡、他人财产损失的,应当依法承担赔偿责任;拒不承担或者其负责人逃匿的,由人民法院依法强制执行。

生产安全事故的责任人未依法承担赔偿责任,经人民法院依法采取执行措施后,仍不能对受害人给予足额赔偿的,应当继续履行赔偿义务;受害人发现责任人有其他财产的,可以随时请求人民法院执行。

第七章　附　则

第九十六条　本法下列用语的含义:

危险物品,是指易燃易爆物品、危险化学品、放射性物品等能够危及人身安全和财产安全的物品。

重大危险源,是指长期地或者临时地生产、搬运、使用或者储存危险物品,且危险物品的数量等于或者超过临界量的单元(包括场所和设施)。

第九十七条　本法自 2002 年 11 月 1 日起施行。

中华人民共和国主席令

第六十号

《中华人民共和国职业病防治法》已由中华人民共和国第九届全国人民代表大会常务委员会第二十四次会议于 2001 年 10 月 27 日通过,现予公布,自 2002 年 5 月 1 日起施行。

中华人民共和国主席　**江泽民**

二〇〇一年十一月二十七日

中华人民共和国职业病防治法

(2001 年 10 月 27 日　第九届全国人民代表大会
常务委员会第二十四次会议通过)

目　　录

第一章　总　则

第一条　为了预防、控制和消除职业病危害,防治职业病,保护劳动者健康及其相关权益,促进经济发展,根据宪法,制定本法。

第二条　本法适用于中华人民共和国领域内的职业病防治活动。

本法所称职业病,是指企业、事业单位和个体经济组织(以下统称用人单位)的劳动者在职业活动中,因接触粉尘、放射性物质和其他有毒、有害物质等因素而引起的疾病。

职业病的分类和目录由国务院卫生行政部门会同国务院劳动保障行政部门规定、调整并公布。

第三条　职业病防治工作坚持预防为主、防治结合的方针,实行分类管理、综合治理。

第四条　劳动者依法享有职业卫生保护的权利。

用人单位应当为劳动者创造符合国家职业卫生标准和卫生要求的工作环境和条件,并采取措施保障劳动者获得职业卫生保护。

第五条　用人单位应当建立、健全职业病防治责任制,加强对职业病防治的管理,提高职业病防治水平,对本单位产生的职业病危害承担责任。

第六条　用人单位必须依法参加工伤社会保险。

国务院和县级以上地方人民政府劳动保障行政部门应当加强对工伤社会保险的监督管理,确保劳动者依法享受工伤社会保险待遇。

第七条　国家鼓励研制、开发、推广、应用有利于职业病防治和保护劳动者健康的新技术、新工艺、新材料,加强对职业病的机理和发生规律的基础研究,提高职业病防治科学技术水平;积极采用有效的职业病防治技术、工艺、材料;限制使用或者淘汰职业病危害严重的技术、工艺、材料。

第八条　国家实行职业卫生监督制度。

国务院卫生行政部门统一负责全国职业病防治的监督管理工作。国务院有关部门在各自的职责范围内负责职业病防治的有关监督管理工作。

县级以上地方人民政府卫生行政部门负责本行政区域内职业病防治的监督管理工作。县级以上地方人民政府有关部门在各自的职责范围内负责职业病防治的有关监督管理工作。

第九条　国务院和县级以上地方人民政府应当制定职业病防治规划,将其纳入国民经济和社会发展计划,并组织实施。

乡、民族乡、镇的人民政府应当认真执行本法,支持卫生行政部门依法履行职责。

第十条　县级以上人民政府卫生行政部门和其他有关部门应当加强对职业病防治的宣传教育,普及职业病防治的知识,增强用人单位的职业病防治观念,提高劳动者的自我健康保护意识。

第十一条　有关防治职业病的国家职业卫生标准,由国务院卫生行政部门制定并公布。

第十二条　任何单位和个人有权对违反本法的行为进行检举和控告。

对防治职业病成绩显著的单位和个人,给予奖励。

第二章　前　期　预　防

第十三条　产生职业病危害的用人单位的设立除应当符合法律、行政法规规定的设立条件外,其工作场所还应当符合下列职业卫生要求:

(一)职业病危害因素的强度或者浓度符合国家职业卫生标准;

(二)有与职业病危害防护相适应的设施;

(三)生产布局合理,符合有害与无害作业分开的原则;

(四)有配套的更衣间、洗浴间、孕妇休息间等卫生设施;

(五)设备、工具、用具等设施符合保护劳动者生理、心理健康的要求;

(六)法律、行政法规和国务院卫生行政部门关于保护劳动者健康的其他要求。

第十四条　在卫生行政部门中建立职业病危害项目的申报制度。

用人单位设有依法公布的职业病目录所列职业病的危害项目的,应当及时、如实向卫生行政部门申报,接受监督。

职业病危害项目申报的具体办法由国务院卫生行政部门制定。

第十五条 新建、扩建、改建建设项目和技术改造、技术引进项目(以下统称建设项目)可能产生职业病危害的,建设单位在可行性论证阶段应当向卫生行政部门提交职业病危害预评价报告。卫生行政部门应当自收到职业病危害预评价报告之日起三十日内,作出审核决定并书面通知建设单位。未提交预评价报告或者预评价报告未经卫生行政部门审核同意的,有关部门不得批准该建设项目。

职业病危害预评价报告应当对建设项目可能产生的职业病危害因素及其对工作场所和劳动者健康的影响作出评价,确定危害类别和职业病防护措施。

建设项目职业病危害分类目录和分类管理办法由国务院卫生行政部门制定。

第十六条 建设项目的职业病防护设施所需费用应当纳入建设项目工程预算,并与主体工程同时设计,同时施工,同时投入生产和使用。

职业病危害严重的建设项目的防护设施设计,应当经卫生行政部门进行卫生审查,符合国家职业卫生标准和卫生要求的,方可施工。

建设项目在竣工验收前,建设单位应当进行职业病危害控制效果评价。建设项目竣工验收时,其职业病防护设施经卫生行政部门验收合格后,方可投入正式生产和使用。

第十七条 职业病危害预评价、职业病危害控制效果评价由依法设立的取得省级以上人民政府卫生行政部门资质认证的职业卫生技术服务机构进行。职业卫生技术服务机构所作评价应当客观、真实。

第十八条 国家对从事放射、高毒等作业实行特殊管理。具体管理办法由国务院制定。

第三章　劳动过程中的防护与管理

第十九条 用人单位应当采取下列职业病防治管理措施:

(一)设置或者指定职业卫生管理机构或者组织,配备专职或者兼职的职业卫生专业人员,负责本单位的职业病防治工作;

(二)制定职业病防治计划和实施方案;

(三)建立、健全职业卫生管理制度和操作规程;

(四)建立、健全职业卫生档案和劳动者健康监护档案;

(五)建立、健全工作场所职业病危害因素监测及评价制度;

(六)建立、健全职业病危害事故应急救援预案。

第二十条 用人单位必须采用有效的职业病防护设施,并为劳动者提供个人使用的职业病防护用品。

用人单位为劳动者个人提供的职业病防护用品必须符合防治职业病的要求;不符合要求的,不得使用。

第二十一条 用人单位应当优先采用有利于防治职业病和保护劳动者健康的新技术、新工艺、新材料,逐步替代职业病危害严重的技术、工艺、材料。

第二十二条 产生职业病危害的用人单位,应当在醒目位置设置公告栏,公布有关职业病防治的规章制度、操作规程、职业病危害事故应急救援措施和工作场所职业病危害因素检测结果。

对产生严重职业病危害的作业岗位,应当在其醒目位置,设置警示标识和中文警示说明。警示说明应当载明产生职业病危害的种类、后果、预防以及应急救治措施等内容。

第二十三条　对可能发生急性职业损伤的有毒、有害工作场所,用人单位应当设置报警装置,配置现场急救用品、冲洗设备、应急撤离通道和必要的泄险区。

对放射工作场所和放射性同位素的运输、贮存,用人单位必须配置防护设备和报警装置,保证接触放射线的工作人员佩戴个人剂量计。

对职业病防护设备、应急救援设施和个人使用的职业病防护用品,用人单位应当进行经常性的维护、检修,定期检测其性能和效果,确保其处于正常状态,不得擅自拆除或者停止使用。

第二十四条　用人单位应当实施由专人负责的职业病危害因素日常监测,并确保监测系统处于正常运行状态。

用人单位应当按照国务院卫生行政部门的规定,定期对工作场所进行职业病危害因素检测、评价。检测、评价结果存入用人单位职业卫生档案,定期向所在地卫生行政部门报告并向劳动者公布。

职业病危害因素检测、评价由依法设立的取得省级以上人民政府卫生行政部门资质认证的职业卫生技术服务机构进行。职业卫生技术服务机构所作检测、评价应当客观、真实。

发现工作场所职业病危害因素不符合国家职业卫生标准和卫生要求时,用人单位应当立即采取相应治理措施,仍然达不到国家职业卫生标准和卫生要求的,必须停止存在职业病危害因素的作业;职业病危害因素经治理后,符合国家职业卫生标准和卫生要求的,方可重新作业。

第二十五条　向用人单位提供可能产生职业病危害的设备的,应当提供中文说明书,并在设备的醒目位置设置警示标识和中文警示说明。警示说明应当载明设备性能、可能产生的职业病危害、安全操作和维护注意事项、职业病防护以及应急救治措施等内容。

第二十六条　向用人单位提供可能产生职业病危害的化学品、放射性同位素和含有放射性物质的材料的,应当提供中文说明书。说明书应当载明产品特性、主要成分、存在的有害因素、可能产生的危害后果、安全使用注意事项、职业病防护以及应急救治措施等内容。产品包装应当有醒目的警示标识和中文警示说明。贮存上述材料的场所应当在规定的部位设置危险物品标识或者放射性警示标识。

国内首次使用或者首次进口与职业病危害有关的化学材料,使用单位或者进口单位按照国家规定经国务院有关部门批准后,应当向国务院卫生行政部门报送该化学材料的毒性鉴定以及经有关部门登记注册或者批准进口的文件等资料。

进口放射性同位素、射线装置和含有放射性物质的物品的,按照国家有关规定办理。

第二十七条　任何单位和个人不得生产、经营、进口和使用国家明令禁止使用的可能产生职业病危害的设备或者材料。

第二十八条　任何单位和个人不得将产生职业病危害的作业转移给不具备职业病防护条件的单位和个人。不具备职业病防护条件的单位和个人不得接受产生职业病危害的作业。

第二十九条 用人单位对采用的技术、工艺、材料,应当知悉其产生的职业病危害,对有职业病危害的技术、工艺、材料隐瞒其危害而采用的,对所造成的职业病危害后果承担责任。

第三十条 用人单位与劳动者订立劳动合同(含聘用合同,下同)时,应当将工作过程中可能产生的职业病危害及其后果、职业病防护措施和待遇等如实告知劳动者,并在劳动合同中写明,不得隐瞒或者欺骗。

劳动者在已订立劳动合同期间因工作岗位或者工作内容变更,从事与所订立劳动合同中未告知的存在职业病危害的作业时,用人单位应当依照前款规定,向劳动者履行如实告知的义务,并协商变更原劳动合同相关条款。

用人单位违反前两款规定的,劳动者有权拒绝从事存在职业病危害的作业,用人单位不得因此解除或者终止与劳动者所订立的劳动合同。

第三十一条 用人单位的负责人应当接受职业卫生培训,遵守职业病防治法律、法规,依法组织本单位的职业病防治工作。

用人单位应当对劳动者进行上岗前的职业卫生培训和在岗期间的定期职业卫生培训,普及职业卫生知识,督促劳动者遵守职业病防治法律、法规、规章和操作规程,指导劳动者正确使用职业病防护设备和个人使用的职业病防护用品。

劳动者应当学习和掌握相关的职业卫生知识,遵守职业病防治法律、法规、规章和操作规程,正确使用、维护职业病防护设备和个人使用的职业病防护用品,发现职业病危害事故隐患应当及时报告。

劳动者不履行前款规定义务的,用人单位应当对其进行教育。

第三十二条 对从事接触职业病危害的作业的劳动者,用人单位应当按照国务院卫生行政部门的规定组织上岗前、在岗期间和离岗时的职业健康检查,并将检查结果如实告知劳动者。职业健康检查费用由用人单位承担。

用人单位不得安排未经上岗前职业健康检查的劳动者从事接触职业病危害的作业;不得安排有职业禁忌的劳动者从事其所禁忌的作业;对在职业健康检查中发现有与所从事的职业相关的健康损害的劳动者,应当调离原工作岗位,并妥善安置;对未进行离岗前职业健康检查的劳动者不得解除或者终止与其订立的劳动合同。

职业健康检查应当由省级以上人民政府卫生行政部门批准的医疗卫生机构承担。

第三十三条 用人单位应当为劳动者建立职业健康监护档案,并按照规定的期限妥善保存。

职业健康监护档案应当包括劳动者的职业史、职业病危害接触史、职业健康检查结果和职业病诊疗等有关个人健康资料。

劳动者离开用人单位时,有权索取本人职业健康监护档案复印件,用人单位应当如实、无偿提供,并在所提供的复印件上签章。

第三十四条 发生或者可能发生急性职业病危害事故时,用人单位应当立即采取应急救援和控制措施,并及时报告所在地卫生行政部门和有关部门。卫生行政部门接到报告后,应当及时会同有关部门组织调查处理;必要时,可以采取临时控制措施。

对遭受或者可能遭受急性职业病危害的劳动者,用人单位应当及时组织救治、进行健康检查和医学观察,所需费用由用人单位承担。

第三十五条 用人单位不得安排未成年工从事接触职业病危害的作业;不得安排孕期、

哺乳期的女职工从事对本人和胎儿、婴儿有危害的作业。

第三十六条　劳动者享有下列职业卫生保护权利：

（一）获得职业卫生教育、培训；

（二）获得职业健康检查、职业病诊疗、康复等职业病防治服务；

（三）了解工作场所产生或者可能产生的职业病危害因素、危害后果和应当采取的职业病防护措施；

（四）要求用人单位提供符合防治职业病要求的职业病防护设施和个人使用的职业病防护用品，改善工作条件；

（五）对违反职业病防治法律、法规以及危及生命健康的行为提出批评、检举和控告；

（六）拒绝违章指挥和强令进行没有职业病防护措施的作业；

（七）参与用人单位职业卫生工作的民主管理，对职业病防治工作提出意见和建议。

用人单位应当保障劳动者行使前款所列权利。因劳动者依法行使正当权利而降低其工资、福利等待遇或者解除、终止与其订立的劳动合同的，其行为无效。

第三十七条　工会组织应当督促并协助用人单位开展职业卫生宣传教育和培训，对用人单位的职业病防治工作提出意见和建议，与用人单位就劳动者反映的有关职业病防治的问题进行协调并督促解决。

工会组织对用人单位违反职业病防治法律、法规，侵犯劳动者合法权益的行为，有权要求纠正；产生严重职业病危害时，有权要求采取防护措施，或者向政府有关部门建议采取强制性措施；发生职业病危害事故时，有权参与事故调查处理；发现危及劳动者生命健康的情形时，有权向用人单位建议组织劳动者撤离危险现场，用人单位应当立即作出处理。

第三十八条　用人单位按照职业病防治要求，用于预防和治理职业病危害、工作场所卫生检测、健康监护和职业卫生培训等费用，按照国家有关规定，在生产成本中据实列支。

第四章　职业病诊断与职业病病人保障

第三十九条　职业病诊断应当由省级以上人民政府卫生行政部门批准的医疗卫生机构承担。

第四十条　劳动者可以在用人单位所在地或者本人居住地依法承担职业病诊断的医疗卫生机构进行职业病诊断。

第四十一条　职业病诊断标准和职业病诊断、鉴定办法由国务院卫生行政部门制定。职业病伤残等级的鉴定办法由国务院劳动保障行政部门会同国务院卫生行政部门制定。

第四十二条　职业病诊断，应当综合分析下列因素：

（一）病人的职业史；

（二）职业病危害接触史和现场危害调查与评价；

（三）临床表现以及辅助检查结果等。

没有证据否定职业病危害因素与病人临床表现之间的必然联系的，在排除其他致病因素后，应当诊断为职业病。

承担职业病诊断的医疗卫生机构在进行职业病诊断时，应当组织三名以上取得职业病诊断资格的执业医师集体诊断。

职业病诊断证明书应当由参与诊断的医师共同签署,并经承担职业病诊断的医疗卫生机构审核盖章。

第四十三条 用人单位和医疗卫生机构发现职业病病人或者疑似职业病病人时,应当及时向所在地卫生行政部门报告。确诊为职业病的,用人单位还应当向所在地劳动保障行政部门报告。

卫生行政部门和劳动保障行政部门接到报告后,应当依法作出处理。

第四十四条 县级以上地方人民政府卫生行政部门负责本行政区域内的职业病统计报告的管理工作,并按照规定上报。

第四十五条 当事人对职业病诊断有异议的,可以向作出诊断的医疗卫生机构所在地地方人民政府卫生行政部门申请鉴定。

职业病诊断争议由设区的市级以上地方人民政府卫生行政部门根据当事人的申请,组织职业病诊断鉴定委员会进行鉴定。

当事人对设区的市级职业病诊断鉴定委员会的鉴定结论不服的,可以向省、自治区、直辖市人民政府卫生行政部门申请再鉴定。

第四十六条 职业病诊断鉴定委员会由相关专业的专家组成。

省、自治区、直辖市人民政府卫生行政部门应当设立相关的专家库,需要对职业病争议作出诊断鉴定时,由当事人或者当事人委托有关卫生行政部门从专家库中以随机抽取的方式确定参加诊断鉴定委员会的专家。

职业病诊断鉴定委员会应当按照国务院卫生行政部门颁布的职业病诊断标准和职业病诊断、鉴定办法进行职业病诊断鉴定,向当事人出具职业病诊断鉴定书。职业病诊断鉴定费用由用人单位承担。

第四十七条 职业病诊断鉴定委员会组成人员应当遵守职业道德,客观、公正地进行诊断鉴定,并承担相应的责任。职业病诊断鉴定委员会组成人员不得私下接触当事人,不得收受当事人的财物或者其他好处,与当事人有利害关系的,应当回避。

人民法院受理有关案件需要进行职业病鉴定时,应当从省、自治区、直辖市人民政府卫生行政部门依法设立的相关的专家库中选取参加鉴定的专家。

第四十八条 职业病诊断、鉴定需要用人单位提供有关职业卫生和健康监护等资料时,用人单位应当如实提供,劳动者和有关机构也应当提供与职业病诊断、鉴定有关的资料。

第四十九条 医疗卫生机构发现疑似职业病病人时,应当告知劳动者本人并及时通知用人单位。

用人单位应当及时安排对疑似职业病病人进行诊断;在疑似职业病病人诊断或者医学观察期间,不得解除或者终止与其订立的劳动合同。

疑似职业病病人在诊断、医学观察期间的费用,由用人单位承担。

第五十条 职业病病人依法享受国家规定的职业病待遇。

用人单位应当按照国家有关规定,安排职业病病人进行治疗、康复和定期检查。

用人单位对不适宜继续从事原工作的职业病病人,应当调离原岗位,并妥善安置。

用人单位对从事接触职业病危害的作业的劳动者,应当给予适当岗位津贴。

第五十一条 职业病病人的诊疗、康复费用,伤残以及丧失劳动能力的职业病病人的社会保障,按照国家有关工伤社会保险的规定执行。

第五十二条 职业病病人除依法享有工伤社会保险外,依照有关民事法律,尚有获得赔偿的权利的,有权向用人单位提出赔偿要求。

第五十三条 劳动者被诊断患有职业病,但用人单位没有依法参加工伤社会保险的,其医疗和生活保障由最后的用人单位承担;最后的用人单位有证据证明该职业病是先前用人单位的职业病危害造成的,由先前的用人单位承担。

第五十四条 职业病病人变动工作单位,其依法享有的待遇不变。

用人单位发生分立、合并、解散、破产等情形的,应当对从事接触职业病危害的作业的劳动者进行健康检查,并按照国家有关规定妥善安置职业病病人。

第五章 监督检查

第五十五条 县级以上人民政府卫生行政部门依照职业病防治法律、法规、国家职业卫生标准和卫生要求,依据职责划分,对职业病防治工作及职业病危害检测、评价活动进行监督检查。

第五十六条 卫生行政部门履行监督检查职责时,有权采取下列措施:

(一)进入被检查单位和职业病危害现场,了解情况,调查取证;

(二)查阅或者复制与违反职业病防治法律、法规的行为有关的资料和采集样品;

(三)责令违反职业病防治法律、法规的单位和个人停止违法行为。

第五十七条 发生职业病危害事故或者有证据证明危害状态可能导致职业病危害事故发生时,卫生行政部门可以采取下列临时控制措施:

(一)责令暂停导致职业病危害事故的作业;

(二)封存造成职业病危害事故或者可能导致职业病危害事故发生的材料和设备;

(三)组织控制职业病危害事故现场。

在职业病危害事故或者危害状态得到有效控制后,卫生行政部门应当及时解除控制措施。

第五十八条 职业卫生监督执法人员依法执行职务时,应当出示监督执法证件。

职业卫生监督执法人员应当忠于职守,秉公执法,严格遵守执法规范;涉及用人单位的秘密的,应当为其保密。

第五十九条 职业卫生监督执法人员依法执行职务时,被检查单位应当接受检查并予以支持配合,不得拒绝和阻碍。

第六十条 卫生行政部门及其职业卫生监督执法人员履行职责时,不得有下列行为:

(一)对不符合法定条件的,发给建设项目有关证明文件、资质证明文件或者予以批准;

(二)对已经取得有关证明文件的,不履行监督检查职责;

(三)发现用人单位存在职业病危害的,可能造成职业病危害事故,不及时依法采取控制措施;

(四)其他违反本法的行为。

第六十一条 职业卫生监督执法人员应当依法经过资格认定。

卫生行政部门应当加强队伍建设,提高职业卫生监督执法人员的政治、业务素质,依照本法和其他有关法律、法规的规定,建立、健全内部监督制度,对其工作人员执行法律、法规和遵守纪律的情况,进行监督检查。

第六章 法律责任

第六十二条 建设单位违反本法规定,有下列行为之一的,由卫生行政部门给予警告,责令限期改正;逾期不改正的,处十万元以上五十万元以下的罚款;情节严重的,责令停止产生职业病危害的作业,或者提请有关人民政府按照国务院规定的权限责令停建、关闭:

(一)未按照规定进行职业病危害预评价或者未提交职业病危害预评价报告,或者职业病危害预评价报告未经卫生行政部门审核同意,擅自开工的;

(二)建设项目的职业病防护设施未按照规定与主体工程同时投入生产和使用的;

(三)职业病危害严重的建设项目,其职业病防护设施设计不符合国家职业卫生标准和卫生要求施工的;

(四)未按照规定对职业病防护设施进行职业病危害控制效果评价、未经卫生行政部门验收或者验收不合格,擅自投入使用的。

第六十三条 违反本法规定,有下列行为之一的,由卫生行政部门给予警告,责令限期改正;逾期不改正的,处二万元以下的罚款:

(一)工作场所职业病危害因素检测、评价结果没有存档、上报、公布的;

(二)未采取本法第十九条规定的职业病防治管理措施的;

(三)未按照规定公布有关职业病防治的规章制度、操作规程、职业病危害事故应急救援措施的;

(四)未按照规定组织劳动者进行职业卫生培训,或者未对劳动者个人职业病防护采取指导、督促措施的;

(五)国内首次使用或者首次进口与职业病危害有关的化学材料,未按照规定报送毒性鉴定资料以及经有关部门登记注册或者批准进口的文件的。

第六十四条 用人单位违反本法规定,有下列行为之一的,由卫生行政部门责令限期改正,给予警告,可以并处二万元以上五万元以下的罚款:

(一)未按照规定及时、如实向卫生行政部门申报产生职业病危害的项目的;

(二)未实施由专人负责的职业病危害因素日常监测,或者监测系统不能正常监测的;

(三)订立或者变更劳动合同时,未告知劳动者职业病危害真实情况的;

(四)未按照规定组织职业健康检查、建立职业健康监护档案或者未将检查结果如实告知劳动者的。

第六十五条 用人单位违反本法规定,有下列行为之一的,由卫生行政部门给予警告,责令限期改正,逾期不改正的,处五万元以上二十万元以下的罚款;情节严重的,责令停止产生职业病危害的作业,或者提请有关人民政府按照国务院规定的权限责令关闭:

(一)工作场所职业病危害因素的强度或者浓度超过国家职业卫生标准的;

(二)未提供职业病防护设施和个人使用的职业病防护用品,或者提供的职业病防护设施和个人使用的职业病防护用品不符合国家职业卫生标准和卫生要求的;

(三)对职业病防护设备、应急救援设施和个人使用的职业病防护用品未按照规定进行维护、检修、检测,或者不能保持正常运行、使用状态的;

　　（四）未按照规定对工作场所职业病危害因素进行检测、评价的；

　　（五）工作场所职业病危害因素经治理仍然达不到国家职业卫生标准和卫生要求时，未停止存在职业病危害因素的作业的；

　　（六）未按照规定安排职业病病人、疑似职业病病人进行诊治的；

　　（七）发生或者可能发生急性职业病危害事故时，未立即采取应急救援和控制措施或者未按照规定及时报告的；

　　（八）未按照规定在产生严重职业病危害的作业岗位醒目位置设置警示标识和中文警示说明的；

　　（九）拒绝卫生行政部门监督检查的。

　　第六十六条　向用人单位提供可能产生职业病危害的设备、材料，未按照规定提供中文说明书或者设置警示标识和中文警示说明的，由卫生行政部门责令限期改正，给予警告，并处五万元以上二十万元以下的罚款。

　　第六十七条　用人单位和医疗卫生机构未按照规定报告职业病、疑似职业病的，由卫生行政部门责令限期改正，给予警告，可以并处一万元以下的罚款；弄虚作假的，并处二万元以上五万元以下的罚款；对直接负责的主管人员和其他直接责任人员，可以依法给予降级或者撤职的处分。

　　第六十八条　违反本法规定，有下列情形之一的，由卫生行政部门责令限期治理，并处五万元以上三十万元以下的罚款；情节严重的，责令停止产生职业病危害的作业，或者提请有关人民政府按照国务院规定的权限责令关闭：

　　（一）隐瞒技术、工艺、材料所产生的职业病危害而采用的；

　　（二）隐瞒本单位职业卫生真实情况的；

　　（三）可能发生急性职业损伤的有毒、有害工作场所、放射工作场所或者放射性同位素的运输、贮存不符合本法第二十三条规定的；

　　（四）使用国家明令禁止使用的可能产生职业病危害的设备或者材料的；

　　（五）将产生职业病危害的作业转移给没有职业病防护条件的单位和个人，或者没有职业病防护条件的单位和个人接受产生职业病危害的作业的；

　　（六）擅自拆除、停止使用职业病防护设备或者应急救援设施的；

　　（七）安排未经职业健康检查的劳动者、有职业禁忌的劳动者、未成年工或者孕期、哺乳期女职工从事接触职业病危害的作业或者禁忌作业的；

　　（八）违章指挥和强令劳动者进行没有职业病防护措施的作业的。

　　第六十九条　生产、经营或者进口国家明令禁止使用的可能产生职业病危害的设备或者材料的，依照有关法律、行政法规的规定给予处罚。

　　第七十条　用人单位违反本法规定，已经对劳动者生命健康造成严重损害的，由卫生行政部门责令停止产生职业病危害的作业，或者提请有关人民政府按照国务院规定的权限责令关闭，并处十万元以上三十万元以下的罚款。

　　第七十一条　用人单位违反本法规定，造成重大职业病危害事故或者其他严重后果，构成犯罪的，对直接负责的主管人员和其他直接责任人员，依法追究刑事责任。

　　第七十二条　未取得职业卫生技术服务资质认证擅自从事职业卫生技术服务的，或者医疗卫生机构未经批准擅自从事职业健康检查、职业病诊断的，由卫生行政部门责令立即停止违法行为,没收违法所得;违法所得五千元以上的,并处违法所得二倍以上十倍以下的罚款;没有违法所得或者违法所得不足五千元的,并处五千元以上五万元以下的罚款;情节严重的,对直接负责的主管人员和其他直接责任人员,依法给予降级、撤职或者开除的处分。

第七十三条 从事职业卫生技术服务的机构和承担职业健康检查、职业病诊断的医疗卫生机构违反本法规定,有下列行为之一的,由卫生行政部门责令立即停止违法行为,给予警告,没收违法所得;违法所得五千元以上的,并处违法所得二倍以上五倍以下的罚款;没有违法所得或者违法所得不足五千元的,并处五千元以上二万元以下的罚款;情节严重的,由原认证或者批准机关取消其相应的资格;对直接负责的主管人员和其他直接责任人员,依法给予降级、撤职或者开除的处分;构成犯罪的,依法追究刑事责任:

(一)超出资质认证或者批准范围从事职业卫生技术服务或者职业健康检查、职业病诊断的;

(二)不按照本法规定履行法定职责的;

(三)出具虚假证明文件的。

第七十四条 职业病诊断鉴定委员会组成人员收受职业病诊断争议当事人的财物或者其他好处的,给予警告,没收收受的财物,可以并处三千元以上五万元以下的罚款,取消其担任职业病诊断鉴定委员会组成人员的资格,并从省、自治区、直辖市人民政府卫生行政部门设立的专家库中予以除名。

第七十五条 卫生行政部门不按照规定报告职业病和职业病危害事故的,由上一级卫生行政部门责令改正,通报批评,给予警告;虚报、瞒报的,对单位负责人、直接负责的主管人员和其他直接责任人员依法给予降级、撤职或者开除的行政处分。

第七十六条 卫生行政部门及其职业卫生监督执法人员有本法第六十条所列行为之一,导致职业病危害事故发生,构成犯罪的,依法追究刑事责任;尚不构成犯罪的,对单位负责人、直接负责的主管人员和其他直接责任人员依法给予降级、撤职或者开除的行政处分。

第七章 附 则

第七十七条 本法下列用语的含义:

职业病危害,是指对从事职业活动的劳动者可能导致职业病的各种危害。职业病危害因素包括:职业活动中存在的各种有害的化学、物理、生物因素以及在作业过程中产生的其他职业有害因素。

职业禁忌,是指劳动者从事特定职业或者接触特定职业病危害因素时,比一般职业人群更易于遭受职业病危害和罹患职业病或者可能导致原有自身疾病病情加重,或者在从事作业过程中诱发可能导致对他人生命健康构成危险的疾病的个人特殊生理或者病理状态。

第七十八条 本法第二条规定的用人单位以外的单位,产生职业病危害的,其职业病防治活动可以参照本法执行。

中国人民解放军参照执行本法的办法,由国务院、中央军事委员会制定。

第七十九条 本法自 2002 年 5 月 1 日起施行。

附录 3

中华人民共和国消防法

(1998 年 4 月 29 日　第九届全国人民代表大会
常务委员会第二次会议通过)

目　　录

第一章　总　　则

第一条　为了预防火灾和减少火灾危害,保护公民人身、公共财产和公民财产的安全,维护公共安全,保障社会主义现代化建设的顺利进行,制定本法。

第二条　消防工作贯彻预防为主、防消结合的方针,坚持专门机关与群众相结合的原则,实行防火安全责任制。

第三条　消防工作由国务院领导,由地方各级人民政府负责。各级人民政府应当将消防工作纳入国民经济和社会发展计划,保障消防工作与经济建设和社会发展相适应。

第四条　国务院公安部门对全国的消防工作实施监督管理,县级以上地方各级人民政府公安机关对本行政区域内的消防工作实施监督管理,并由本级人民政府公安机关消防机构负责实施。军事设施、矿井地下部分、核电厂的消防工作,由其主管单位监督管理。

森林、草原的消防工作,法律、行政法规另有规定的,从其规定。

第五条　任何单位、个人都有维护消防安全、保护消防设施、预防火灾、报告火警的义务。任何单位、成年公民都有参加有组织的灭火工作的义务。

第六条　各级人民政府应当经常进行消防宣传教育,提高公民的消防意识。

教育、劳动等行政主管部门应当将消防知识纳入教学、培训内容。

新闻、出版、广播、电影、电视等有关主管部门,有进行消防安全宣传教育的义务。

第七条　对在消防工作中有突出贡献或者成绩显著的单位和个人,应当予以奖励。

第二章　火灾预防

第八条　城市人民政府应当将包括消防安全布局、消防站、消防供水、消防通信、消防车通道、消防装备等内容的消防规划纳入城市总体规划,并负责组织有关主管部门实施。公共消防设施、消防装备不足或者不适应实际需要的,应当增建、改建、配置或者进行技术改造。

对消防工作,应当加强科学研究,推广、使用先进消防技术、消防装备。

第九条　生产、储存和装卸易燃易爆危险物品的工厂、仓库和专用车站、码头,必须设置在城市的边缘或者相对独立的安全地带。易燃易爆气体和液体的充装站、供应站、调压站,应当设置在合理的位置,符合防火防爆要求。

原有的生产、储存和装卸易燃易爆危险物品的工厂、仓库和专用车站、码头,易燃易爆气体和液体的充装站、供应站、调压站,不符合前款规定的,有关单位应当采取措施,限期加以解决。

第十条　按照国家工程建筑消防技术标准需要进行消防设计的建筑工程,设计单位应当按照国家工程建筑消防技术标准进行设计,建设单位应当将建筑工程的消防设计图纸及有关资料报送公安消防机构审核;未经审核或者经审核不合格的,建设行政主管部门不得发给施工许可证,建设单位不得施工。

经公安消防机构审核的建筑工程消防设计需要变更的,应当报经原审核的公安消防机构核准;未经核准的,任何单位、个人不得变更。

按照国家工程建筑消防技术标准进行消防设计的建筑工程竣工时,必须经公安消防机构进行消防验收;未经验收或者经验收不合格的,不得投入使用。

第十一条　建筑构件和建筑材料的防火性能必须符合国家标准或者行业标准。

公共场所室内装修、装饰根据国家工程建筑消防技术标准的规定,应当使用不燃、难燃材料的,必须选用依照产品质量法的规定确定的检验机构检验合格的材料。

第十二条　歌舞厅、影剧院、宾馆、饭店、商场、集贸市场等公众聚集的场所,在使用或者开业前,应当向当地公安消防机构申报,经消防安全检查合格后,方可使用或者开业。

第十三条　举办大型集会、焰火晚会、灯会等群众性活动,具有火灾危险的,主办单位应当制定灭火和应急疏散预案,落实消防安全措施,并向公安消防机构申报,经公安消防机构对活动现场进行消防安全检查合格后,方可举办。

第十四条　机关、团体、企业、事业单位应当履行下列消防安全职责:

(一)制定消防安全制度、消防安全操作规程;

(二)实行防火安全责任制,确定本单位和所属各部门、岗位的消防安全责任人;

(三)针对本单位的特点对职工进行消防宣传教育;

(四)组织防火检查,及时消除火灾隐患;

(五)按照国家有关规定配置消防设施和器材、设置消防安全标志,并定期组织检验、维修,确保消防设施和器材完好、有效;

(六)保障疏散通道、安全出口畅通,并设置符合国家规定的消防安全疏散标志;

居民住宅区的管理单位,应当依照前款有关规定,履行消防安全职责,做好住宅区的消防安全工作。

第十五条　在设有车间或者仓库的建筑物内,不得设置员工集体宿舍。

在设有车间或者仓库的建筑物内,已经设置员工集体宿舍的,应当限期加以解决。对于暂时确有困难的,应当采取必要的消防安全措施,经公安消防机构批准后,可以继续使用。

第十六条　县级以上地方各级人民政府公安机关消防机构应当将发生火灾可能性较大

以及一旦发生火灾可能造成人身重大伤亡或者财产重大损失的单位,确定为本行政区域内的消防安全重点单位,报本级人民政府备案。

消防安全重点单位除应当履行本法第十四条规定的职责外,还应当履行下列消防安全职责:

(一)建立防火档案,确定消防安全重点部位,设置防火标志,实行严格管理;

(二)实行每日防火巡查,并建立巡查记录;

(三)对职工进行消防安全培训;

(四)制定灭火和应急疏散预案,定期组织消防演练。

第十七条　生产、储存、运输、销售或者使用、销毁易燃易爆危险物品的单位、个人,必须执行国家有关消防安全的规定。

生产易燃易爆危险物品的单位,对产品应当附有燃点、闪点、爆炸极限等数据的说明书,并且注明防火防爆注意事项。对独立包装的易燃易爆危险物品应当贴附危险品标签。

进入生产、储存易燃易爆危险物品的场所,必须执行国家有关消防安全的规定。禁止携带火种进入生产、储存易燃易爆危险物品的场所。禁止非法携带易燃易爆危险物品进入公共场所或者乘坐公共交通工具。

储存可燃物资仓库的管理,必须执行国家有关消防安全的规定。

第十八条　禁止在具有火灾、爆炸危险的场所使用明火;因特殊情况需要使用明火作业的,应当按照规定事先办理审批手续。作业人员应当遵守消防安全规定,并采取相应的消防安全措施。

进行电焊、气焊等具有火灾危险的作业的人员和自动消防系统的操作人员,必须持证上岗,并严格遵守消防安全操作规程。

第十九条　消防产品的质量必须符合国家标准或者行业标准。禁止生产、销售或者使用未经依照产品质量法的规定确定的检验机构检验合格的消防产品。

禁止使用不符合国家标准或者行业标准的配件或者灭火剂维修消防设施和器材。

公安消防机构及其工作人员不得利用职务为用户指定消防产品的销售单位和品牌。

第二十条　电器产品、燃气用具的质量必须符合国家标准或者行业标准。电器产品、燃气用具的安装、使用和线路、管路的设计、敷设,必须符合国家有关消防安全技术规定。

第二十一条　任何单位、个人不得损坏或者擅自挪用、拆除、停用消防设施、器材,不得埋压、圈占消火栓,不得占用防火间距,不得堵塞消防通道。

公用和城建等单位在修建道路以及停电、停水、截断通信线路时有可能影响消防队灭火救援的,必须事先通知当地公安消防机构。

第二十二条　在农业收获季节、森林和草原防火期间、重大节假日期间以及火灾多发季节,地方各级人民政府应当组织开展有针对性的消防宣传教育,采取防火措施,进行消防安全检查。

第二十三条　村民委员会、居民委员会应当开展群众性的消防工作,组织制定防火安全公约,进行消防安全检查。乡镇人民政府、城市街道办事处应当予以指导和监督。

第二十四条　公安消防机构应当对机关、团体、企业、事业单位遵守消防法律、法规的情况依法进行监督检查。对消防安全重点单位应当定期监督检查。

公安消防机构的工作人员在进行监督检查时,应当出示证件。

公安消防机构进行消防审核、验收等监督检查不得收取费用。

第二十五条　公安消防机构发现火灾隐患,应当及时通知有关单位或者个人采取措施,限期消除隐患。

第三章　消防组织

第二十六条　各级人民政府应当根据经济和社会发展的需要,建立多种形式的消防组织,加强消防组织建设,增强扑救火灾的能力。

第二十七条　城市人民政府应当按照国家规定的消防站建设标准建立公安消防队、专职消防队,承担火灾扑救工作。

镇人民政府可以根据当地经济发展和消防工作的需要,建立专职消防队、义务消防队,承担火灾扑救工作。

公安消防队除保证完成本法规定的火灾扑救工作外,还应当参加其他灾害或者事故的抢险救援工作。

第二十八条　下列单位应当建立专职消防队,承担本单位的火灾扑救工作:

(一) 核电厂、大型发电厂、民用机场、大型港口;

(二) 生产、储存易燃易爆危险物品的大型企业;

(三) 储备可燃的重要物资的大型仓库、基地;

(四) 第一项、第二项、第三项规定以外的火灾危险性较大、距离当地公安消防队较远的其他大型企业;

(五) 距离当地公安消防队较远的列为全国重点文物保护单位的古建筑群的管理单位。

第二十九条　专职消防队的建立,应当符合国家有关规定,并报省级人民政府公安机关消防机构验收。

第三十条　机关、团体、企业、事业单位以及乡、村可以根据需要,建立由职工或者村民组成的义务消防队。

第三十一条　公安消防机构应当对专职消防队、义务消防队进行业务指导,并有权指挥调动专职消防队参加火灾扑救工作。

第四章　灭火救援

第三十二条　任何人发现火灾时,都应当立即报警。任何单位、个人都应当无偿为报警提供便利,不得阻拦报警。严禁谎报火警。

公共场所发生火灾时,该公共场所的现场工作人员有组织、引导在场群众疏散的义务。

发生火灾的单位必须立即组织力量扑救火灾。邻近单位应当给予支援。

消防队接到火警后,必须立即赶赴火场,救助遇险人员,排除险情,扑灭火灾。

第三十三条　公安消防机构在统一组织和指挥火灾的现场扑救时,火场总指挥员有权根据扑救火灾的需要,决定下列事项:

(一) 使用各种水源;

(二) 截断电力、可燃气体和液体的输送,限制用火用电;

（三）划定警戒区，实行局部交通管制；

（四）利用临近建筑物和有关设施；

（五）为防止火灾蔓延，拆除或者破损毗邻火场的建筑物、构筑物；

（六）调动供水、供电、医疗救护、交通运输等有关单位协助灭火救助。

扑救特大火灾时，有关地方人民政府应当组织有关人员、调集所需物资支援灭火。

第三十四条　公安消防队参加火灾以外的其他灾害或者事故的抢险救援工作，在有关地方人民政府的统一指挥下实施。

第三十五条　消防车、消防艇前往执行火灾扑救任务或者执行其他灾害、事故的抢险救援任务时，不受行驶速度、行驶路线、行驶方向和指挥信号的限制，其他车辆、船舶以及行人必须让行，不得穿插、超越。交通管理指挥人员应当保证消防车、消防艇迅速通行。

第三十六条　消防车、消防艇以及消防器材、装备和设施，不得用于与消防和抢险救援工作无关的事项。

第三十七条　公安消防队扑救火灾，不得向发生火灾的单位、个人收取任何费用。

对参加扑救外单位火灾的专职消防队、义务消防队所损耗的燃料、灭火剂和器材、装备等，依照规定予以补偿。

第三十八条　对因参加扑救火灾受伤、致残或者死亡的人员，按照国家有关规定给予医疗、抚恤。

第三十九条　火灾扑灭后，公安消防机构有权根据需要封闭火灾现场，负责调查、认定火灾原因，核定火灾损失，查明火灾事故责任。

对于特大火灾事故，国务院或者省级人民政府认为必要时，可以组织调查。

火灾扑灭后，起火单位应当按照公安消防机构的要求保护现场，接受事故调查，如实提供火灾事实的情况。

第五章　法　律　责　任

第四十条　违反本法的规定，有下列行为之一的，责令限期改正；逾期不改正的，责令停止施工、停止使用或者停产停业，可以并处罚款：

（一）建筑工程的消防设计未经公安消防机构审核或者经审核不合格，擅自施工的；

（二）依法应当进行消防设计的建筑工程竣工时未经消防验收或者经验收不合格，擅自使用的；

（三）公众聚集的场所未经消防安全检查或者经检查不合格，擅自使用或者开业的。

单位有前款行为的，依照前款的规定处罚，并对其直接负责的主管人员和其他直接责任人员处警告或者罚款。

第四十一条　违反本法的规定，擅自举办大型集会、焰火晚会、灯会等群众性活动，具有火灾危险的，公安消防机构应当责令当场改正；当场不能改正的，应当责令停止举办，可以并处罚款。

单位有前款行为的，依照前款的规定处罚，并对其直接负责的主管人员和其他直接责任人员处警告或者罚款。

第四十二条　违反本法的规定，擅自降低消防技术标准施工、使用防火性能不符合国家标准或者行业标准的建筑构件和建筑材料或者不合格的装修、装饰材料施工的,责令限期改正;逾期不改正的,责令停止施工,可以并处罚款。

单位有前款行为的,依照前款的规定处罚,并对其直接负责的主管人员和其他直接责任人员处警告或者罚款。

第四十三条 机关、团体、企业、事业单位违反本法的规定,未履行消防安全职责的,责令限期改正;逾期不改正的,对其直接负责的主管人员和其他直接责任人员依法给予行政处分或者处警告。

营业性场所有下列行为之一的,责令限期改正;逾期不改正的,责令停产停业,可以并处罚款,并对其直接负责的主管人员和其他直接责任人员处罚款:

(一)对火灾隐患不及时消除的;

(二)不按照国家有关规定,配置消防设施和器材的;

(三)不能保障疏散通道、安全出口畅通的。

在设有车间或者仓库的建筑物内设置员工集体宿舍的,依照第二款的规定处罚。

第四十四条 违反本法的规定,生产、销售未经依照产品质量法的规定确定的检验机构检验合格的消防产品的,责令停止违法行为,没收产品和违法所得,依照产品质量法的规定从重处罚。

维修、检测消防设施、器材的单位,违反消防安全技术规定,进行维修、检测的,责令限期改正,可以并处罚款,并对其直接负责的主管人员和其他直接责任人员处警告或者罚款。

第四十五条 电器产品、燃气用具的安装或者线路、管路的敷设不符合消防安全技术规定的,责令限期改正;逾期不改正的,责令停止使用。

第四十六条 违反本法的规定,生产、储存、运输、销售或者使用、销毁易燃易爆危险物品的,责令停止违法行为,可以处警告、罚款或者十五日以下拘留。

单位有前款行为的,责令停止违法行为,可以处警告或者罚款,并对其直接负责的主管人员和其他直接责任人员依照前款的规定处罚。

第四十七条 违反本法的规定,有下列行为之一的,处警告、罚款或者十日以下拘留:

(一)违反消防安全规定进入生产、储存易燃易爆危险物品场所的;

(二)违法使用明火作业或者在具有火灾、爆炸危险的场所违反禁令,吸烟、使用明火的;

(三)阻拦报火警或者谎报火警的;

(四)故意阻碍消防车、消防艇赶赴火灾现场或者扰乱火灾现场秩序的;

(五)拒不执行火场指挥员指挥,影响灭火救灾的;

(六)过失引起火灾,尚未造成严重损失的。

第四十八条 违反本法的规定,有下列行为之一的,处警告或者罚款:

(一)指使或者强令他人违反消防安全规定,冒险作业,尚未造成严重后果的;

(二)埋压、圈占消火栓或者占用防火间距、堵塞消防通道的,或者损坏和擅自挪用、拆除、停用消防设施、器材的;

(三)有重大火灾隐患,经公安消防机构通知逾期不改正的。

单位有前款行为的,依照前款的规定处罚,并对其直接负责的主管人员和其他直接责任人员处警告或者罚款。

有第一款第二项所列行为的,还应当责令其限期恢复原状或者赔偿损失;对逾期不恢复原状的,应当强制拆除或者清除,所需费用由违法行为人承担。

第四十九条　公共场所发生火灾时,该公共场所的现场工作人员不履行组织、引导在场群众疏散的义务,造成人身伤亡,尚不构成犯罪的,处十五日以下拘留。

第五十条　火灾扑灭后,为隐瞒、掩饰起火原因、推卸责任,故意破坏现场或者伪造现场,尚不构成犯罪的,处警告、罚款或者十五日以下拘留。

单位有前款行为的,处警告或者罚款,并对其直接负责的主管人员和其他直接责任人员依照前款的规定处罚。

第五十一条　对违反本法规定行为的处罚,由公安消防机构裁决。对给予拘留的处罚,由公安机关依照治安管理处罚条例的规定裁决。

责令停产停业,对经济和社会生活影响较大的,由公安消防机构报请当地人民政府依法决定,由公安消防机构执行。

第五十二条　公安消防机构的工作人员在消防工作中滥用职权、玩忽职守、徇私舞弊,有下列行为之一,给国家和人民利益造成损失,尚不构成犯罪的,依法给予行政处分:

(一)对不符合国家建筑工程消防技术标准的消防设计、建筑工程通过审核、验收的;

(二)对应当依法审核、验收的消防设计、建筑工程,故意拖延,不予审核、验收的;

(三)发现火灾隐患不及时通知有关单位或者个人改正的;

(四)利用职务为用户指定消防产品的销售单位、品牌或者指定建筑消防设施施工单位的;

(五)其他滥用职权、玩忽职守、徇私舞弊的行为。

第五十三条　有违反本法行为,构成犯罪的,依法追究刑事责任。

第六章　附　　则

第五十四条　本法自1998年9月1日起施行。1984年5月11日第六届全国人民代表大会常务委员会第五次会议批准、1984年5月13日国务院公布的《中华人民共和国消防条例》同时废止。

国务院关于特大安全事故
行政责任追究的规定

(2001 年 4 月 21 日　国务院令第 302 号)

第一条　为了有效地防范特大安全事故的发生,严肃追究特大安全事故的行政责任,保障人民群众生命、财产安全,制定本规定。

第二条　地方人民政府主要领导人和政府有关部门正职负责人对下列特大安全事故的防范、发生,依照法律、行政法规和本规定的规定有失职、渎职情形或者负有领导责任的,依照本规定给予行政处分;构成玩忽职守罪或者其他罪的,依法追究刑事责任:

(一) 特大火灾事故;

(二) 特大交通安全事故;

(三) 特大建筑质量安全事故;

(四) 民用爆炸物品和化学危险品特大安全事故;

(五) 煤矿和其他矿山特大安全事故;

(六) 锅炉、压力容器、压力管道和特种设备特大安全事故;

(七) 其他特大安全事故。

地方人民政府和政府有关部门对特大安全事故的防范、发生直接负责的主管人员和其他直接责任人员,比照本规定给予行政处分;构成玩忽职守罪或者其他罪的,依法追究刑事责任。

特大安全事故肇事单位和个人的刑事处罚、行政处罚和民事责任,依照有关法律、法规和规章的规定执行。

第三条　特大安全事故的具体标准,按照国家有关规定执行。

第四条　地方各级人民政府及政府有关部门应当依照有关法律、法规和规章的规定,采取行政措施,对本地区实施安全监督管理,保障本地区人民群众生命、财产安全,对本地区或者职责范围内防范特大安全事故的发生、特大安全事故发生后的迅速和妥善处理负责。

第五条　地方各级人民政府应当每个季度至少召开一次防范特大安全事故工作会议,由政府主要领导人或者政府主要领导人委托政府分管领导人召集有关部门正职负责人参加,分析、布置、督促、检查本地区防范特大安全事故的工作。会议应当作出决定并形成纪要,会议确定的各项防范措施必须严格实施。

第六条　市(地、州)、县(市、区)人民政府应当组织有关部门按照职责分工对本地区容易发生特大安全事故的单位、设施和场所安全事故的防范明确责任、采取措施,并组织有关部门对上述单位、设施和场所进行严格检查。

第七条　市(地、州)、县(市、区)人民政府必须制定本地区特大安全事故应急处理预案。本地区特大安全事故应急处理预案经政府主要领导人签署后,报上一级人民政府备案。

第八条 市(地、州)、县(市、区)人民政府应当组织有关部门对本规定第二条所列各类特大安全事故的隐患进行查处;发现特大安全事故隐患的,责令立即排除;特大安全事故隐患排除前或者排除过程中,无法保证安全的,责令暂时停产、停业或者停止使用。法律、行政法规对查处机关另有规定的,依照其规定。

第九条 市(地、州)、县(市、区)人民政府及其有关部门对本地区存在的特大安全事故隐患,超出其管辖或者职责范围的,应当立即向有管辖权或者负有职责的上级人民政府或者政府有关部门报告;情况紧急的,可以立即采取包括责令暂时停产、停业在内的紧急措施,同时报告;有关上级人民政府或者政府有关部门接到报告后,应当立即组织查处。

第十条 中小学校对学生进行劳动技能教育以及组织学生参加公益劳动等社会实践活动,必须确保学生安全。严禁以任何形式、名义组织学生从事接触易燃、易爆、有毒、有害等危险品的劳动或者其他危险性劳动。严禁将学校场地出租作为从事易燃、易爆、有毒、有害等危险品的生产、经营场所。

中小学校违反前款规定的,按照学校隶属关系,对县(市、区)、乡(镇)人民政府主要领导人和县(市、区)人民政府教育行政部门正职负责人,根据情节轻重,给予记过、降级直至撤职的行政处分;构成玩忽职守罪或者其他罪的,依法追究刑事责任。

中小学校违反本条第一款规定的,对校长给予撤职的行政处分,对直接组织者给予开除公职的行政处分;构成非法制造爆炸物罪或者其他罪的,依法追究刑事责任。

第十一条 依法对涉及安全生产事项负责行政审批(包括批准、核准、许可、注册。认证、颁发证照、竣工验收等,下同)的政府部门或者机构,必须严格依照法律、法规和规章规定的安全条件和程序进行审查;不符合法律、法规和规章规定的安全条件的,不得批准;不符合法律、法规和规章规定的安全条件,弄虚作假,骗取批准或者勾结串通行政审批工作人员取得批准的,负责行政审批的政府部门或者机构除必须立即撤销原批准外,应当对弄虚作假骗取批准或者勾结串通行政审批工作人员的当事人依法给予行政处罚;构成行贿罪或者其他罪的,依法追究刑事责任。

负责行政审批的政府部门或者机构违反前款规定,对不符合法律、法规和规章规定的安全条件予以批准的,对部门或者机构的正职负责人,根据情节轻重,给予降级、撤职直至开除公职的行政处分;与当事人勾结串通的,应当开除公职;构成受贿罪、玩忽职守罪或者其他罪的,依法追究刑事责任。

第十二条 对依照本规定第十一条第一款的规定取得批准的单位和个人,负责行政审批的政府部门或者机构必须对其实施严格监督检查;发现其不再具备安全条件的,必须立即撤销原批准。

负责行政审批的政府部门或者机构违反前款规定,不对取得批准的单位和个人实施严格监督检查,或者发现其不再具备安全条件而不立即撤销原批准的,对部门或者机构的正职负责人,根据情节轻重,给予降级或者撤职的行政处分;构成受贿罪、玩忽职守罪或者其他罪的,依法追究刑事责任。

第十三条 对未依法取得批准,擅自从事有关活动的,负责行政审批的政府部门或者机构发现或者接到举报后,应当立即予以查封、取缔,并依法给予行政处罚;属于经营单位的,由工商行政管理部门依法相应吊销营业执照。

负责行政审批的政府部门或者机构违反前款规定,对发现或者举报的未依法取得批准而擅自从事有关活动的,不予查封、取缔、不依法给予行政处罚,工商行政管理部门不予吊销营业执照的,对部门或者机构的正职负责人,根据情节轻重,给予降级或者撤职的行政处分;构成受贿罪、玩忽职守罪或者其他罪的,依法追究刑事责任。

第十四条 市(地、州)、县(市、区)人民政府依照本规定应当履行职责而未履行,或者未按照规定的职责和程序履行,本地区发生特大安全事故的,对政府主要领导人,根据情节轻重,给予降级或者撤职的行政处分;构成玩忽职守罪的,依法追究刑事责任。

负责行政审批的政府部门或者机构、负责安全监督管理的政府有关部门,未依照本规定履行职责,发生特大安全事故的,对部门或者机构的正职负责人,根据情节轻重,给予撤职或者开除公职的行政处分;构成玩忽职守罪或者其他罪的,依法追究刑事责任。

第十五条 发生特大安全事故,社会影响特别恶劣或者性质特别严重的,由国务院对负有领导责任的省长、自治区主席、直辖市市长和国务院有关部门正职负责人给予行政处分。

第十六条 特大安全事故发生后,有关县(市、区)、市(地、州)和省、自治区。直辖市人民政府及政府有关部门应当按照国家规定的程序和时限立即上报,不得隐瞒不报、谎报或者拖延报告,并应当配合、协助事故调查,不得以任何方式阻碍、干涉事故调查。

特大安全事故发生后,有关地方人民政府及政府有关部门违反前款规定的,对政府主要领导人和政府部门正职负责人给予降级的行政处分。

第十七条 特大安全事故发生后,有关地方人民政府应当迅速组织救助,有关部门应当服从指挥、调度,参加或者配合救助,将事故损失降到最低限度。

第十八条 特大安全事故发生后,省、自治区、直辖市人民政府应当按照国家有关规定迅速、如实发布事故消息。

第十九条 特大安全事故发生后,按照国家有关规定组织调查组对事故进行调查。事故调查工作应当自事故发生之日起 60 日内完成,并由调查组提出调查报告;遇有特殊情况的,经调查组提出并报国家安全生产监督管理机构批准后,可以适当延长时间。调查报告应当包括依照本规定对有关责任人员追究行政责任或者其他法律责任的意见。

省、自治区、直辖市人民政府应当自调查报告提交之日起 30 日内,对有关责任人员作出处理决定;必要时,国务院可以对特大安全事故的有关责任人员作出处理决定。

第二十条 地方人民政府或者政府部门阻挠、干涉对特大安全事故有关责任人员追究行政责任的,对该地方人民政府主要领导人或者政府部门正职负责人,根据情节轻重,给予降级或者撤职的行政处分。

第二十一条 任何单位和个人均有权向有关地方人民政府或者政府部门报告特大安全事故隐患,有权向上级人民政府或者政府部门举报地方人民政府或者政府部门不履行安全监督管理职责或者不按照规定履行职责的情况。接到报告或者举报的有关人民政府或者政府部门,应当立即组织对事故隐患进行查处,或者对举报的不履行、不按照规定履行安全监督管理职责的情况进行调查处理。

第二十二条 监察机关依照行政监察法的规定,对地方各级人民政府和政府部门及其工作人员履行安全监督管理职责实施监察。

第二十三条 对特大安全事故以外的其他安全事故的防范、发生追究行政责任的办法,由省、自治区、直辖市人民政府参照本规定制定。

第二十四条 本规定自公布之日起施行。

附录5

中华人民共和国国务院令

第 344 号

《危险化学品安全管理条例》已经 2002 年 1 月 9 日国务院第 52 次常务会议通过,现予公布,自 2002 年 3 月 15 日起施行。

总理　**朱镕基**

二○○二年一月二十六日

危险化学品安全管理条例

（2002 年 1 月 26 日　国务院令第 344 号）

目　　录

第一章　总　则

第一条　为了加强对危险化学品的安全管理,保障人民生命、财产安全,保护环境,制定本条例。

第二条　在中华人民共和国境内生产、经营、储存、运输、使用危险化学品和处置废弃危险化学品,必须遵守本条例和国家有关安全生产的法律、其他行政法规的规定。

第三条　本条例所称危险化学品,包括爆炸品、压缩气体和液化气体、易燃液体、易燃固体、自燃物品和遇湿易燃物品、氧化剂和有机过氧化物、有毒品和腐蚀品等。

危险化学品列入以国家标准公布的《危险货物品名表》(GB12268);剧毒化学品目录和未列入《危险货物品名表》的其他危险化学品,由国务院经济贸易综合管理部门会同国务院公安、环境保护、卫生、质检、交通部门确定并公布。

第四条 生产、经营、储存、运输、使用危险化学品和处置废弃危险化学品的单位(以下统称危险化学品单位),其主要负责人必须保证本单位危险化学品的安全管理符合有关法律、法规、规章的规定和国家标准的要求,并对本单位危险化学品的安全负责。

危险化学品单位从事生产、经营、储存、运输、使用危险化学品或者处置废弃危险化学品活动的人员,必须接受有关法律、法规、规章和安全知识、专业技术、职业卫生防护和应急救援知识的培训,并经考核合格,方可上岗作业。

第五条 对危险化学品的生产、经营、储存、运输、使用和对废弃危险化学品处置实施监督管理的有关部门,依照下列规定履行职责:

(一)国务院经济贸易综合管理部门和省、自治区、直辖市人民政府经济贸易管理部门,依照本条例的规定,负责危险化学品安全监督管理综合工作,负责危险化学品生产、储存企业设立及其改建、扩建的审查,负责危险化学品包装物、容器(包括用于运输工具的槽罐,下同)专业生产企业的审查和定点,负责危险化学品经营许可证的发放,负责国内危险化学品的登记,负责危险化学品事故应急救援的组织和协调,并负责前述事项的监督检查;设区的市级人民政府和县级人民政府的负责危险化学品安全监督管理综合工作的部门,由各该级人民政府确定,依照本条例的规定履行职责。

(二)公安部门负责危险化学品的公共安全管理,负责发放剧毒化学品购买凭证和准购证,负责审查核发剧毒化学品公路运输通行证,对危险化学品道路运输安全实施监督,并负责前述事项的监督检查。

(三)质检部门负责发放危险化学品及其包装物、容器的生产许可证,负责对危险化学品包装物、容器的产品质量实施监督,并负责前述事项的监督检查。

(四)环境保护部门负责废弃危险化学品处置的监督管理,负责调查重大危险化学品污染事故和生态破坏事件,负责有毒化学品事故现场的应急监测和进口危险化学品的登记,并负责前述事项的监督检查。

(五)铁路、民航部门负责危险化学品铁路、航空运输和危险化学品铁路、民航运输单位及其运输工具的安全管理及监督检查。交通部门负责危险化学品公路、水路运输单位及其运输工具的安全管理,对危险化学品水路运输安全实施监督,负责危险化学品公路、水路运输单位、驾驶人员、船员、装卸人员和押运人员的资质认定,并负责前述事项的监督检查。

(六)卫生行政部门负责危险化学品的毒性鉴定和危险化学品事故伤亡人员的医疗救护工作。

(七)工商行政管理部门依据有关部门的批准、许可文件,核发危险化学品生产、经营、储存、运输单位营业执照,并监督管理危险化学品市场经营活动。

(八)邮政部门负责邮寄危险化学品的监督检查。

第六条 依照本条例对危险化学品单位实施监督管理的有关部门,依法进行监督检查,可以行使下列职权:

(一)进入危险化学品作业场所进行现场检查,调取有关资料,向有关人员了解情况,向危险化学品单位提出整改措施和建议;

(二)发现危险化学品事故隐患时,责令立即排除或者限期排除;

(三)对有根据认为不符合有关法律、法规、规章规定和国家标准要求的设施、设备、器材和运输工具,责令立即停止使用;

（四）发现违法行为，当场予以纠正或者责令限期改正。

危险化学品单位应当接受有关部门依法实施的监督检查，不得拒绝、阻挠。

有关部门派出的工作人员依法进行监督检查时，应当出示证件。

第二章　危险化学品的生产、储存和使用

第七条　国家对危险化学品的生产和储存实行统一规划、合理布局和严格控制，并对危险化学品生产、储存实行审批制度；未经审批，任何单位和个人都不得生产、储存危险化学品。

设区的市级人民政府根据当地经济发展的实际需要，在编制总体规划时，应当按照确保安全的原则规划适当区域专门用于危险化学品的生产、储存。

第八条　危险化学品生产、储存企业，必须具备下列条件：

（一）有符合国家标准的生产工艺、设备或者储存方式、设施；

（二）工厂、仓库的周边防护距离符合国家标准或者国家有关规定；

（三）有符合生产或者储存需要的管理人员和技术人员；

（四）有健全的安全管理制度；

（五）符合法律、法规规定和国家标准要求的其他条件。

第九条　设立剧毒化学品生产、储存企业和其他危险化学品生产、储存企业，应当分别向省、自治区、直辖市人民政府经济贸易管理部门和设区的市级人民政府负责危险化学品安全监督管理综合工作的部门提出申请，并提交下列文件：

（一）可行性研究报告；

（二）原料、中间产品、最终产品或者储存的危险化学品的燃点、自燃点、闪点、爆炸极限、毒性等理化性能指标；

（三）包装、储存、运输的技术要求；

（四）安全评价报告；

（五）事故应急救援措施；

（六）符合本条例第八条规定条件的证明文件。

省、自治区、直辖市人民政府经济贸易管理部门或者设区的市级人民政府负责危险化学品安全监督管理综合工作的部门收到申请和提交的文件后，应当组织有关专家进行审查，提出审查意见后，报本级人民政府作出批准或者不予批准的决定。依据本级人民政府的决定，予以批准的，由省、自治区、直辖市人民政府经济贸易管理部门或者设区的市级人民政府负责危险化学品安全监督管理综合工作的部门颁发批准书；不予批准的，书面通知申请人。

申请人凭批准书向工商行政管理部门办理登记注册手续。

第十条　除运输工具加油站、加气站外，危险化学品的生产装置和储存数量构成重大危险源的储存设施，与下列场所、区域的距离必须符合国家标准或者国家有关规定：

（一）居民区、商业中心、公园等人口密集区域；

（二）学校、医院、影剧院、体育场（馆）等公共设施；

（三）供水水源、水厂及水源保护区；

（四）车站、码头（按照国家规定，经批准，专门从事危险化学品装卸作业的除外）、机场

以及公路、铁路、水路交通干线、地铁风亭及出入口；

　　（五）基本农田保护区、畜牧区、渔业水域和种子、种畜、水产苗种生产基地；

　　（六）河流、湖泊、风景名胜区和自然保护区；

　　（七）军事禁区、军事管理区；

　　（八）法律、行政法规规定予以保护的其他区域。

　　已建危险化学品的生产装置和储存数量构成重大危险源的储存设施不符合前款规定的，由所在地设区的市级人民政府负责危险化学品安全监督管理综合工作的部门监督其在规定期限内进行整顿；需要转产、停产、搬迁、关闭的，报本级人民政府批准后实施。

　　本条例所称重大危险源，是指生产、运输、使用、储存危险化学品或者处置废弃危险化学品，且危险化学品的数量等于或者超过临界量的单元（包括场所和设施）。

　　第十一条　危险化学品生产、储存企业改建、扩建的，必须依照本条例第九条的规定经审查批准。

　　第十二条　依法设立的危险化学品生产企业，必须向国务院质检部门申请领取危险化学品生产许可证；未取得危险化学品生产许可证的，不得开工生产。

　　国务院质检部门应当将颁发危险化学品生产许可证的情况通报国务院经济贸易综合管理部门、环境保护部门和公安部门。

　　第十三条　任何单位和个人不得生产、经营、使用国家明令禁止的危险化学品。

　　禁止用剧毒化学品生产灭鼠药以及其他可能进入人民日常生活的化学产品和日用化学品。

　　第十四条　生产危险化学品的，应当在危险化学品的包装内附有与危险化学品完全一致的化学品安全技术说明书，并在包装（包括外包装件）上加贴或者拴挂与包装内危险化学品完全一致的化学品安全标签。

　　危险化学品生产企业发现其生产的危险化学品有新的危害特性时，应当立即公告，并及时修订安全技术说明书和安全标签。

　　第十五条　使用危险化学品从事生产的单位，其生产条件必须符合国家标准和国家有关规定，并依照国家有关法律、法规的规定取得相应的许可，必须建立、健全危险化学品使用的安全管理规章制度，保证危险化学品的安全使用和管理。

　　第十六条　生产、储存、使用危险化学品的，应当根据危险化学品的种类、特性，在车间、库房等作业场所设置相应的监测、通风、防晒、调温、防火、灭火、防爆、泄压、防毒、消毒、中和、防潮、防雷、防静电、防腐、防渗漏、防护围堤或者隔离操作等安全设施、设备，并按照国家标准和国家有关规定进行维护、保养，保证符合安全运行要求。

　　第十七条　生产、储存、使用剧毒化学品的单位，应当对本单位的生产、储存装置每年进行一次安全评价；生产、储存、使用其他危险化学品的单位，应当对本单位的生产、储存装置每两年进行一次安全评价。

　　安全评价报告应当对生产、储存装置存在的安全问题提出整改方案。安全评价中发现生产、储存装置存在现实危险的，应当立即停止使用，予以更换或者修复，并采取相应的安全措施。

　　安全评价报告应当报所在地设区的市级人民政府负责危险化学品安全监督管理综合工作的部门备案。

第十八条 危险化学品的生产、储存、使用单位,应当在生产、储存和使用场所设置通讯、报警装置,并保证在任何情况下处于正常适用状态。

第十九条 剧毒化学品的生产、储存、使用单位,应当对剧毒化学品的产量、流向、储存量和用途如实记录,并采取必要的保安措施,防止剧毒化学品被盗、丢失或者误售、误用;发现剧毒化学品被盗、丢失或者误售、误用时,必须立即向当地公安部门报告。

第二十条 危险化学品的包装必须符合国家法律、法规、规章的规定和国家标准的要求。

危险化学品包装的材质、型式、规格、方法和单件质量(重量),应当与所包装的危险化学品的性质和用途相适应,便于装卸、运输和储存。

第二十一条 危险化学品的包装物、容器,必须由省、自治区、直辖市人民政府经济贸易管理部门审查合格的专业生产企业定点生产,并经国务院质检部门认可的专业检测、检验机构检测、检验合格,方可使用。

重复使用的危险化学品包装物、容器在使用前,应当进行检查,并作出记录;检查记录应当至少保存2年。

质检部门应当对危险化学品的包装物、容器的产品质量进行定期的或者不定期的检查。

第二十二条 危险化学品必须储存在专用仓库、专用场地或者专用储存室(以下统称专用仓库)内,储存方式、方法与储存数量必须符合国家标准,并由专人管理。

危险化学品出入库,必须进行核查登记。库存危险化学品应当定期检查。

剧毒化学品以及储存数量构成重大危险源的其他危险化学品必须在专用仓库内单独存放,实行双人收发、双人保管制度。储存单位应当将储存剧毒化学品以及构成重大危险源的其他危险化学品的数量、地点以及管理人员的情况,报当地公安部门和负责危险化学品安全监督管理综合工作的部门备案。

第二十三条 危险化学品专用仓库,应当符合国家标准对安全、消防的要求,设置明显标志。危险化学品专用仓库的储存设备和安全设施应当定期检测。

第二十四条 处置废弃危险化学品,依照固体废物污染环境防治法和国家有关规定执行。

第二十五条 危险化学品的生产、储存、使用单位转产、停产、停业或者解散的,应当采取有效措施,处置危险化学品的生产或者储存设备、库存产品及生产原料,不得留有事故隐患。处置方案应当报所在地设区的市级人民政府负责危险化学品安全监督管理综合工作的部门和同级环境保护部门、公安部门备案。负责危险化学品安全监督管理综合工作的部门应当对处置情况进行监督检查。

第二十六条 公众上交的危险化学品,由公安部门接收。公安部门接收的危险化学品和其他有关部门收缴的危险化学品,交由环境保护部门认定的专业单位处理。

第三章 危险化学品的经营

第二十七条 国家对危险化学品经营销售实行许可制度。未经许可,任何单位和个人都不得经营销售危险化学品。

第二十八条 危险化学品经营企业,必须具备下列条件:

（一）经营场所和储存设施符合国家标准；

（二）主管人员和业务人员经过专业培训，并取得上岗资格；

（三）有健全的安全管理制度；

（四）符合法律、法规规定和国家标准要求的其他条件。

第二十九条 经营剧毒化学品和其他危险化学品的，应当分别向省、自治区、直辖市人民政府经济贸易管理部门或者设区的市级人民政府负责危险化学品安全监督管理综合工作的部门提出申请，并附送本条例第二十八条规定条件的相关证明材料。省、自治区、直辖市人民政府经济贸易管理部门或者设区的市级人民政府负责危险化学品安全监督管理综合工作的部门接到申请后，应当依照本条例的规定对申请人提交的证明材料和经营场所进行审查。经审查，符合条件的，颁发危险化学品经营许可证，并将颁发危险化学品经营许可证的情况通报同级公安部门和环境保护部门；不符合条件的，书面通知申请人并说明理由。

申请人凭危险化学品经营许可证向工商行政管理部门办理登记注册手续。

第三十条 经营危险化学品，不得有下列行为：

（一）从未取得危险化学品生产许可证或者危险化学品经营许可证的企业采购危险化学品；

（二）经营国家明令禁止的危险化学品和用剧毒化学品生产的灭鼠药以及其他可能进入人民日常生活的化学产品和日用化学品；

（三）销售没有化学品安全技术说明书和化学品安全标签的危险化学品。

第三十一条 危险化学品生产企业不得向未取得危险化学品经营许可证的单位或者个人销售危险化学品。

第三十二条 危险化学品经营企业储存危险化学品，应当遵守本条例第二章的有关规定。危险化学品商店内只能存放民用小包装的危险化学品，其总量不得超过国家规定的限量。

第三十三条 剧毒化学品经营企业销售剧毒化学品，应当记录购买单位的名称、地址和购买人员的姓名、身份证号码及所购剧毒化学品的品名、数量、用途。记录应当至少保存1年。

剧毒化学品经营企业应当每天核对剧毒化学品的销售情况；发现被盗、丢失、误售等情况时，必须立即向当地公安部门报告。

第三十四条 购买剧毒化学品，应当遵守下列规定：

（一）生产、科研、医疗等单位经常使用剧毒化学品的，应当向设区的市级人民政府公安部门申请领取购买凭证，凭购买凭证购买；

（二）单位临时需要购买剧毒化学品的，应当凭本单位出具的证明（注明品名、数量、用途）向设区的市级人民政府公安部门申请领取准购证，凭准购证购买；

（三）个人不得购买农药、灭鼠药、灭虫药以外的剧毒化学品。

剧毒化学品生产企业、经营企业不得向个人或者无购买凭证、准购证的单位销售剧毒化学品。剧毒化学品购买凭证、准购证不得伪造、变造、买卖、出借或者以其他方式转让，不得使用作废的剧毒化学品购买凭证、准购证。

剧毒化学品购买凭证和准购证的式样和具体申领办法由国务院公安部门制定。

第四章　危险化学品的运输

第三十五条　国家对危险化学品的运输实行资质认定制度;未经资质认定,不得运输危险化学品。

危险化学品运输企业必须具备的条件由国务院交通部门规定。

第三十六条　用于危险化学品运输工具的槽罐以及其他容器,必须依照本条例第二十一条的规定,由专业生产企业定点生产,并经检测、检验合格,方可使用。

质检部门应当对前款规定的专业生产企业定点生产的槽罐以及其他容器的产品质量进行定期的或者不定期的检查。

第三十七条　危险化学品运输企业,应当对其驾驶员、船员、装卸管理人员、押运人员进行有关安全知识培训;驾驶员、船员、装卸管理人员、押运人员必须掌握危险化学品运输的安全知识,并经所在地设区的市级人民政府交通部门考核合格(船员经海事管理机构考核合格),取得上岗资格证,方可上岗作业。危险化学品的装卸作业必须在装卸管理人员的现场指挥下进行。

运输危险化学品的驾驶员、船员、装卸人员和押运人员必须了解所运载的危险化学品的性质、危害特性、包装容器的使用特性和发生意外时的应急措施。运输危险化学品,必须配备必要的应急处理器材和防护用品。

第三十八条　通过公路运输危险化学品的,托运人只能委托有危险化学品运输资质的运输企业承运。

第三十九条　通过公路运输剧毒化学品的,托运人应当向目的地的县级人民政府公安部门申请办理剧毒化学品公路运输通行证。

办理剧毒化学品公路运输通行证,托运人应当向公安部门提交有关危险化学品的品名、数量、运输始发地和目的地、运输路线、运输单位、驾驶人员、押运人员、经营单位和购买单位资质情况的材料。

剧毒化学品公路运输通行证的式样和具体申领办法由国务院公安部门制定。

第四十条　禁止利用内河以及其他封闭水域等航运渠道运输剧毒化学品以及国务院交通部门规定禁止运输的其他危险化学品。

利用内河以及其他封闭水域等航运渠道运输前款规定以外的危险化学品的,只能委托有危险化学品运输资质的水运企业承运,并按照国务院交通部门的规定办理手续,接受有关交通部门(港口部门、海事管理机构,下同)的监督管理。

运输危险化学品的船舶及其配载的容器必须按照国家关于船舶检验的规范进行生产,并经海事管理机构认可的船舶检验机构检验合格,方可投入使用。

第四十一条　托运人托运危险化学品,应当向承运人说明运输的危险化学品的品名、数量、危害、应急措施等情况。

运输危险化学品需要添加抑制剂或者稳定剂的,托运人交付托运时应当添加抑制剂或者稳定剂,并告知承运人。

托运人不得在托运的普通货物中夹带危险化学品,不得将危险化学品匿报或者谎报为普通货物托运。

第四十二条 运输、装卸危险化学品,应当依照有关法律、法规、规章的规定和国家标准的要求并按照危险化学品的危险特性,采取必要的安全防护措施。

运输危险化学品的槽罐以及其他容器必须封口严密,能够承受正常运输条件下产生的内部压力和外部压力,保证危险化学品在运输中不因温度、湿度或者压力的变化而发生任何渗(洒)漏。

第四十三条 通过公路运输危险化学品,必须配备押运人员,并随时处于押运人员的监管之下,不得超装、超载,不得进入危险化学品运输车辆禁止通行的区域;确需进入禁止通行区域的,应当事先向当地公安部门报告,由公安部门为其指定行车时间和路线,运输车辆必须遵守公安部门规定的行车时间和路线。

危险化学品运输车辆禁止通行区域,由设区的市级人民政府公安部门划定,并设置明显的标志。

运输危险化学品途中需要停车住宿或者遇有无法正常运输的情况时,应当向当地公安部门报告。

第四十四条 剧毒化学品在公路运输途中发生被盗、丢失、流散、泄漏等情况时,承运人及押运人员必须立即向当地公安部门报告,并采取一切可能的警示措施。公安部门接到报告后,应当立即向其他有关部门通报情况;有关部门应当采取必要的安全措施。

第四十五条 任何单位和个人不得邮寄或者在邮件内夹带危险化学品,不得将危险化学品匿报或者谎报为普通物品邮寄。

第四十六条 通过铁路、航空运输危险化学品的,按照国务院铁路、民航部门的有关规定执行。

第五章 危险化学品的登记与事故应急救援

第四十七条 国家实行危险化学品登记制度,并为危险化学品安全管理、事故预防和应急救援提供技术、信息支持。

第四十八条 危险化学品生产、储存企业以及使用剧毒化学品和数量构成重大危险源的其他危险化学品的单位,应当向国务院经济贸易综合管理部门负责危险化学品登记的机构办理危险化学品登记。危险化学品登记的具体办法由国务院经济贸易综合管理部门制定。

负责危险化学品登记的机构应当向环境保护、公安、质检、卫生等有关部门提供危险化学品登记的资料。

第四十九条 县级以上地方各级人民政府负责危险化学品安全监督管理综合工作的部门应当会同同级其他有关部门制定危险化学品事故应急救援预案,报经本级人民政府批准后实施。

第五十条 危险化学品单位应当制定本单位事故应急救援预案,配备应急救援人员和必要的应急救援器材、设备,并定期组织演练。

危险化学品事故应急救援预案应当报设区的市级人民政府负责危险化学品安全监督管理综合工作的部门备案。

第五十一条 发生危险化学品事故,单位主要负责人应当按照本单位制定的应急救援预案,立即组织救援,并立即报告当地负责危险化学品安全监督管理综合工作的部门和公安、环境保护、质检部门。

第五十二条 发生危险化学品事故,有关地方人民政府应当做好指挥、领导工作。负责危险化学品安全监督管理综合工作的部门和环境保护、公安、卫生等有关部门,应当按照当地应急救援预案组织实施救援,不得拖延、推诿。有关地方人民政府及其有关部门并应当按照下列规定,采取必要措施,减少事故损失,防止事故蔓延、扩大:

(一)立即组织营救受害人员,组织撤离或者采取其他措施保护危害区域内的其他人员;

(二)迅速控制危害源,并对危险化学品造成的危害进行检验、监测,测定事故的危害区域、危险化学品性质及危害程度;

(三)针对事故对人体、动植物、土壤、水源、空气造成的现实危害和可能产生的危害,迅速采取封闭、隔离、洗消等措施;

(四)对危险化学品事故造成的危害进行监测、处置,直至符合国家环境保护标准。

第五十三条 危险化学品生产企业必须为危险化学品事故应急救援提供技术指导和必要的协助。

第五十四条 危险化学品事故造成环境污染的信息,由环境保护部门统一公布。

第六章 法律责任

第五十五条 对生产、经营、储存、运输、使用危险化学品和处置废弃危险化学品依法实施监督管理的有关部门工作人员,有下列行为之一的,依法给予降级或者撤职的行政处分;触犯刑律的,依照刑法关于受贿罪、滥用职权罪、玩忽职守罪或者其他罪的规定,依法追究刑事责任:

(一)利用职务上的便利收受他人财物或者其他好处,对不符合本条例规定条件的涉及生产、经营、储存、运输、使用危险化学品和处置废弃危险化学品的事项予以批准或者许可的;

(二)发现未依法取得批准或者许可的单位和个人擅自从事有关活动或者接到举报后不予取缔或者不依法予以处理的;

(三)对已经依法取得批准或者许可的单位和个人不履行监督管理职责,发现其不再具备本条例规定的条件而不撤销原批准、许可或者发现违反本条例的行为不予查处的。

第五十六条 发生危险化学品事故,有关部门未依照本条例的规定履行职责,组织实施救援或者采取必要措施,减少事故损失,防止事故蔓延、扩大,或者拖延、推诿的,对负有责任的主管人员和其他直接责任人员依法给予降级或者撤职的行政处分;触犯刑律的,依照刑法关于滥用职权罪、玩忽职守罪或者其他罪的规定,依法追究刑事责任。

第五十七条 违反本条例的规定,有下列行为之一的,分别由工商行政管理部门、质检部门、负责危险化学品安全监督管理综合工作的部门依据各自的职权予以关闭或者责令停产停业整顿,责令无害化销毁国家明令禁止生产、经营、使用的危险化学品或者用剧毒化学品生产的灭鼠药以及其他可能进入人民日常生活的化学产品和日用化学品;有违法所得的,没收违法所得;违法所得10万元以上的,并处违法所得1倍以上5倍以下的罚款;没有违法所得或者违法所得不足 10 万元的,并处 5 万元以上 50 万元以下的罚款;触犯刑律的,对负有责任的主管人员和其他直接责任人员依照刑法关于危险物品肇事罪、非法经营罪或者其他罪的规定,依法追究刑事责任:

(一)未经批准或者未经工商登记注册,擅自从事危险化学品生产、储存的;

(二)未取得危险化学品生产许可证,擅自开工生产危险化学品的;

(三)未经审查批准,危险化学品生产、储存企业擅自改建、扩建的;

(四)未取得危险化学品经营许可证或者未经工商登记注册,擅自从事危险化学品经营的;

(五)生产、经营、使用国家明令禁止的危险化学品,或者用剧毒化学品生产灭鼠药以及其他可能进入人民日常生活的化学产品和日用化学品的。

第五十八条 危险化学品单位违反本条例的规定,未根据危险化学品的种类、特性,在车间、库房等作业场所设置相应的监测、通风、防晒、调温、防火、灭火、防爆、泄压、防毒、消毒、中和、防潮、防雷、防静电、防腐、防渗漏、防护围堤或者隔离操作等安全设施、设备的,由负责危险化学品安全监督管理综合工作的部门或者公安部门依据各自的职权责令立即或者限期改正,处 2 万元以上 10 万元以下的罚款;触犯刑律的,对负有责任的主管人员和其他直接责任人员依照刑法关于危险物品肇事罪、重大责任事故罪或者其他罪的规定,依法追究刑事责任。

第五十九条 违反本条例的规定,有下列行为之一的,由负责危险化学品安全监督管理综合工作的部门、质检部门或者交通部门依据各自的职权责令立即或者限期改正,处 2 万元以上 20 万元以下的罚款;逾期未改正的,责令停产停业整顿;触犯刑律的,对负有责任的主管人员和其他直接责任人员依照刑法关于危险物品肇事罪、生产销售伪劣商品罪或者其他罪的规定,依法追究刑事责任:

(一)未经定点,擅自生产危险化学品包装物、容器的;

(二)运输危险化学品的船舶及其配载的容器未按照国家关于船舶检验的规范进行生产,并经检验合格的;

(三)危险化学品包装的材质、型式、规格、方法和单件质量(重量)与所包装的危险化学品的性质和用途不相适应的;

(四)对重复使用的危险化学品的包装物、容器在使用前,不进行检查的;

(五)使用非定点企业生产的或者未经检测、检验合格的包装物、容器包装、盛装、运输危险化学品的。

第六十条 危险化学品单位违反本条例的规定,有下列行为之一的,由负责危险化学品安全监督管理综合工作的部门责令立即或者限期改正,处 1 万元以上 5 万元以下的罚款;逾期不改正的,责令停产停业整顿:

(一)危险化学品生产企业未在危险化学品包装内附有与危险化学品完全一致的化学品安全技术说明书,或者未在包装(包括外包装件)上加贴、拴挂与包装内危险化学品完全一致的化学品安全标签的;

(二)危险化学品生产企业发现危险化学品有新的危害特性时,不立即公告并及时修订其安全技术说明书和安全标签的;

(三)危险化学品经营企业销售没有化学品安全技术说明书和安全标签的危险化学品

的。

第六十一条 危险化学品单位违反本条例的规定,有下列行为之一的,由负责危险化学品安全监督管理综合工作的部门或者公安部门依据各自的职权责令立即或者限期改正,处1万元以上5万元以下的罚款;逾期不改正的,由原发证机关吊销危险化学品生产许可证、经营许可证和营业执照;触犯刑律的,对负有责任的主管人员和其他直接责任人员依照刑法关于危险物品肇事罪、重大责任事故罪或者其他罪的规定,依法追究刑事责任:

(一)未对其生产、储存装置进行定期安全评价,并报所在地设区的市级人民政府负责危险化学品安全监督管理综合工作的部门备案,或者对安全评价中发现的存在现实危险的生产、储存装置不立即停止使用,予以更换或者修复,并采取相应的安全措施的;

(二)未在生产、储存和使用危险化学品场所设置通讯、报警装置,并保持正常适用状态的;

(三)危险化学品未储存在专用仓库内或者未设专人管理的;

(四)危险化学品出入库未进行核查登记或者入库后未定期检查的;

(五)危险化学品专用仓库不符合国家标准对安全、消防的要求,未设置明显标志,或者未对专用仓库的储存设备和安全设施定期检测的;

(六)危险化学品经销商店存放非民用小包装的危险化学品或者危险化学品民用小包装的存放量超过国家规定限量的;

(七)剧毒化学品以及构成重大危险源的其他危险化学品未在专用仓库内单独存放,或者未实行双人收发、双人保管,或者未将储存剧毒化学品以及构成重大危险源的其他危险化学品的数量、地点以及管理人员的情况,报当地公安部门和负责危险化学品安全监督管理综合工作的部门备案的;

(八)危险化学品生产单位不如实记录剧毒化学品的产量、流向、储存量和用途,或者未采取必要的保安措施防止剧毒化学品被盗、丢失、误售、误用,或者发生剧毒化学品被盗、丢失、误售、误用后不立即向当地公安部门报告的;

(九)危险化学品经营企业不记录剧毒化学品购买单位的名称、地址,购买人员的姓名、身份证号码及所购剧毒化学品的品名、数量、用途,或者不每天核对剧毒化学品的销售情况,或者发现被盗、丢失、误售不立即向当地公安部门报告的。

第六十二条 危险化学品单位违反本条例的规定,在转产、停产、停业或者解散时未采取有效措施,处置危险化学品生产、储存设备、库存产品及生产原料的,由负责危险化学品安全监督管理综合工作的部门责令改正,处2万元以上10万元以下的罚款;触犯刑律的,对负有责任的主管人员和其他直接责任人员依照刑法关于重大环境污染事故罪、危险物品肇事罪或者其他罪的规定,依法追究刑事责任。

第六十三条 违反本条例的规定,有下列行为之一的,由工商行政管理部门责令改正,有违法所得的,没收违法所得;违法所得5万元以上的,并处违法所得1倍以上5倍以下的罚款;没有违法所得或者违法所得不足5万元的,并处2万元以上20万元以下的罚款;不改正的,由原发证机关吊销生产许可证、经营许可证和营业执照;触犯刑律的,对负有责任的主管人员和其他直接责任人员依照刑法关于非法经营罪、危险物品肇事罪或者其他罪的规定,依法追究刑事责任:

(一)危险化学品经营企业从未取得危险化学品生产许可证或者危险化学品经营许可

证的企业采购危险化学品的;

（二）危险化学品生产企业向未取得危险化学品经营许可证的经营单位销售其产品的;

（三）剧毒化学品经营企业向个人或者无购买凭证、准购证的单位销售剧毒化学品的。

第六十四条 违反本条例的规定,伪造、变造、买卖、出借或者以其他方式转让剧毒化学品购买凭证、准购证以及其他有关证件,或者使用作废的上述有关证件的,由公安部门责令改正,处 1 万元以上 5 万元以下的罚款;触犯刑律的,对负有责任的主管人员和其他直接责任人员依照刑法关于伪造、变造、买卖国家机关公文、证件、印章罪或者其他罪的规定,依法追究刑事责任。

第六十五条 违反本条例的规定,未取得危险化学品运输企业资质,擅自从事危险化学品公路、水路运输,有违法所得的,由交通部门没收违法所得;违法所得 5 万元以上的,并处违法所得 1 倍以上 5 倍以下的罚款;没有违法所得或者违法所得不足 5 万元的,处 2 万元以上 20 万元以下的罚款;触犯刑律的,对负有责任的主管人员和其他直接责任人员依照刑法关于危险物品肇事罪或者其他罪的规定,依法追究刑事责任。

第六十六条 违反本条例的规定,有下列行为之一的,由交通部门处 2 万元以上 10 万元以下的罚款;触犯刑律的,依照刑法关于危险物品肇事罪或者其他罪的规定,依法追究刑事责任:

（一）从事危险化学品公路、水路运输的驾驶员、船员、装卸管理人员、押运人员未经考核合格,取得上岗资格证的;

（二）利用内河以及其他封闭水域等航运渠道运输剧毒化学品和国家禁止运输的其他危险化学品的;

（三）托运人未按照规定向交通部门办理水路运输手续,擅自通过水路运输剧毒化学品和国家禁止运输的其他危险化学品以外的危险化学品的;

（四）托运人托运危险化学品,不向承运人说明运输的危险化学品的品名、数量、危害、应急措施等情况,或者需要添加抑制剂或者稳定剂,交付托运时未添加的;

（五）运输、装卸危险化学品不符合国家有关法律、法规、规章的规定和国家标准,并按照危险化学品的特性采取必要安全防护措施的。

第六十七条 违反本条例的规定,有下列行为之一的,由公安部门责令改正,处 2 万元以上 10 万元以下的罚款;触犯刑律的,依照刑法关于危险物品肇事罪、重大环境污染事故罪或者其他罪的规定,依法追究刑事责任:

（一）托运人未向公安部门申请领取剧毒化学品公路运输通行证,擅自通过公路运输剧毒化学品的;

（二）危险化学品运输企业运输危险化学品,不配备押运人员或者脱离押运人员监管,超装、超载,中途停车住宿或者遇有无法正常运输的情况,不向当地公安部门报告的;

（三）危险化学品运输企业运输危险化学品,未向公安部门报告,擅自进入危险化学品运输车辆禁止通行区域,或者进入禁止通行区域不遵守公安部门规定的行车时间和路线的;

（四）危险化学品运输企业运输剧毒化学品,在公路运输途中发生被盗、丢失、流散、泄漏等情况,不立即向当地公安部门报告,并采取一切可能的警示措施的;

（五）托运人在托运的普通货物中夹带危险化学品或者将危险化学品匿报、谎报为普通货物托运的。

第六十八条 违反本条例的规定，邮寄或者在邮件内夹带危险化学品，或者将危险化学品匿报、谎报为普通物品邮寄的，由公安部门处 2000 元以上 2 万元以下的罚款；触犯刑律的，依照刑法关于危险物品肇事罪或者其他罪的规定，依法追究刑事责任。

第六十九条 危险化学品单位发生危险化学品事故，未按照本条例的规定立即组织救援，或者不立即向负责危险化学品安全监督管理综合工作的部门和公安、环境保护、质检部门报告，造成严重后果的，对负有责任的主管人员和其他直接责任人员依照刑法关于国有公司、企业工作人员失职罪或者其他罪的规定，依法追究刑事责任。

第七十条 危险化学品单位发生危险化学品事故造成人员伤亡、财产损失的，应当依法承担赔偿责任；拒不承担赔偿责任或者其负责人逃匿的，依法拍卖其财产，用于赔偿。

第七章 附 则

第七十一条 监控化学品、属于药品的危险化学品和农药的安全管理，依照本条例的规定执行；国家另有规定的，依照其规定。

民用爆炸品、放射性物品、核能物质和城镇燃气的安全管理，不适用本条例。

第七十二条 危险化学品的进出口管理依照国家有关规定执行；进口危险化学品的经营、储存、运输、使用和处置进口废弃危险化学品，依照本条例的规定执行。

第七十三条 依照本条例的规定，对生产、经营、储存、运输、使用危险化学品和处置废弃危险化学品进行审批、许可并实施监督管理的国务院有关部门，应当根据本条例的规定制定并公布审批、许可的期限和程序。

本条例规定的国家标准和涉及危险化学品安全管理的国家有关规定，由国务院质检部门或者国务院有关部门分别依照国家标准化法律和其他有关法律、行政法规以及本条例的规定制定、调整并公布。

第七十四条 本条例自 2002 年 3 月 15 日起施行。1987 年 2 月 17 日国务院发布的《化学危险物品安全管理条例》同时废止。

附录6

国家安全生产事故灾难应急预案

1 总 则

1.1 编制目的

规范安全生产事故灾难的应急管理和应急响应程序,及时有效地实施应急救援工作,最大程度地减少人员伤亡、财产损失,维护人民群众的生命安全和社会稳定。

1.2 编制依据

依据《中华人民共和国安全生产法》、《国家突发公共事件总体应急预案》和《国务院关于进一步加强安全生产工作的决定》等法律法规及有关规定,制定本预案。

1.3 适用范围

本预案适用于下列安全生产事故灾难的应对工作:

(1) 造成30人以上死亡(含失踪),或危及30人以上生命安全,或者100人以上中毒(重伤),或者需要紧急转移安置10万人以上,或者直接经济损失1亿元以上的特别重大安全生产事故灾难。

(2) 超出省(区、市)人民政府应急处置能力,或者跨省级行政区、跨多个领域(行业和部门)的安全生产事故灾难。

(3) 需要国务院安全生产委员会(以下简称国务院安委会)处置的安全生产事故灾难。

1.4 工作原则

(1) 以人为本,安全第一。把保障人民群众的生命安全和身体健康、最大程度地预防和减少安全生产事故灾难造成的人员伤亡作为首要任务。切实加强应急救援人员的安全防护。充分发挥人的主观能动性,充分发挥专业救援力量的骨干作用和人民群众的基础作用。

(2) 统一领导,分级负责。在国务院统一领导和国务院安委会组织协调下,各省(区、市)人民政府和国务院有关部门按照各自职责和权限,负责有关安全生产事故灾难的应急管理和应急处置工作。企业要认真履行安全生产责任主体的职责,建立安全生产应急预案和应急机制。

(3) 条块结合,属地为主。安全生产事故灾难现场应急处置的领导和指挥以地方人民政府为主,实行地方各级人民政府行政首长负责制。有关部门应当与地方人民政府密切配合,充分发挥指导和协调作用。

(4) 依靠科学,依法规范。采用先进技术,充分发挥专家作用,实行科学民主决策。采用先进的救援装备和技术,增强应急救援能力。依法规范应急救援工作,确保应急预案的科学性、权威性和可操作性。

(5) 预防为主,平战结合。贯彻落实"安全第一,预防为主"的方针,坚持事故灾难应急与预防工作相结合。做好预防、预测、预警和预报工作,做好常态下的风险评估、物资储备、队伍建设、完善装备、预案演练等工作。

2　组织体系及相关机构职责

2.1　组织体系

全国安全生产事故灾难应急救援组织体系由国务院安委会、国务院有关部门、地方各级人民政府安全生产事故灾难应急领导机构、综合协调指挥机构、专业协调指挥机构、应急支持保障部门、应急救援队伍和生产经营单位组成。

国家安全生产事故灾难应急领导机构为国务院安委会,综合协调指挥机构为国务院安委会办公室,国家安全生产应急救援指挥中心具体承担安全生产事故灾难应急管理工作,专业协调指挥机构为国务院有关部门管理的专业领域应急救援指挥机构。

地方各级人民政府的安全生产事故灾难应急机构由地方政府确定。

应急救援队伍主要包括消防部队、专业应急救援队伍、生产经营单位的应急救援队伍、社会力量、志愿者队伍及有关国际救援力量等。

国务院安委会各成员单位按照职责履行本部门的安全生产事故灾难应急救援和保障方面的职责,负责制订、管理并实施有关应急预案。

2.2　现场应急救援指挥部及职责

现场应急救援指挥以属地为主,事发地省(区、市)人民政府成立现场应急救援指挥部。现场应急救援指挥部负责指挥所有参与应急救援的队伍和人员,及时向国务院报告事故灾难事态发展及救援情况,同时抄送国务院安委会办公室。

涉及多个领域、跨省级行政区或影响特别重大的事故灾难,根据需要由国务院安委会或者国务院有关部门组织成立现场应急救援指挥部,负责应急救援协调指挥工作。

3　预警预防机制

3.1　事故灾难监控与信息报告

国务院有关部门和省(区、市)人民政府应当加强对重大危险源的监控,对可能引发特别重大事故的险情,或者其他灾害、灾难可能引发安全生产事故灾难的重要信息应及时上报。

特别重大安全生产事故灾难发生后,事故现场有关人员应当立即报告单位负责人,单位负责人接到报告后,应当立即报告当地人民政府和上级主管部门。中央企业在上报当地政府的同时应当上报企业总部。当地人民政府接到报告后应当立即报告上级政府,国务院有关部门、单位、中央企业和事故灾难发生地的省(区、市)人民政府应当在接到报告后2小时内,向国务院报告,同时抄送国务院安委会办公室。

自然灾害、公共卫生和社会安全方面的突发事件可能引发安全生产事故灾难的信息,有关各级、各类应急指挥机构均应及时通报同级安全生产事故灾难应急救援指挥机构,安全生产事故灾难应急救援指挥机构应当及时分析处理,并按照分级管理的程序逐级上报,紧急情况下,可越级上报。

发生安全生产事故灾难的有关部门、单位要及时、主动向国务院安委会办公室、国务院有关部门提供与事故应急救援有关的资料。事故灾难发生地安全监管部门提供事故前监督检查的有关资料,为国务院安委会办公室、国务院有关部门研究制订救援方案提供参考。

3.2 预警行动

各级、各部门安全生产事故灾难应急机构接到可能导致安全生产事故灾难的信息后,按照应急预案及时研究确定应对方案,并通知有关部门、单位采取相应行动预防事故发生。

4 应急响应

4.1 分级响应

Ⅰ级应急响应行动(具体标准见1.3)由国务院安委会办公室或国务院有关部门组织实施。当国务院安委会办公室或国务院有关部门进行Ⅰ级应急响应行动时,事发地各级人民政府应当按照相应的预案全力以赴组织救援,并及时向国务院及国务院安委会办公室、国务院有关部门报告救援工作进展情况。

Ⅱ级及以下应急响应行动的组织实施由省级人民政府决定。地方各级人民政府根据事故灾难或险情的严重程度启动相应的应急预案,超出其应急救援处置能力时,及时报请上一级应急救援指挥机构启动上一级应急预案实施救援。

4.1.1 国务院有关部门的响应

Ⅰ级响应时,国务院有关部门启动并实施本部门相关的应急预案,组织应急救援,并及时向国务院及国务院安委会办公室报告救援工作进展情况。需要其他部门应急力量支援时,及时提出请求。

根据发生的安全生产事故灾难的类别,国务院有关部门按照其职责和预案进行响应。

4.1.2 国务院安委会办公室的响应

(1) 及时向国务院报告安全生产事故灾难基本情况、事态发展和救援进展情况。

(2) 开通与事故灾难发生地的省级应急救援指挥机构、现场应急救援指挥部、相关专业应急救援指挥机构的通信联系,随时掌握事态发展情况。

(3) 根据有关部门和专家的建议,通知相关应急救援指挥机构随时待命,为地方或专业应急救援指挥机构提供技术支持。

(4) 派出有关人员和专家赶赴现场参加、指导现场应急救援,必要时协调专业应急力量增援。

(5) 对可能或者已经引发自然灾害、公共卫生和社会安全突发事件的,国务院安委会办公室要及时上报国务院,同时负责通报相关领域的应急救援指挥机构。

(6) 组织协调特别重大安全生产事故灾难应急救援工作。

(7) 协调落实其他有关事项。

4.2 指挥和协调

进入Ⅰ级响应后,国务院有关部门及其专业应急救援指挥机构立即按照预案组织相关应急救援力量,配合地方政府组织实施应急救援。

国务院安委会办公室根据事故灾难的情况开展应急救援协调工作。通知有关部门及其应急机构、救援队伍和事发地毗邻省(区、市)人民政府应急救援指挥机构,相关机构按照各自应急预案提供增援或保障。有关应急队伍在现场应急救援指挥部统一指挥下,密切配合,共同实施抢险救援和紧急处置行动。

现场应急救援指挥部负责现场应急救援的指挥,现场应急救援指挥部成立前,事发单位和先期到达的应急救援队伍必须迅速、有效地实施先期处置,事故灾难发生地人民政府负责协调,全力控制事故灾难发展态势,防止次生、衍生和耦合事故(事件)发生,果断控制或切断事故灾害链。

中央企业发生事故灾难时,其总部应全力调动相关资源,有效开展应急救援工作。

4.3　紧急处置

现场处置主要依靠本行政区域内的应急处置力量。事故灾难发生后,发生事故的单位和当地人民政府按照应急预案迅速采取措施。

根据事态发展变化情况,出现急剧恶化的特殊险情时,现场应急救援指挥部在充分考虑专家和有关方面意见的基础上,依法及时采取紧急处置措施。

4.4　医疗卫生救助

事发地卫生行政主管部门负责组织开展紧急医疗救护和现场卫生处置工作。

卫生部或国务院安委会办公室根据地方人民政府的请求,及时协调有关专业医疗救护机构和专科医院派出有关专家、提供特种药品和特种救治装备进行支援。

事故灾难发生地疾病控制中心根据事故类型,按照专业规程进行现场防疫工作。

4.5　应急人员的安全防护

现场应急救援人员应根据需要携带相应的专业防护装备,采取安全防护措施,严格执行应急救援人员进入和离开事故现场的相关规定。

现场应急救援指挥部根据需要具体协调、调集相应的安全防护装备。

4.6　群众的安全防护

现场应急救援指挥部负责组织群众的安全防护工作,主要工作内容如下:

(1)企业应当与当地政府、社区建立应急互动机制,确定保护群众安全需要采取的防护措施。

(2)决定应急状态下群众疏散、转移和安置的方式、范围、路线、程序。

(3)指定有关部门负责实施疏散、转移。

(4)启用应急避难场所。

(5)开展医疗防疫和疾病控制工作。

(6)负责治安管理。

4.7　社会力量的动员与参与

现场应急救援指挥部组织调动本行政区域社会力量参与应急救援工作。

超出事发地省级人民政府处置能力时,省级人民政府向国务院申请本行政区域外的社会力量支援,国务院办公厅协调有关省级人民政府、国务院有关部门组织社会力量进行支援。

4.8　现场检测与评估

根据需要,现场应急救援指挥部成立事故现场检测、鉴定与评估小组,综合分析和评价检测数据,查找事故原因,评估事故发展趋势,预测事故后果,为制订现场抢救方案和事故调查提供参考。检测与评估报告要及时上报。

4.9　信息发布

国务院安委会办公室会同有关部门具体负责特别重大安全生产事故灾难信息的发布工作。

4.10　应急结束

当遇险人员全部得救,事故现场得以控制,环境符合有关标准,导致次生、衍生事故隐患消除后,经现场应急救援指挥部确认和批准,现场应急处置工作结束,应急救援队伍撤离现场。由事故发生地省级人民政府宣布应急结束。

5　后　期　处　置

5.1　善后处置

省级人民政府会同相关部门(单位)负责组织特别重大安全生产事故灾难的善后处置工作,包括人员安置、补偿,征用物资补偿,灾后重建,污染物收集、清理与处理等事项。尽快消除事故影响,妥善安置和慰问受害及受影响人员,保证社会稳定,尽快恢复正常秩序。

5.2　保险

安全生产事故灾难发生后,保险机构及时开展应急救援人员保险受理和受灾人员保险理赔工作。

5.3　事故灾难调查报告、经验教训总结及改进建议

特别重大安全生产事故灾难由国务院安全生产监督管理部门负责组成调查组进行调查;必要时,国务院直接组成调查组或者授权有关部门组成调查组。

安全生产事故灾难善后处置工作结束后,现场应急救援指挥部分析总结应急救援经验教训,提出改进应急救援工作的建议,完成应急救援总结报告并及时上报。

6　保　障　措　施

6.1　通信与信息保障

建立健全国家安全生产事故灾难应急救援综合信息网络系统和重大安全生产事故灾难信息报告系统;建立完善救援力量和资源信息数据库;规范信息获取、分析、发布、报送格式和程序,保证应急机构之间的信息资源共享,为应急决策提供相关信息支持。

有关部门应急救援指挥机构和省级应急救援指挥机构负责本部门、本地区相关信息收集、分析和处理,定期向国务院安委会办公室报送有关信息,重要信息和变更信息要及时报送,国务院安委会办公室负责收集、分析和处理全国安全生产事故灾难应急救援有关信息。

6.2　应急支援与保障

6.2.1　救援装备保障

各专业应急救援队伍和企业根据实际情况和需要配备必要的应急救援装备。专业应急救援指挥机构应当掌握本专业的特种救援装备情况,各专业队伍按规程配备救援装备。

6.2.2　应急队伍保障

矿山、危险化学品、交通运输等行业或领域的企业应当依法组建和完善救援队伍。各级、各行业安全生产应急救援机构负责检查并掌握相关应急救援力量的建设和准备情况。

6.2.3　交通运输保障

发生特别重大安全生产事故灾难后,国务院安委会办公室或有关部门根据救援需要及时协调民航、交通和铁路等行政主管部门提供交通运输保障。地方人民政府有关部门对事

故现场进行道路交通管制,根据需要开设应急救援特别通道,道路受损时应迅速组织抢修,确保救灾物资、器材和人员运送及时到位,满足应急处置工作需要。

6.2.4　医疗卫生保障

县级以上各级人民政府应当加强急救医疗服务网络的建设,配备相应的医疗救治药物、技术、设备和人员,提高医疗卫生机构应对安全生产事故灾难的救治能力。

6.2.5　物资保障

国务院有关部门和县级以上人民政府及其有关部门、企业,应当建立应急救援设施、设备、救治药品和医疗器械等储备制度,储备必要的应急物资和装备。

各专业应急救援机构根据实际情况,负责监督应急物资的储备情况、掌握应急物资的生产加工能力储备情况。

6.2.6　资金保障

生产经营单位应当做好事故应急救援必要的资金准备。安全生产事故灾难应急救援资金首先由事故责任单位承担,事故责任单位暂时无力承担的,由当地政府协调解决。国家处置安全生产事故灾难所需工作经费按照《财政应急保障预案》的规定解决。

6.2.7　社会动员保障

地方各级人民政府根据需要动员和组织社会力量参与安全生产事故灾难的应急救援。国务院安委会办公室协调调用事发地以外的有关社会应急力量参与增援时,地方人民政府要为其提供各种必要保障。

6.2.8　应急避难场所保障

直辖市、省会城市和大城市人民政府负责提供特别重大事故灾难发生时人员避难需要的场所。

6.3　技术储备与保障

国务院安委会办公室成立安全生产事故灾难应急救援专家组,为应急救援提供技术支持和保障。要充分利用安全生产技术支撑体系的专家和机构,研究安全生产应急救援重大问题,开发应急技术和装备。

6.4　宣传、培训和演习

6.4.1　公众信息交流

国务院安委会办公室和有关部门组织应急法律法规和事故预防、避险、避灾、自救、互救常识的宣传工作,各种媒体提供相关支持。

地方各级人民政府结合本地实际,负责本地相关宣传、教育工作,提高全民的危机意识。企业与所在地政府、社区建立互动机制,向周边群众宣传相关应急知识。

6.4.2　培训

有关部门组织各级应急管理机构以及专业救援队伍的相关人员进行上岗前培训和业务培训。

有关部门、单位可根据自身实际情况,做好兼职应急救援队伍的培训,积极组织社会志愿者的培训,提高公众自救、互救能力。

地方各级人民政府将突发公共事件应急管理内容列入行政干部培训的课程。

6.4.3　演习

各专业应急机构每年至少组织一次安全生产事故灾难应急救援演习。国务院安委会办公室每两年至少组织一次联合演习。各企事业单位应当根据自身特点,定期组织本单位的应急救援演习。演习结束后应及时进行总结。

6.5　监督检查

国务院安委会办公室对安全生产事故灾难应急预案实施的全过程进行监督检查。

7　附　　则

7.1　预案管理与更新

随着应急救援相关法律法规的制定、修改和完善,部门职责或应急资源发生变化,以及实施过程中发现存在问题或出现新的情况,应及时修订完善本预案。

本预案有关数量的表述中,"以上"含本数,"以下"不含本数。

7.2　奖励与责任追究

7.2.1　奖励

在安全生产事故灾难应急救援工作中有下列表现之一的单位和个人,应依据有关规定给予奖励:

(1)出色完成应急处置任务,成绩显著的。

(2)防止或抢救事故灾难有功,使国家、集体和人民群众的财产免受损失或者减少损失的。

(3)对应急救援工作提出重大建议,实施效果显著的。

(4)有其他特殊贡献的。

7.2.2　责任追究

在安全生产事故灾难应急救援工作中有下列行为之一的,按照法律、法规及有关规定,对有关责任人员视情节和危害后果,由其所在单位或者上级机关给予行政处分;其中,对国家公务员和国家行政机关任命的其他人员,分别由任免机关或者监察机关给予行政处分;属于违反治安管理行为的,由公安机关依照有关法律法规的规定予以处罚;构成犯罪的,由司法机关依法追究刑事责任:

(1)不按照规定制订事故应急预案,拒绝履行应急准备义务的。

(2)不按照规定报告、通报事故灾难真实情况的。

(3)拒不执行安全生产事故灾难应急预案,不服从命令和指挥,或者在应急响应时临阵脱逃的。

(4)盗窃、挪用、贪污应急工作资金或者物资的。

(5)阻碍应急工作人员依法执行任务或者进行破坏活动的。

(6)散布谣言,扰乱社会秩序的。

(7)有其他危害应急工作行为的。

7.3　国际沟通与协作

国务院安委会办公室和有关部门积极建立与国际应急机构的联系,组织参加国际救援活动,开展国际间的交流与合作。

7.4　预案实施时间

本预案自印发之日起施行。

附录7

国家处置电网大面积停电事件应急预案

1 总 则

1.1 编制目的

正确、有效和快速地处理大面积停电事件,最大程度地减少大面积停电造成的影响和损失,维护国家安全、社会稳定和人民生命财产安全。

1.2 编制依据

依据《中华人民共和国安全生产法》、《中华人民共和国电力法》和《国家突发公共事件总体应急预案》,制定本预案。

1.3 适用范围

(1) 本预案适用于国家应对和处理因电力生产重特大事故、电力设施大范围破坏、严重自然灾害、电力供应持续危机等引起的对国家安全和社会稳定以及人民群众生产生活构成重大影响和严重威胁的大面积停电事件。

(2) 本预案用于规范在电网发生大面积停电事件下,各相关地区、各有关部门组织开展社会救援、事故抢险与处置、电力供应恢复等工作。

(3) 本预案中大面积停电是指:电力生产受严重自然灾害影响或发生重特大事故,引起连锁反应,造成区域电网、省电网或重要中心城市电网减供负荷而引起的大面积停电事件。

1.4 工作原则

(1) 预防为主。坚持"安全第一、预防为主"的方针,加强电力安全管理,落实事故预防和隐患控制措施,有效防止重特大电力生产事故发生;加强电力设施保护宣传工作和行政执法力度,提高公众保护电力设施的意识;协调发电燃料供给,规范电力市场秩序,避免发生电力供应危机;开展大面积停电恢复控制研究,制订科学有效的电网恢复预案;开展停电救援和紧急处置演习,提高对大面积停电事件处理和应急救援综合处置能力。

(2) 统一指挥。在国家统一指挥和协调下,通过应急指挥机构和电网调度机构,组织开展事故处理、事故抢险、电网恢复、应急救援、维护社会稳定、恢复生产等各项应急工作。

(3) 分工负责。按照分层分区、统一协调、各负其责的原则建立事故应急处理体系。电网企业按照电网结构和调度管辖范围,制订和完善电网应急处理和恢复预案,保证电网尽快恢复供电。发电企业完善保"厂用电"措施,确保机组的启动能力和电厂自身安全。电力用户根据重要程度,自备必要的保安措施,避免在突然停电情况下发生次生灾害。各省(区、市)人民政府、国务院有关部门按各自职责,组织做好电网大面积停电事件应急准备和处置工作。

(4) 保证重点。在电网事故处理和控制中,将保证大电网的安全放在第一位,采取各种必要手段,防止事故范围进一步扩大,防止发生系统性崩溃和瓦解。在电网恢复中,优先保证重要电厂厂用电源和主干网架、重要输变电设备恢复,提高整个系统恢复速度。在供电恢复中,优先考虑对重点地区、重要城市、重要用户恢复供电,尽快恢复社会正常秩序。

2 组织机构

2.1 国家应急机构

2.1.1 电网大面积停电应急领导小组

国家成立电网大面积停电事件应急领导小组(以下简称应急领导小组),统一领导指挥大面积停电事件应急处置工作。

2.1.2 应急领导小组办公室

应急领导小组下设办公室,负责日常工作。办公室设在电监会安全监管局。

2.1.3 相关部门(应急机构)

发展改革、公安、财政、铁道、交通、商务、安全生产监督管理等部门或单位按照国务院大面积停电应急协调机构、应急领导小组、各级人民政府的统一部署和各自职责配合做好大面积停电应急工作。

2.2 地方应急指挥机构

各省(区、市)人民政府比照国家处置电网大面积停电事件应急预案,结合本地实际制定预案并成立相应的电网大面积停电应急指挥机构,建立和完善相应的电网停电应急救援与处置体系。

2.3 电力调度机构、电力企业、重要用户

2.3.1 电力调度机构

各级电力调度机构是电网事故处理的指挥中心,值班调度员是电网事故处理的指挥员,统一指挥调度管辖范围内的电网事故处理。

2.3.2 电力企业

有关电网企业、发电企业成立大面积停电应急指挥机构,负责本企业的事故抢险和应急处理工作。

2.3.3 重要用户

负责本单位事故抢险和应急处理。

3 事件分级

按照电网停电范围和事故严重程度,将大面积停电分为Ⅰ级停电事件和Ⅱ级停电事件两个状态等级。

3.1 Ⅰ级停电事件

发生下列情况之一,电网进入Ⅰ级停电事件状态:

(1) 因电力生产发生重特大事故,引起连锁反应,造成区域电网大面积停电,减供负荷达到事故前总负荷的30%以上;

(2) 因电力生产发生重特大事故,引起连锁反应,造成重要政治、经济中心城市减供负荷达到事故前总负荷的50%以上;

(3) 因严重自然灾害引起电力设施大范围破坏,造成省电网大面积停电,减供负荷达到事故前总负荷的40%以上,并且造成重要发电厂停电、重要输变电设备受损,对区域电网、

跨区电网安全稳定运行构成严重威胁；

(4) 因发电燃料供应短缺等各类原因引起电力供应严重危机,造成省电网 60% 以上容量机组非计划停机,省电网拉限负荷达到正常值的 50% 以上,并且对区域电网、跨区电网正常电力供应构成严重影响；

(5) 因重要发电厂、重要变电站、重要输变电设备遭受毁灭性破坏或打击,造成区域电网大面积停电,减供负荷达到事故前总负荷的 20% 以上,对区域电网、跨区电网安全稳定运行构成严重威胁。

3.2 Ⅱ级停电事件

发生下列情况之一,电网进入Ⅱ级停电事件状态：

(1) 因电力生产发生重特大事故,造成区域电网减供负荷达到事故前总负荷的 10% 以上,30% 以下；

(2) 因电力生产发生重特大事故,造成重要政治、经济中心城市减供负荷达到事故前总负荷的 20% 以上,50% 以下；

(3) 因严重自然灾害引起电力设施大范围破坏,造成省电网减供负荷达到事故前总负荷的 20% 以上,40% 以下；

(4) 因发电燃料供应短缺等各类原因引起电力供应危机,造成省电网 40% 以上,60% 以下容量机组非计划停机。

4 应 急 响 应

4.1 Ⅰ级停电事件响应

4.1.1 事件报告

(1) 发生Ⅰ级停电事件时,电网企业应急指挥机构应将停电范围、停电负荷、发展趋势等有关情况立即报告应急领导小组办公室。

(2) 应急领导小组组长主持召开紧急会议,就有关重大应急问题作出决策和部署,并将有关情况向国务院汇报。同时宣布启动预案。

4.1.2 事件通告

(1) 发生Ⅰ级停电事件后,应急领导小组办公室负责召集有关部门(单位),就事故影响范围、发展过程、抢险进度、预计恢复时间等内容及时通报,使有关部门(单位)和公众对停电情况有客观的认识和了解。在Ⅰ级停电事件应急状态宣布解除后,及时向有关部门(单位)和公众通报信息。

(2) 在大面积停电期间,要加强信息发布和舆论宣传工作,各级政府要积极组织力量,发动群众,坚决打击造谣惑众、散布谣言、哄抬物价、偷盗抢劫等各种违法违纪行为,减少公众恐慌情绪,维护社会稳定。

4.1.3 应急处置

(1) 电网与供电恢复：发生Ⅰ级停电事件后,电力调度机构和有关电力企业要尽快恢复电网运行和电力供应。

——在电网恢复过程中,电力调度机构负责协调电网、电厂、用户之间的电气操作、机组启动、用电恢复,保证电网安全稳定留有必要裕度。在条件具备时,优先恢复重点地区、重要城市、重要用户的电力供应。

——在电网恢复过程中，各发电厂严格按照电力调度命令恢复机组并网运行，调整发电出力。

——在供电恢复过程中，各电力用户严格按照调度计划分时分步地恢复用电。

(2) 社会应急：发生Ⅰ级停电事件后，受影响或受波及的地方各级政府、各有关部门、各类电力用户要按职责分工立即行动，组织开展社会停电应急救援与处置工作。

——对停电后易造成重大影响和生命财产损失的单位、设施等电力用户，按照有关技术要求迅速启动保安电源，避免造成更大影响和损失。

——地铁、机场、高层建筑、商场、影剧院、体育场(馆)等各类人员聚集场所的电力用户，停电后应迅速启用应急照明，组织人员有组织、有秩序地集中或疏散，确保所有人员人身安全。

——公安、武警等部门在发生停电的地区要加强对关系国计民生、国家安全和公共安全的重点单位的安全保卫工作，加强社会巡逻防范工作，严密防范和严厉打击违法犯罪活动，维护社会稳定。

——消防部门做好各项灭火救援应急准备工作，及时扑灭大面积停电期间发生的各类火灾。

——交通管理部门组织力量，加强停电地区道路交通指挥和疏导，缓解交通堵塞，避免出现交通混乱，保障各项应急工作的正常进行。

——物资供应部门要迅速组织有关应急物资的加工、生产、运输和销售，保证居民在停电期间的基本生活资料供给。

——停电地区各类电力用户要及时启动相应停电预案，有效防止各种次生灾害的发生。电力企业迅速组织力量开展事故抢险救灾，修复被损电力设施，恢复灾区电力供应工作。

4.1.4 应急结束

在同时满足下列条件下，应急领导小组经研究决定宣布解除Ⅰ级停电事件状态：

(1) 电网主干网架基本恢复正常接线方式，电网运行参数保持在稳定限额之内，主要发电厂机组运行稳定；

(2) 停电负荷恢复80%以上，重点地区、重要城市负荷恢复90%以上；

(3) 发电燃料恢复正常供应、发电机组恢复运行，燃料储备基本达到规定要求；

(4) 无其他对电网安全稳定运行和正常电力供应存在重大影响或严重威胁的事件。

4.2 Ⅱ级停电事件响应

发生Ⅱ级停电事件时，由电网企业应急指挥机构和省级人民政府就有关应急问题作出决策和部署，按本级应急处置预案进行处置，同时立即将有关情况向应急领导小组办公室报告。

对Ⅱ级停电事件，由应急领导小组办公室或经授权的地方政府与电监会区域电监局共同负责通报事故情况，发布事故信息。

5 应急保障

5.1 技术保障

全面加强技术支持部门的应急基础保障工作。电力管理部门应聘请电力生产、管理、科研等各方面专家,组成大面积停电处置专家咨询小组,对应急处置进行技术咨询和决策支持。电力企业应认真分析和研究电网大面积停电可能造成的社会危害和损失,增加技术投入,研究、学习国际先进经验,不断完善电网大面积停电应急技术保障体系。

5.2　装备保障

各相关地区、各有关部门以及电力企业在积极利用现有装备的基础上,根据应急工作需要,建立和完善救援装备数据库和调用制度,配备必要的应急救援装备。各应急指挥机构应掌握各专业的应急救援装备的储备情况,并保证救援装备始终处在随时可正常使用的状态。

5.3　人员保障

加强电力企业的电力调度、运行值班、抢修维护、生产管理、事故救援队伍建设,通过日常技能培训和模拟演练等手段提高各类人员的业务素质、技术水平和应急处置能力。

6　宣传、培训和演习

6.1　宣传

各电力企业和重要电力用户应对全体员工加强防范事故的安全生产教育和应急救援教育,并通过各种新闻媒体向全社会宣传出现大面积停电的紧急情况下如何采取正确措施处置,增强公众的自我保护意识。

6.2　培训

各电力企业和重要电力用户应认真组织员工对应急预案的学习和演练,并通过专业人员的技术交流和研讨,提高应急救援的业务知识水平。

6.3　演习

应急领导小组办公室至少每年协调组织一次应急联合演习,加强和完善各电力企业之间的协调配合工作。各电力企业应根据自身特点,定期组织本企业的应急救援演习。

7　信　息　发　布

应急领导小组办公室负责对事故信息统一对外发布,并负责拟定信息发布方案,及时采用适当方式发布信息,组织报道。

8　后　期　处　置

8.1　事故调查

大面积停电之后,由国务院有关部门组成事故调查组进行事故调查。各相关地区、各有关部门和单位认真配合调查组的工作,客观、公正、准确地查清事故原因、发生过程、恢复情况、事故损失等。

事故调查应与现场应急处置工作有机结合。事故调查组到达现场后应认真听取现场应急处置工作情况介绍,并与现场应急指挥机构协调,参与现场应急处置工作。

事故调查工作包括:调查组的组成,应急救援情况的调查,事故现场调查,技术分析,事故原因的判定,事故性质和责任的查明,编写事故调查报告,提出安全预防措施建议。

8.2 改进措施

（1）大面积停电之后，电力企业应及时组织生产、运行、科研等部门联合攻关，研究事故发生机理，分析事故发展过程，吸取事故教训，提出具体措施，进一步完善和改进电力应急预案。

（2）各相关地区、各有关部门应及时总结社会应急救援工作的经验和教训，进一步完善和改进社会停电应急救援、事故抢险与紧急处置体系。

9 附　　则

9.1 预案管理与更新

随着应急救援相关法律法规的制定和修订，部门职责或应急资源发生变化，以及实施过程中发现存在问题或出现的情况，及时修订完善本预案。

本预案有关数量的表述中，"以上"含本数，"以下"不含本数。

9.2 预案实施时间

本预案自印发之日起实施。

国家突发环境事件应急预案

1 总 则

1.1 编制目的

建立健全突发环境事件应急机制,提高政府应对涉及公共危机的突发环境事件的能力,维护社会稳定,保障公众生命健康和财产安全,保护环境,促进社会全面、协调、可持续发展。

1.2 编制依据

依据《中华人民共和国环境保护法》、《中华人民共和国海洋环境保护法》、《中华人民共和国安全生产法》和《国家突发公共事件总体应急预案》及相关的法律、行政法规,制定本预案。

1.3 事件分级

按照突发事件严重性和紧急程度,突发环境事件分为特别重大环境事件(Ⅰ级)、重大环境事件(Ⅱ级)、较大环境事件(Ⅲ级)和一般环境事件(Ⅳ级)四级。

1.3.1 特别重大环境事件(Ⅰ级)。

凡符合下列情形之一的,为特别重大环境事件:

(1) 发生 30 人以上死亡,或中毒(重伤)100 人以上;

(2) 因环境事件需疏散、转移群众 5 万人以上,或直接经济损失 1000 万元以上;

(3) 区域生态功能严重丧失或濒危物种生存环境遭到严重污染;

(4) 因环境污染使当地正常的经济、社会活动受到严重影响;

(5) 利用放射性物质进行人为破坏事件,或 1、2 类放射源失控造成大范围严重辐射污染后果;

(6) 因环境污染造成重要城市主要水源地取水中断的污染事故;

(7) 因危险化学品(含剧毒品)生产和贮运中发生泄漏,严重影响人民群众生产、生活的污染事故。

1.3.2 重大环境事件(Ⅱ级)。

凡符合下列情形之一的,为重大环境事件:

(1) 发生 10 人以上、30 人以下死亡,或中毒(重伤)50 人以上、100 人以下;

(2) 区域生态功能部分丧失或濒危物种生存环境受到污染;

(3) 因环境污染使当地经济、社会活动受到较大影响,疏散转移群众 1 万人以上、5 万人以下的;

(4) 1、2 类放射源丢失、被盗或失控;

(5) 因环境污染造成重要河流、湖泊、水库及沿海水域大面积污染,或县级以上城镇水源地取水中断的污染事件。

1.3.3 较大环境事件(Ⅲ级)。

凡符合下列情形之一的,为较大环境事件:

(1) 发生 3 人以上、10 人以下死亡，或中毒(重伤)50 人以下；

(2) 因环境污染造成跨地级行政区域纠纷，使当地经济、社会活动受到影响；

(3) 3 类放射源丢失、被盗或失控。

1.3.4 一般环境事件(Ⅳ级)。

凡符合下列情形之一的，为一般环境事件：

(1) 发生 3 人以下死亡；

(2) 因环境污染造成跨县级行政区域纠纷，引起一般群体性影响的；

(3) 4、5 类放射源丢失、被盗或失控。

1.4 适用范围

本预案适用于应对以下各类事件应急响应，核事故的应急响应遵照国家核应急协调委有关规定执行：

1.4.1 超出事件发生地省(区、市)人民政府突发环境事件处置能力的应对工作；

1.4.2 跨省(区、市)突发环境事件应对工作；

1.4.3 国务院或者全国环境保护部际联席会议需要协调、指导的突发环境事件或者其他突发事件次生、衍生的环境事件。

1.5 工作原则

以邓小平理论和"三个代表"重要思想为指导，坚持以人为本，树立全面、协调、可持续的科学发展观，提高政府社会管理水平和应对突发事件的能力。

(1) 坚持以人为本，预防为主。加强对环境事件危险源的监测、监控并实施监督管理，建立环境事件风险防范体系，积极预防、及时控制、消除隐患，提高环境事件防范和处理能力，尽可能地避免或减少突发环境事件的发生，消除或减轻环境事件造成的中长期影响，最大程度地保障公众健康，保护人民群众生命财产安全。

(2) 坚持统一领导，分类管理，属地为主，分级响应。在国务院的统一领导下，加强部门之间协同与合作，提高快速反应能力。针对不同污染源所造成的环境污染、生态污染、放射性污染的特点，实行分类管理，充分发挥部门专业优势，使采取的措施与突发环境事件造成的危害范围和社会影响相适应。充分发挥地方人民政府职能作用，坚持属地为主，实行分级响应。

(3) 坚持平战结合，专兼结合，充分利用现有资源。积极做好应对突发环境事件的思想准备、物资准备、技术准备、工作准备，加强培训演练，充分利用现有专业环境应急救援力量，整合环境监测网络，引导、鼓励实现一专多能，发挥经过专门培训的环境应急救援力量的作用。

2 组织指挥与职责

2.1 组织体系

国家突发环境事件应急组织体系由应急领导机构、综合协调机构、有关类别环境事件专业指挥机构、应急支持保障部门、专家咨询机构、地方各级人民政府突发环境事件应急领导机构和应急救援队伍组成。

在国务院的统一领导下，全国环境保护部际联席会议负责统一协调突发环境事件的应对工作,各专业部门按照各自职责做好相关专业领域突发环境事件应对工作,各应急支持保障部门按照各自职责做好突发环境事件应急保障工作。

专家咨询机构为突发环境事件专家组。

地方各级人民政府的突发环境事件应急机构由地方人民政府确定。

突发环境事件国家应急救援队伍由各相关专业的应急救援队伍组成。环保总局应急救援队伍由环境应急与事故调查中心、中国环境监测总站、核安全中心组成。

2.2 综合协调机构

全国环境保护部际联席会议负责协调国家突发环境事件应对工作。贯彻执行党中央、国务院有关应急工作的方针、政策,认真落实国务院有关环境应急工作指示和要求;建立和完善环境应急预警机制,组织制定(修订)国家突发环境事件应急预案;统一协调重大、特别重大环境事件的应急救援工作;指导地方政府有关部门做好突发环境事件应急工作;部署国家环境应急工作的公众宣传和教育,统一发布环境污染应急信息;完成国务院下达的其他应急救援任务。

各有关成员部门负责各自专业领域的应急协调保障工作。

2.3 有关类别环境事件专业指挥机构

全国环境保护部际联席会议有关成员单位之间建立应急联系工作机制,保证信息通畅,做到信息共享;按照各自职责制定本部门的环境应急救援和保障方面的应急预案,并负责管理和实施;需要其他部门增援时,有关部门向全国环境保护部际联席会议提出增援请求。必要时,国务院组织协调特别重大突发环境事件应急工作。

2.4 地方人民政府突发环境事件应急领导机构

环境应急救援指挥坚持属地为主的原则,特别重大环境事件发生地的省(区、市)人民政府成立现场应急救援指挥部。所有参与应急救援的队伍和人员必须服从现场应急救援指挥部的指挥。现场应急救援指挥部为参与应急救援的队伍和人员提供工作条件。

2.5 专家组

全国环境保护部际联席会议设立突发环境事件专家组,聘请科研单位和军队有关专家组成。

主要工作为:参与突发环境事件应急工作;指导突发环境事件应急处置工作;为国务院或部际联席会议的决策提供科学依据。

3 预防和预警

3.1 信息监测

3.1.1 全国环境保护部际联席会议有关成员单位按照早发现、早报告、早处置的原则,开展对国内(外)环境信息、自然灾害预警信息、常规环境监测数据、辐射环境监测数据的综合分析、风险评估工作。

3.1.2 国务院有关部门和地方各级人民政府及其相关部门,负责突发环境事件信息接收、报告、处理、统计分析,以及预警信息监控。

(1)环境污染事件、生物物种安全事件、辐射事件信息接收、报告、处理、统计分析由环保部门负责;

（2）海上石油勘探开发溢油事件信息接收、报告、处理、统计分析由海洋部门负责；

（3）海上船舶、港口污染事件信息接收、报告、处理、统计分析由交通部门负责。

3.1.3　环境污染事件和生物物种安全预警信息监控由环保总局负责；海上石油勘探开发溢油事件预警信息监控由海洋局负责；海上船舶、港口污染事件信息监控由交通部负责；辐射环境污染事件预警信息监控由环保总局（核安全局）负责。特别重大环境事件预警信息经核实后，及时上报国务院。

3.2　预防工作

（1）开展污染源、放射源和生物物种资源调查。开展对产生、贮存、运输、销毁废弃化学品、放射源的普查，掌握全国环境污染源的产生、种类及地区分布情况。了解国内外的有关技术信息、进展情况和形势动态，提出相应的对策和意见。

（2）开展突发环境事件的假设、分析和风险评估工作，完善各类突发环境事件应急预案。

（3）加强环境应急科研和软件开发工作。研究开发并建立环境污染扩散数字模型，开发研制环境应急管理系统软件。

3.3　预警及措施

按照突发事件严重性、紧急程度和可能波及的范围，突发环境事件的预警分为四级，预警级别由低到高，颜色依次为蓝色、黄色、橙色、红色。根据事态的发展情况和采取措施的效果，预警颜色可以升级、降级或解除。收集到的有关信息证明突发环境事件即将发生或者发生的可能性增大时，按照相关应急预案执行。进入预警状态后，当地县级以上人民政府和政府有关部门应当采取以下措施：

（1）立即启动相关应急预案。

（2）发布预警公告。蓝色预警由县级人民政府负责发布。黄色预警由市（地）级人民政府负责发布。橙色预警由省级人民政府负责发布。红色预警由事件发生地省级人民政府根据国务院授权负责发布。

（3）转移、撤离或者疏散可能受到危害的人员，并进行妥善安置。

（4）指令各环境应急救援队伍进入应急状态，环境监测部门立即开展应急监测，随时掌握并报告事态进展情况。

（5）针对突发事件可能造成的危害，封闭、隔离或者限制使用有关场所，中止可能导致危害扩大的行为和活动。

（6）调集环境应急所需物资和设备，确保应急保障工作。

3.4　预警支持系统

3.4.1　建立环境安全预警系统。建立重点污染源排污状况实时监控信息系统、突发事件预警系统、区域环境安全评价科学预警系统、辐射事件预警信息系统；建设重大船舶污染事件应急设备库和海空一体化船舶污染快速反应系统；建立海洋环境监测系统。

3.4.2　建立环境应急资料库。建立突发环境事件应急处置数据库系统、生态安全数据库系统、突发事件专家决策支持系统、环境恢复周期检测反馈评估系统、辐射事件数据库系统。

3.4.3　建立应急指挥技术平台系统。根据需要，结合实际情况，建立有关类别环境事件专业协调指挥中心及通讯技术保障系统。

4 应 急 响 应

4.1 分级响应机制

突发环境事件应急响应坚持属地为主的原则,地方各级人民政府按照有关规定全面负责突发环境事件应急处置工作,环保总局及国务院相关部门根据情况给予协调支援。按突发环境事件的可控性、严重程度和影响范围,突发环境事件的应急响应分为特别重大(Ⅰ级响应)、重大(Ⅱ级响应)、较大(Ⅲ级响应)、一般(Ⅳ级响应)四级。超出本级应急处置能力时,应及时请求上一级应急救援指挥机构启动上一级应急预案。Ⅰ级应急响应由环保总局和国务院有关部门组织实施。

4.2 应急响应程序

4.2.1 Ⅰ级响应时,环保总局按下列程序和内容响应:

(1) 开通与突发环境事件所在地省级环境应急指挥机构、现场应急指挥部、相关专业应急指挥机构的通信联系,随时掌握事件进展情况;

(2) 立即向环保总局领导报告,必要时成立环境应急指挥部;

(3) 及时向国务院报告突发环境事件基本情况和应急救援的进展情况;

(4) 通知有关专家组成专家组,分析情况。根据专家的建议,通知相关应急救援力量随时待命,为地方或相关专业应急指挥机构提供技术支持;

(5) 派出相关应急救援力量和专家赶赴现场参加、指导现场应急救援,必要时调集事发地周边地区专业应急力量实施增援。

4.2.2 有关类别环境事件专业指挥机构接到特别重大环境事件信息后,主要采取下列行动:

(1) 启动并实施本部门应急预案,及时向国务院报告并通报环保总局;

(2) 启动本部门应急指挥机构;

(3) 协调组织应急救援力量开展应急救援工作;

(4) 需要其他应急救援力量支援时,向国务院提出请求。

4.2.3 省级地方人民政府突发环境事件应急响应,可以参照Ⅰ级响应程序,结合本地区实际,自行确定应急响应行动。需要有关应急力量支援时,及时向环保总局及国务院有关部门提出请求。

4.3 信息报送与处理

4.3.1 突发环境事件报告时限和程序

突发环境事件责任单位和责任人以及负有监管责任的单位发现突发环境事件后,应在1小时内向所在地县级以上人民政府报告,同时向上一级相关专业主管部门报告,并立即组织进行现场调查。紧急情况下,可以越级上报。负责确认环境事件的单位,在确认重大(Ⅱ级)环境事件后,1小时内报告省级相关专业主管部门,特别重大(Ⅰ级)环境事件立即报告国务院相关专业主管部门,并通报其他相关部门。地方各级人民政府应当在接到报告后1小时内向上一级人民政府报告。省级人民政府在接到报告后1小时内,向国务院及国务院有关部门报告。重大(Ⅱ级)、特别重大(Ⅰ级)突发环境事件,国务院有关部门应立即向国务院报告。

4.3.2　突发环境事件报告方式与内容

突发环境事件的报告分为初报、续报和处理结果报告三类。初报从发现事件后起1小时内上报;续报在查清有关基本情况后随时上报;处理结果报告在事件处理完毕后立即上报。初报可用电话直接报告,主要内容包括:环境事件的类型、发生时间、地点、污染源、主要污染物质、人员受害情况、捕杀或砍伐国家重点保护的野生动植物的名称和数量、自然保护区受害面积及程度、事件潜在的危害程度、转化方式趋向等初步情况。续报可通过网络或书面报告,在初报的基础上报告有关确切数据,事件发生的原因、过程、进展情况及采取的应急措施等基本情况。处理结果报告采用书面报告,处理结果报告在初报和续报的基础上,报告处理事件的措施、过程和结果,事件潜在或间接的危害、社会影响、处理后的遗留问题,参加处理工作的有关部门和工作内容,出具有关危害与损失的证明文件等详细情况。

4.4　指挥和协调

4.4.1　指挥和协调机制

根据需要,国务院有关部门和部际联席会议成立环境应急指挥部,负责指导、协调突发环境事件的应对工作。环境应急指挥部根据突发环境事件的情况通知有关部门及其应急机构、救援队伍和事件所在地毗邻省(区、市)人民政府应急救援指挥机构。各应急机构接到事件信息通报后,应立即派出有关人员和队伍赶赴事发现场,在现场救援指挥部统一指挥下,按照各自的预案和处置规程,相互协同,密切配合,共同实施环境应急和紧急处置行动。现场应急救援指挥部成立前,各应急救援专业队伍必须在当地政府和事发单位的协调指挥下坚决、迅速地实施先期处置,果断控制或切断污染源,全力控制事件态势,严防二次污染和次生、衍生事件发生。

应急状态时,专家组组织有关专家迅速对事件信息进行分析、评估,提出应急处置方案和建议,供指挥部领导决策参考。根据事件进展情况和形势动态,提出相应的对策和意见;对突发环境事件的危害范围、发展趋势作出科学预测,为环境应急领导机构的决策和指挥提供科学依据;参与污染程度、危害范围、事件等级的判定,对污染区域的隔离与解禁、人员撤离与返回等重大防护措施的决策提供技术依据;指导各应急分队进行应急处理与处置;指导环境应急工作的评价,进行事件的中长期环境影响评估。发生环境事件的有关部门、单位要及时、主动向环境应急指挥部提供应急救援有关的基础资料,环保、海洋、交通、水利等有关部门提供事件发生前的有关监管检查资料,供环境应急指挥部研究救援和处置方案时参考。

4.4.2　指挥协调主要内容

环境应急指挥部指挥协调的主要内容包括:

(1) 提出现场应急行动原则要求;

(2) 派出有关专家和人员参与现场应急救援指挥部的应急指挥工作;

(3) 协调各级、各专业应急力量实施应急支援行动;

(4) 协调受威胁的周边地区危险源的监控工作;

(5) 协调建立现场警戒区和交通管制区域,确定重点防护区域;

(6) 根据现场监测结果,确定被转移、疏散群众返回时间;

(7) 及时向国务院报告应急行动的进展情况。

4.5　应急监测

环保总局环境应急监测分队负责组织协调突发环境事件地区环境应急监测工作,并负责指导海洋环境监测机构、地方环境监测机构进行应急监测工作。

(1) 根据突发环境事件污染物的扩散速度和事件发生地的气象和地域特点,确定污染物扩散范围。

(2) 根据监测结果,综合分析突发环境事件污染变化趋势,并通过专家咨询和讨论的方式,预测并报告突发环境事件的发展情况和污染物的变化情况,作为突发环境事件应急决策的依据。

4.6 信息发布

全国环境保护部际联席会议负责突发环境事件信息对外统一发布工作。突发环境事件发生后,要及时发布准确、权威的信息,正确引导社会舆论。

4.7 安全防护

4.7,1 应急人员的安全防护

现场处置人员应根据不同类型环境事件的特点,配备相应的专业防护装备,采取安全防护措施,严格执行应急人员出入事发现场程序。

4.7.2 受灾群众的安全防护

现场应急救援指挥部负责组织群众的安全防护工作,主要工作内容如下:

(1) 根据突发环境事件的性质、特点,告知群众应采取的安全防护措施;

(2) 根据事发时当地的气象、地理环境、人员密集度等,确定群众疏散的方式,指定有关部门组织群众安全疏散撤离;

(3) 在事发地安全边界以外,设立紧急避难场所。

4.8 应急终止

4.8.1 应急终止的条件

符合下列条件之一的,即满足应急终止条件:

(1) 事件现场得到控制,事件条件已经消除;

(2) 污染源的泄漏或释放已降至规定限值以内;

(3) 事件所造成的危害已经被彻底消除,无继发可能;

(4) 事件现场的各种专业应急处置行动已无继续的必要;

(5) 采取了必要的防护措施以保护公众免受再次危害,并使事件可能引起的中长期影响趋于合理且尽量低的水平。

4.8.2 应急终止的程序

(1) 现场救援指挥部确认终止时机,或事件责任单位提出,经现场救援指挥部批准;

(2) 现场救援指挥部向所属各专业应急救援队伍下达应急终止命令;

(3) 应急状态终止后,相关类别环境事件专业应急指挥部应根据国务院有关指示和实际情况,继续进行环境监测和评价工作,直至其他补救措施无需继续进行为止。

4.8.3 应急终止后的行动

(1) 环境应急指挥部指导有关部门及突发环境事件单位查找事件原因,防止类似问题的重复出现。

(2) 有关类别环境事件专业主管部门负责编制特别重大、重大环境事件总结报告,于应急终止后上报。

(3) 应急过程评价。由环保总局组织有关专家,会同事发地省级人民政府组织实施。

(4) 根据实践经验,有关类别环境事件专业主管部门负责组织对应急预案进行评估,并

及时修订环境应急预案。

(5) 参加应急行动的部门负责组织、指导环境应急队伍维护、保养应急仪器设备,使之始终保持良好的技术状态。

5 应急保障

5.1 资金保障

部际联席会议各成员单位根据突发环境事件应急需要,提出项目支出预算报财政部审批后执行。具体情况按照《财政应急保障预案》执行。

5.2 装备保障

各级环境应急相关专业部门及单位要充分发挥职能作用,在积极发挥现有检验、鉴定、监测力量的基础上,根据工作需要和职责要求,加强危险化学品检验、鉴定和监测设备建设。增加应急处置、快速机动和自身防护装备、物资的储备,不断提高应急监测,动态监控的能力,保证在发生环境事件时能有效防范对环境的污染和扩散。

5.3 通信保障

各级环境应急相关专业部门要建立和完善环境安全应急指挥系统、环境应急处置全国联动系统和环境安全科学预警系统。配备必要的有线、无线通信器材,确保本预案启动时环境应急指挥部和有关部门及现场各专业应急分队间的联络畅通。

5.4 人力资源保障

有关类别环境应急专业主管部门要建立突发环境事件应急救援队伍;各省(区、市)加强各级环境应急队伍的建设,提高其应对突发事件的素质和能力;在计划单列市、省会城市和环境保护重点城市培训一支常备不懈,熟悉环境应急知识,充分掌握各类突发环境事件处置措施的预备应急力量;对各地所属大中型化工等企业的消防、防化等应急分队进行组织和培训,形成由国家、省、市和相关企业组成的环境应急网络。保证在突发事件发生后,能迅速参与并完成抢救、排险、消毒、监测等现场处置工作。

5.5 技术保障

建立环境安全预警系统,组建专家组,确保在启动预警前、事件发生后相关环境专家能迅速到位,为指挥决策提供服务。建立环境应急数据库,建立健全各专业环境应急队伍,地区核安全监督站和地区专业技术机构随时投入应急的后续支援和提供技术支援。

5.6 宣传、培训与演练

5.6.1 各级环保部门应加强环境保护科普宣传教育工作,普及环境污染事件预防常识,编印、发放有毒有害物质污染公众防护"明白卡",增强公众的防范意识和相关心理准备,提高公众的防范能力。

5.6.2 各级环保部门以及有关类别环境事件专业主管部门应加强环境事件专业技术人员日常培训和重要目标工作人员的培训和管理,培养一批训练有素的环境应急处置、检验、监测等专门人才。

5.6.3 各级环保部门以及有关类别环境事件专业主管部门,按照环境应急预案及相关单项预案,定期组织不同类型的环境应急实战演练,提高防范和处置突发环境事件的技能,增强实战能力。

5.7　应急能力评价

为保障环境应急体系始终处于良好的战备状态,并实现持续改进,对各级环境应急机构的设置情况、制度和工作程序的建立与执行情况、队伍的建设和人员培训与考核情况、应急装备和经费管理与使用情况等,在环境应急能力评价体系中实行自上而下的监督、检查和考核工作机制。

6　后　期　处　置

6.1　善后处置

地方各级人民政府做好受灾人员的安置工作,组织有关专家对受灾范围进行科学评估,提出补偿和对遭受污染的生态环境进行恢复的建议。

6.2　保险

应建立突发环境事件社会保险机制。对环境应急工作人员办理意外伤害保险。可能引起环境污染的企业事业单位,要依法办理相关责任险或其他险种。

7　附　　则

7.1　名词术语定义

环境事件:是指由于违反环境保护法律法规的经济、社会活动与行为,以及意外因素的影响或不可抗拒的自然灾害等原因致使环境受到污染,人体健康受到危害,社会经济与人民群众财产受到损失,造成不良社会影响的突发性事件。

突发环境事件:指突然发生,造成或者可能造成重大人员伤亡、重大财产损失和对全国或者某一地区的经济社会稳定、政治安定构成重大威胁和损害,有重大社会影响的涉及公共安全的环境事件。

环境应急:针对可能或已发生的突发环境事件需要立即采取某些超出正常工作程序的行动,以避免事件发生或减轻事件后果的状态,也称为紧急状态;同时也泛指立即采取超出正常工作程序的行动。

预案分类:根据突发环境事件的发生过程、性质和机理,突发环境事件主要分为三类:突发环境污染事件、生物物种安全环境事件和辐射环境污染事件。突发环境污染事件包括重点流域、敏感水域水环境污染事件;重点城市光化学烟雾污染事件;危险化学品、废弃化学品污染事件;海上石油勘探开发溢油事件;突发船舶污染事件等。生物物种安全环境事件主要是指生物物种受到不当采集、猎杀、走私、非法携带出入境或合作交换、工程建设危害以及外来入侵物种对生物多样性造成损失和对生态环境造成威胁和危害事件;辐射环境污染事件包括放射性同位素、放射源、辐射装置、放射性废物辐射污染事件。

泄漏处理:泄漏处理是指对危险化学品、危险废物、放射性物质、有毒气体等污染源因事件发生泄漏时的所采取的应急处置措施。泄漏处理要及时、得当,避免重大事件的发生。泄漏处理一般分为泄漏源控制和泄漏物处置两部分。

应急监测:环境应急情况下,为发现和查明环境污染情况和污染范围而进行的环境监测。包括定点监测和动态监测。

应急演习:为检验应急计划的有效性、应急准备的完善性、应急响应能力的适应性和应急人员的协同性而进行的一种模拟应急响应的实践活动,根据所涉及的内容和范围的不同,可分为单项演习(演练)、综合演习和指挥中心、现场应急组织联合进行的联合演习。

本预案有关数量的表述中,"以上"含本数,"以下"不含本数。

7.2 预案管理与更新

随着应急救援相关法律法规的制定、修改和完善,部门职责或应急资源发生变化,或者应急过程中发现存在的问题和出现新的情况,应及时修订完善本预案。

7.3 国际沟通与协作

建立与国际环境应急机构的联系,组织参与国际救援活动,开展与国际间的交流与合作。

7.4 奖励与责任追究

7.4.1 奖励

在突发环境事件应急救援工作中,有下列事迹之一的单位和个人,应依据有关规定给予奖励:

(1) 出色完成突发环境事件应急处置任务,成绩显著的;

(2) 对防止或挽救突发环境事件有功,使国家、集体、和人民群众的生命财产免受或者减少损失的;

(3) 对事件应急准备与响应提出重大建议,实施效果显著的;

(4) 有其他特殊贡献的。

7.4.2 责任追究

在突发环境事件应急工作中,有下列行为之一的,按照有关法律和规定,对有关责任人员视情节和危害后果,由其所在单位或者上级机关给予行政处分;其中,对国家公务员和国家行政机关任命的其他人员,分别由任免机关或者监察机关给予行政处分;构成犯罪的,由司法机关依法追究刑事责任:

(1) 不认真履行环保法律、法规,而引发环境事件的;

(2) 不按照规定制定突发环境事件应急预案,拒绝承担突发环境事件应急准备义务的;

(3) 不按规定报告、通报突发环境事件真实情况的;

(4) 拒不执行突发环境事件应急预案,不服从命令和指挥,或者在事件应急响应时临阵脱逃的;

(5) 盗窃、贪污、挪用环境事件应急工作资金、装备和物资的;

(6) 阻碍环境事件应急工作人员依法执行职务或者进行破坏活动的;

(7) 散布谣言,扰乱社会秩序的;

(8) 有其他对环境事件应急工作造成危害行为的。

7.5 预案实施时间

本预案自印发之日起实施。

附录9

国家处置铁路行车事故应急预案

1 总 则

1.1 编制目的
预防和最大程度地减少铁路行车事故造成的人员伤亡、财产损失和对公共安全的影响，及时有效处置铁路行车事故，尽快恢复铁路运输正常秩序。

1.2 编制依据
依据《中华人民共和国安全生产法》、《中华人民共和国铁路法》、《中华人民共和国消防法》、《国家突发公共事件总体应急预案》、《特别重大事故调查程序暂行规定》、《铁路技术管理规程》、《铁路行车事故处理规则》等法律法规和有关规定，制定本预案。

1.3 适用范围
本预案适用于铁路发生特别重大行车事故，即造成30人以上死亡(含失踪)、或危及30人以上生命安全，或100人以上中毒(重伤)、或紧急转移人员超过10万、或直接经济损失超过1亿元、或繁忙干线中断行车48小时以上的事故；以及在国家铁路、国家铁路控股的合资铁路开行的旅客列车，国家铁路、国家铁路控股的合资铁路开往地方铁路或非国家铁路控股的合资铁路的旅客列车，发生重大行车事故，即造成10人以上、30人以下死亡(含失踪)，或危及10人以上、30人以下生命安全，或50人以上、100人以下中毒(重伤)，或直接经济损失在5000万元以上、1亿元以下，或繁忙干线中断行车24小时以上的事故。

地方铁路和非国家铁路控股的合资铁路发生上述行车事故时，按管理权限，由所在地省级人民政府制定相应应急预案，并按其规定组织处置。

1.4 工作原则
(1)坚持以人为本。以保障人民群众生命财产安全为出发点和落脚点，最大程度地减少行车事故造成的人员伤亡和财产损失。

(2)尽快恢复运输。分秒必争，快速抢通线路，尽快恢复通车和运输秩序。

(3)实行分工负责。在国务院统一领导下，铁道部和国务院有关部门、事发地人民政府按照各自职责、分工、权限和本预案的规定，共同做好铁路行车事故应急救援处置工作。

(4)坚持预防为主。积极采用先进的预测、预防、预警和应急处置技术，提高行车事故防范水平；不断完善铁路应急救援体系建设，提高救援装备技术水平和应急救援能力。

2 组织指挥体系及职责

在发生铁路Ⅰ级应急响应的行车事故时，根据需要，铁道部报请国务院领导组织、指导、协调应急救援工作，由国务院或国务院授权铁道部成立非常设的国家处置铁路行车事故应急救援领导小组，成员单位根据铁路行车事故的严重程度、影响范围和应急处置的需要确定。

　　铁道部成立铁路行车事故应急指挥小组,下设行车事故灾难应急协调办公室,负责协助部领导处理有关事故灾难、信息收集和协调指挥等工作。

　　国家处置铁路行车事故应急救援领导小组根据铁道部建议以及相关部门和单位意见,作出应急支援决定。国务院各有关部门和地方人民政府依据分工,分头组织实施应急支援行动。

　　事发地省级人民政府成立现场救援指挥部,具体负责事故现场群众疏散安置、社会救援力量支援等方面的现场指挥和后勤保障工作;负责组织处置地方铁路和非国家铁路控股的合资铁路发生的行车事故。

3　预 防 预 警

3.1　行车事故信息报告与管理

　　铁道部负责本预案规定处理权限的铁路行车事故信息的收集、调查、处理、统计、分析、总结和报告,同时预测事故发展趋势,发布安全预警信息,制订相应预防措施。

　　铁路行车事故信息按《铁路行车事故处理规则》规定进行报告。当铁路行车事故发生后,有关人员应立即上报铁道部,最迟不得超过事故发生后 2 小时;铁道部按有关规定上报国务院,最迟不得超过接报后 2 小时;按本预案要求通知铁道部应急指挥小组成员。

　　对需要地方人民政府协助救援、协调伤员救治、现场群众疏散等工作以及可能产生较大社会影响的行车事故,发生事故的铁路运输企业,应按地方人民政府和铁路运输企业铁路行车事故应急预案规定程序,立即向事发地人民政府应急机构通报,地方人民政府应按有关程序进行处置。

　　地方铁路和非国家铁路控股的合资铁路发生Ⅰ、Ⅱ级应急响应的行车事故时,由事发地省级人民政府在事故发生后 2 小时内报铁道部行车事故灾难应急协调办公室。

3.2　行车事故预防预警系统

　　根据铁路行车事故特点和规律,适应提高科技保障安全能力的需要,铁路部门应进一步加大投入,研制开发和引进先进的安全技术装备,进一步整合和完善铁路现有各项安全检测、监控技术装备;依托现代网络技术和移动通信技术,构建完整的铁路行车安全监控信息网络,实现各类安全监测信息的自动收集与集成;逐步建立防止各类铁路行车事故的安全监控系统、事故救援指挥系统和铁路行车安全信息综合管理系统。在此基础上,逐步建成集监测、控制、管理和救援于一体的高度信息化的铁路行车安全预防预警体系。

4　应 急 响 应

4.1　分级响应

　　按铁路行车事故灾难的可控性、严重程度和影响范围,应急响应级别原则上分为Ⅰ、Ⅱ、Ⅲ、Ⅳ级。当达到本预案应急响应条件时,应启动本预案。

4.1.1　Ⅰ级应急响应

(1) 出现下列情况之一,为Ⅰ级应急响应:

① 造成 30 人以上死亡(含失踪),或危及 30 人以上生命安全,或 100 人以上中毒(重

伤)的铁路行车事故。

② 直接经济损失超过 1 亿元的铁路行车事故。

③ 铁路沿线群众需要紧急转移 10 万人以上的铁路行车事故。

④ 铁路繁忙干线遭受破坏,造成行车中断,经抢修在 48 小时内无法恢复通车。

⑤ 需要启动 I 级应急响应的其他铁路行车事故。

(2) I 级响应行动。

① I 级应急响应由铁道部报请国务院启动,或由国务院授权铁道部启动。

② 铁道部接到事故报告后,立即报告国务院,同时根据事故情况,通知国务院应急救援领导小组有关成员,组成国家处置铁路行车事故应急救援领导小组。

③ 铁道部开通与国务院有关部门、事发地省级应急救援指挥机构以及现场救援指挥部的通信联系通道,随时掌握事故进展情况。

④ 通知有关专家对应急救援方案提供咨询。

⑤ 铁道部根据专家的建议以及国务院其他部门的意见提出建议,国务院应急救援领导小组确定事故救援的支援和协调方案。

⑥ 派出有关人员和专家赶赴现场参加、指导现场应急救援。

⑦ 协调事故现场救援指挥部提出的其他支援请求。

4.1.2　II 级应急响应

(1) 符合下列情况之一,为 II 级应急响应:

① 造成 10 人以上、30 人以下死亡(含失踪),或危及 10 人以上、30 人以下生命安全,或 50 人以上、100 人以下中毒(重伤)的铁路行车事故。

② 直接经济损失为 5000 万元以上、1 亿元以下的铁路行车事故。

③ 铁路沿线群众需要紧急转移 5 万人以上、10 万人以下的铁路行车事故。

④ 铁路繁忙干线遭受破坏,造成行车中断,经抢修 24 小时内无法恢复通车。

⑤ 需要启动 II 级应急响应的其他铁路行车事故。

(2) II 级响应行动

① II 级应急响应由铁道部负责启动。

② 铁道部行车事故灾难应急协调办公室立即通知铁道部应急指挥小组有关成员前往指挥地点,并根据事故具体情况通知有关专家参加。

③ 应急指挥小组根据事故情况设立行车指挥、事故救援、事故调查、医疗救护、后勤保障、善后处理、宣传报道、治安保卫等应急协调组和现场救援指挥部。

④ 开通与事发地铁路运输企业应急救援指挥机构、事故现场救援指挥部、各应急协调组的通信联系通道,随时掌握事故进展情况。

⑤ 根据专家和各应急协调组的建议,应急指挥小组确定事故救援的支援和协调方案。

⑥ 派出有关人员和专家赶赴现场参加、指导现场应急救援工作。

⑦ 协调事故现场救援指挥部提出的支援请求。

⑧ 向国务院报告有关事故情况。

⑨ 超出本级应急救援处置能力时,及时报告国务院。

4.1.3　发生 III 级以下应急响应的行车事故,由铁路运输企业按其制定的应急预案启动。

4.2　信息共享和处理

4.2.1　铁道部通过现代网络技术,构建铁路行车安全信息管理体系,实现铁路行车安全信息集中管理、资源共享。

4.2.2　国际联运列车在境外发生行车事故时,铁道部及时与有关部门联系,了解事故情况。

4.2.3　发生Ⅰ、Ⅱ级应急响应的行车事故时,发生事故的铁路运输企业在报告铁道部的同时,应按有关规定抄报事发地省级人民政府。

4.3　通信

4.3.1　铁道部负责组织协调建立通信联系,保障事故现场信息和国务院各应急协调指挥机构的通信,必要时承担开设现场应急救援指挥机动通信枢纽的任务。

4.3.2　铁路系统内部以行车调度电话为主通信方式,各级值班电话为辅助通信方式。

4.3.3　行车事故发生后,根据事故应急处理需要,设置事故现场指挥电话和图像传输设备,确定现场联系方式,确保应急指挥联络的畅通。

4.4　指挥和协调

4.4.1　铁道部指挥协调工作

(1) 进入应急状态,铁道部应急指挥小组代表铁道部全权负责行车事故应急协调指挥工作。

(2) 铁道部应急指挥小组根据行车事故情况,提出事故现场控制行动原则和要求,调集相邻铁路运输企业救援队伍,商请有关部门派出专业救援人员;各应急机构接到事故信息和支援命令后,要立即派出有关人员和队伍赶赴现场。现场救援指挥部根据铁道部应急指挥小组的授权,统一指挥事故现场救援。各应急救援力量要按照批准的方案,相互配合,密切协作,共同实施救援起复和紧急处置行动。

(3) 现场救援指挥部成立前,由事发地铁路运输企业应急领导小组指定人员任组长并组织有关单位组成事故现场临时调查处理小组,按《铁路行车事故处理规则》的规定,开展事故现场人员救护、事故救援、机车、车辆起复和事故调查等工作,全力控制事故态势,防止事故扩大。

(4) 行车事故发生后,铁路行车指挥部门要立即封锁事故影响的区间(站场),全面做好防护工作,防止次生、衍生事故的发生和人员伤亡、财产损失的扩大。

应急状态时,铁道部有关司局和专家,要及时、主动向行车事故灾难应急协调办公室提供事故应急救援有关基础资料以及事故发生前设备技术状态和相关情况,并迅速对事故灾难信息进行分析、评估,提出应急处置方案和建议,供铁道部应急指挥小组领导决策参考。

4.4.2　事发地人民政府指挥协调工作

地方人民政府应急指挥机构根据铁路行车事故情况,对铁路沿线群众安全防护和疏散、事故造成的伤亡人员救护和安置、事故现场的治安秩序以及有关救援力量的增援提出现场行动原则和要求,并迅速组织救援力量实施救援行动。

4.5　紧急处置

4.5.1　现场处置主要依靠事发地铁路运输企业应急处置力量。事故发生后,当地铁路单位和列车工作人员应立即组织开展自救、互救,并根据《铁路行车事故处理规则》迅速上报。

4.5.2　发生铁路行车事故需要启动本预案时,铁道部、国务院有关部门和地方人民政府分别按权限组织处置。根据事故具体情况和实际需要调动应急队伍,集结专用设备、器械和药品等救援物资,落实处置措施。公安、武警对现场施行保护、警戒和协助抢救。

4.5.3　铁道部应急指挥小组根据现场请求,负责紧急调集铁路内部救援力量、专用设备和物资,参与应急处置;并通过国家处置铁路行车事故应急救援领导小组,协调组织有关部委的专业救援力量、专用设备和物资实施紧急支援。

4.5.4　涉及跨省级行政区域、影响严重的事故紧急处置方案,由铁道部提出并协调实施;必要时,报国务院决定。

4.6　救护和医疗

4.6.1　行车事发地人民政府负责现场组织协调有关医疗救护工作。

4.6.2　卫生部门根据铁道部应急指挥小组的请求,负责协调组织医疗救护、医疗专家、特种药品和特种救治装备进行支援,协调组织现场卫生防疫有关工作。

4.6.3　事发地铁路运输企业按照本单位应急预案中确定的医疗救护网点,迅速联系地方医疗机构,配合协助医疗部门开展紧急医疗救护和现场卫生处置。

4.6.4　对可能导致疫病发生的行车事故,铁路运输企业应立即通知卫生防疫部门采取防疫措施。

4.7　应急人员的防护

应急救援起复方案,必须在确保现场人员安全的情况下实施。应急救援人员的自身安全防护,必须按设备、设施操作规程和标准执行。参加应急救援和现场指挥、事故调查处理的人员,必须配带具有明显标识并符合防护要求的安全帽、防护服、防护靴等。根据需要,由铁道部应急指挥小组和事发地人民政府具体协调调集相应的安全防护装备。

4.8　群众的安全防护

4.8.1　凡旅客列车发生的行车事故需要应急救援时,必须先将旅客和列车乘务人员疏散到安全区域后方准开始应急救援。

4.8.2　凡需要对旅客进行安全防护、疏散时,由铁路运输企业按其应急救援预案进行安全防护和疏散。需要对沿线群众进行安全防护、疏散时,铁路运输企业应立即通知事发地人民政府,由地方人民政府负责进行安全防护和疏散。

4.8.3　旅客、群众安全防护和事故处理期间的治安管理,由公安机关和武警部队负责。

4.9　社会力量的动员与参与

需社会力量参与时,由铁道部应急指挥小组协调地方人民政府实施,并纳入地方人民政府应急救援预案。社会力量参与应急救援,应在现场救援指挥部统一领导下开展工作。

4.10　突发事件的调查处理及损失评估

Ⅰ级应急响应的铁路行车事故调查处理,由国务院或国务院授权组织调查组负责。其他铁路行车事故的调查处理,按《铁路行车事故处理规则》有关规定,由铁道部负责。

行车事故的损失评估,按铁路有关规定执行。

4.11　信息发布

铁道部或被授权的铁路局负责行车事故的信息发布工作。如发生影响较大的行车事故,要及时发布准确、权威的信息,正确引导社会舆论。要指定专人负责信息舆论工作,迅速拟订信息发布方案,确定发布内容,及时采用适当方式发布信息,并组织好相关报道。

4.12 应急结束

当行车事故发生现场对人员、财产、公共安全的危害性消除，伤亡人员和旅客、群众已得到医疗救护和安置，财产得到妥善保护，列车恢复正常运输后，经现场救援指挥部批准，现场应急救援工作结束。应急救援队伍撤离现场，按"谁启动、谁结束"的原则，宣布应急结束。完成行车事故救援起复后期处置工作后，现场救援指挥部要对整个应急救援情况进行总结，并写出报告报送铁道部行车事故灾难应急协调办公室。

5 后期处置

5.1 善后处理

事发地铁路运输企业负责按照法律法规规定，及时对受害旅客、货主、群众及其家属进行补偿或赔偿；负责清除事故现场有害残留物，或将其控制在安全允许的范围内。铁道部和地方人民政府应急指挥机构共同协调处理好有关工作。

5.2 保价保险

铁路行车事故发生后，由善后处理组通知有关保险机构及时赶赴事故现场，开展应急救援人员现场保险及伤亡人员和财产保险的理赔工作；对涉及保价运输的货物损失，由善后处理组按铁路有关保价规定理赔。

5.3 铁路行车事故应急经验教训总结及改进建议

按照《铁路行车事故处理规则》规定，根据现场救援指挥部提交的铁路行车事故报告和应急救援总结报告，铁道部行车事故灾难应急协调办公室组织总结分析应急救援经验教训，提出改进应急救援工作的意见和建议，报送铁道部应急指挥小组。

铁道部、国务院有关部门和事发地省级人民政府应急指挥机构，应根据实际应急救援行动情况进行总结分析，并提交总结报告。

6 保障措施

6.1 通信与信息保障

铁道部负责组织协调通信工作，保证应急救援时通信的畅通。

铁道部负责组织建立统一的国家铁路和国家铁路控股的合资铁路行车事故灾难应急救援指挥系统，逐步整合行车设备状态信息、地理信息、沿线视频信息，并结合行车事故灾害现场动态图像信息和救援预案，建立铁路运输安全综合信息库，为抢险救援提供决策支持。

6.2 救援装备和应急队伍保障

铁道部根据铁路救援体系建设规划，协调、检查、促进铁路应急救援基地建设，强化完善救援队伍建设，保证应急状态时的调用。

铁道部要进一步优化和强化以救援列车、救援队、救援班为主体的救援抢险网络，合理配置救援资源；采用先进的救援装备和安全防护器材，制订各类救援起复专业技术方案；积极开展技能培训和演练，提高快速反应和救援起复能力。

6.3 交通运输保障

启动应急预案期间，事发地人民政府和铁路运输企业按管理权限调动管辖范围内的交通工具,任何单位和个人不得拒绝。根据现场需要,由地方人民政府协调地方公安交通管理部门实行必要的交通管制,维持应急处置期间的交通运输秩序。

6.4　医疗卫生保障

地方卫生行政部门应制定相应的医疗卫生保障应急预案,明确铁路沿线可用于应急救援的医疗救治资源和卫生防疫机构能力与分布情况,提出可调用方案,检查监督本行政区域内医疗卫生防疫单位的应急准备保障措施。

各铁路运输企业在制定应急预案时,应按照地方卫生行政部门确定的承担铁路行车事故医疗卫生防疫机构名录,明确不同地区、不同线路发生行车事故时医疗卫生机构地址、联系方式,并制订应急处置行动方案,确保应急处置及时有效。

6.5　治安保障

各级应急处置预案中,要明确事故现场负责治安保障的公安机关负责人,安排足够的警力做好应急期间各阶段、各场所的治安保障工作。

6.6　物资保障

铁路运输企业要按规定备足必需的应急抢险路料及备用器材、设施,专人负责,定期检查。

6.7　资金保障

铁路运输企业财会部门要采取得力措施,确保铁路行车事故应急处置的资金需求。铁路行车事故应急救援费用、善后处理费用和损失赔偿费用由事故责任单位承担,事故责任单位无力承担的,由地方人民政府和铁道部按管理权限协调解决。应急处置工作经费保障按《财政应急保障预案》规定实施。

6.8　技术储备与保障

铁道部行车事故灾难应急协调办公室负责专家库、技术资料等的建立、完善和更新。

7　宣传、培训和演习

7.1　宣传教育

地方各级人民政府要积极利用电视、广播、报刊等新闻媒体,广泛宣传应急法律法规和公众避险、自救、互救知识,提高公众自我保护能力和守法意识。

铁道部要结合铁路行业实际,全面开展宣传教育工作,提高全体职工和公众的安全意识。

7.2　培训

按照分级管理的原则,铁道部、国务院有关部门和地方人民政府要组织各级应急管理机构以及专业救援队伍的人员进行上岗前培训,定期进行救援知识的专业培训,提高救援技能。

7.3　演练

铁道部要有计划地按应急救援要求每年进行一次演习和演练。根据需要,可开展国内外的工作交流,提高铁路行业应急处置实战能力。

8　附　则

8.1　名词术语的定义与说明

铁路行车事故性质按《铁路行车事故处理规则》规定的构成条件确定。

本预案有关数量的表述中,"以上"含本数,"以下"不含本数。

8.2 预案管理与更新

随着应急救援法律法规的制定和完善、部门职责的变化以及应急过程中存在的问题和出现的新情况,铁道部应及时修订完善本预案。

8.3 奖励与责任追究

对实施本应急预案行动中表现突出的单位和人员,由各级应急领导(指挥)小组给予表彰和奖励;在应急处置中因公殉职的人员需追认烈士时,由地方人民政府负责按有关程序办理。对玩忽职守、严重失职造成事故的责任人,根据国家有关法律法规的规定,按照管理权限,给予行政处罚;构成犯罪的,依法追究刑事责任。

8.4 预案实施时间

本预案自印发之日起实施。

附录 10

国家突发公共事件总体应急预案

1 总 则

1.1 编制目的

提高政府保障公共安全和处置突发公共事件的能力,最大程度地预防和减少突发公共事件及其造成的损害,保障公众的生命财产安全,维护国家安全和社会稳定,促进经济社会全面、协调、可持续发展。

1.2 编制依据

依据宪法及有关法律、行政法规,制定本预案。

1.3 分类分级

本预案所称突发公共事件是指突然发生,造成或者可能造成重大人员伤亡、财产损失、生态环境破坏和严重社会危害,危及公共安全的紧急事件。

根据突发公共事件的发生过程、性质和机理,突发公共事件主要分为以下四类:

(1)自然灾害。主要包括水旱灾害,气象灾害,地震灾害,地质灾害,海洋灾害,生物灾害和森林草原火灾等。

(2)事故灾难。主要包括工矿商贸等企业的各类安全事故,交通运输事故,公共设施和设备事故,环境污染和生态破坏事件等。

(3)公共卫生事件。主要包括传染病疫情,群体性不明原因疾病,食品安全和职业危害,动物疫情,以及其他严重影响公众健康和生命安全的事件。

(4)社会安全事件。主要包括恐怖袭击事件,经济安全事件和涉外突发事件等。

各类突发公共事件按照其性质、严重程度、可控性和影响范围等因素,一般分为四级:Ⅰ级(特别重大)、Ⅱ级(重大)、Ⅲ级(较大)和Ⅳ级(一般)。

1.4 适用范围

本预案适用于涉及跨省级行政区划的,或超出事发地省级人民政府处置能力的特别重大突发公共事件应对工作。

本预案指导全国的突发公共事件应对工作。

1.5 工作原则

(1)以人为本,减少危害。切实履行政府的社会管理和公共服务职能,把保障公众健康和生命财产安全作为首要任务,最大程度地减少突发公共事件及其造成的人员伤亡和危害。

(2)居安思危,预防为主。高度重视公共安全工作,常抓不懈,防患于未然。增强忧患意识,坚持预防与应急相结合,常态与非常态相结合,做好应对突发公共事件的各项准备工作。

(3)统一领导,分级负责。在党中央、国务院的统一领导下,建立健全分类管理、分级负责,条块结合、属地管理为主的应急管理体制,在各级党委领导下,实行行政领导责任制,充分发挥专业应急指挥机构的作用。

(4)依法规范,加强管理。依据有关法律和行政法规,加强应急管理,维护公众的合法权益,使应对突发公共事件的工作规范化、制度化、法制化。

（5）快速反应,协同应对。加强以属地管理为主的应急处置队伍建设,建立联动协调制度,充分动员和发挥乡镇、社区、企事业单位、社会团体和志愿者队伍的作用,依靠公众力量,形成统一指挥、反应灵敏、功能齐全、协调有序、运转高效的应急管理机制。

（6）依靠科技,提高素质。加强公共安全科学研究和技术开发,采用先进的监测、预测、预警、预防和应急处置技术及设施,充分发挥专家队伍和专业人员的作用,提高应对突发公共事件的科技水平和指挥能力,避免发生次生、衍生事件;加强宣传和培训教育工作,提高公众自救、互救和应对各类突发公共事件的综合素质。

1.6 应急预案体系

全国突发公共事件应急预案体系包括:

（1）突发公共事件总体应急预案。总体应急预案是全国应急预案体系的总纲,是国务院应对特别重大突发公共事件的规范性文件。

（2）突发公共事件专项应急预案。专项应急预案主要是国务院及其有关部门为应对某一类型或某几种类型突发公共事件而制定的应急预案。

（3）突发公共事件部门应急预案。部门应急预案是国务院有关部门根据总体应急预案、专项应急预案和部门职责为应对突发公共事件制定的预案。

（4）突发公共事件地方应急预案。具体包括:省级人民政府的突发公共事件总体应急预案、专项应急预案和部门应急预案;各市(地)、县(市)人民政府及其基层政权组织的突发公共事件应急预案。上述预案在省级人民政府的领导下,按照分类管理、分级负责的原则,由地方人民政府及其有关部门分别制定。

（5）企事业单位根据有关法律法规制定的应急预案。

（6）举办大型会展和文化体育等重大活动,主办单位应当制定应急预案。

各类预案将根据实际情况变化不断补充、完善。

2 组织体系

2.1 领导机构

国务院是突发公共事件应急管理工作的最高行政领导机构。在国务院总理领导下,由国务院常务会议和国家相关突发公共事件应急指挥机构(以下简称相关应急指挥机构)负责突发公共事件的应急管理工作;必要时,派出国务院工作组指导有关工作。

2.2 办事机构

国务院办公厅设国务院应急管理办公室,履行值守应急、信息汇总和综合协调职责,发挥运转枢纽作用。

2.3 工作机构

国务院有关部门依据有关法律、行政法规和各自的职责,负责相关类别突发公共事件的应急管理工作。具体负责相关类别的突发公共事件专项和部门应急预案的起草与实施,贯彻落实国务院有关决定事项。

2.4 地方机构

地方各级人民政府是本行政区域突发公共事件应急管理工作的行政领导机构,负责本行政区域各类突发公共事件的应对工作。

2.5 专家组

国务院和各应急管理机构建立各类专业人才库,可以根据实际需要聘请有关专家组成专家组,为应急管理提供决策建议,必要时参加突发公共事件的应急处置工作。

3 运 行 机 制

3.1 预测与预警

各地区、各部门要针对各种可能发生的突发公共事件,完善预测预警机制,建立预测预警系统,开展风险分析,做到早发现、早报告、早处置。

3.1.1 预警级别和发布

根据预测分析结果,对可能发生和可以预警的突发公共事件进行预警。预警级别依据突发公共事件可能造成的危害程度、紧急程度和发展势态,一般划分为四级:Ⅰ级(特别严重)、Ⅱ级(严重)、Ⅲ级(较重)和Ⅳ级(一般),依次用红色、橙色、黄色和蓝色表示。

预警信息包括突发公共事件的类别、预警级别、起始时间、可能影响范围、警示事项、应采取的措施和发布机关等。

预警信息的发布、调整和解除可通过广播、电视、报刊、通信、信息网络、警报器、宣传车或组织人员逐户通知等方式进行,对老、幼、病、残、孕等特殊人群以及学校等特殊场所和警报盲区应当采取有针对性的公告方式。

3.2 应急处置

3.2.1 信息报告

特别重大或者重大突发公共事件发生后,各地区、各部门要立即报告,最迟不得超过 4 小时,同时通报有关地区和部门。应急处置过程中,要及时续报有关情况。

3.2.2 先期处置

突发公共事件发生后,事发地的省级人民政府或者国务院有关部门在报告特别重大、重大突发公共事件信息的同时,要根据职责和规定的权限启动相关应急预案,及时、有效地进行处置,控制事态。

在境外发生涉及中国公民和机构的突发事件,我驻外使领馆、国务院有关部门和有关地方人民政府要采取措施控制事态发展,组织开展应急救援工作。

3.2.3 应急响应

对于先期处置未能有效控制事态的特别重大突发公共事件,要及时启动相关预案,由国务院相关应急指挥机构或国务院工作组统一指挥或指导有关地区、部门开展处置工作。

现场应急指挥机构负责现场的应急处置工作。

需要多个国务院相关部门共同参与处置的突发公共事件,由该类突发公共事件的业务主管部门牵头,其他部门予以协助。

3.2.4 应急结束

特别重大突发公共事件应急处置工作结束,或者相关危险因素消除后,现场应急指挥机构予以撤销。

3.3 恢复与重建

3.3.1 善后处置

要积极稳妥、深入细致地做好善后处置工作。对突发公共事件中的伤亡人员、应急处置工作人员，以及紧急调集、征用有关单位及个人的物资，要按照规定给予抚恤、补助或补偿，并提供心理及司法援助。有关部门要做好疫病防治和环境污染消除工作。保险监管机构督促有关保险机构及时做好有关单位和个人损失的理赔工作。

3.3.2 调查与评估

要对特别重大突发公共事件的起因、性质、影响、责任、经验教训和恢复重建等问题进行调查评估。

3.3.3 恢复重建

根据受灾地区恢复重建计划组织实施恢复重建工作。

3.4 信息发布

突发公共事件的信息发布应当及时、准确、客观、全面。事件发生的第一时间要向社会发布简要信息，随后发布初步核实情况、政府应对措施和公众防范措施等，并根据事件处置情况做好后续发布工作。

信息发布形式主要包括授权发布、散发新闻稿、组织报道、接受记者采访、举行新闻发布会等。

4 应急保障

各有关部门要按照职责分工和相关预案做好突发公共事件的应对工作，同时根据总体预案切实做好应对突发公共事件的人力、物力、财力、交通运输、医疗卫生及通信保障等工作，保证应急救援工作的需要和灾区群众的基本生活，以及恢复重建工作的顺利进行。

4.1 人力资源

公安(消防)、医疗卫生、地震救援、海上搜救、矿山救护、森林消防、防洪抢险、核与辐射、环境监控、危险化学品事故救援、铁路事故、民航事故、基础信息网络和重要信息系统事故处置，以及水、电、油、气等工程抢险救援队伍是应急救援的专业队伍和骨干力量。地方各级人民政府和有关部门、单位要加强应急救援队伍的业务培训和应急演练，建立联动协调机制，提高装备水平；动员社会团体、企事业单位以及志愿者等各种社会力量参与应急救援工作；增进国际间的交流与合作。要加强以乡镇和社区为单位的公众应急能力建设，发挥其在应对突发公共事件中的重要作用。

中国人民解放军和中国人民武装警察部队是处置突发公共事件的骨干和突击力量，按照有关规定参加应急处置工作。

4.2 财力保障

要保证所需突发公共事件应急准备和救援工作资金。对受突发公共事件影响较大的行业、企事业单位和个人要及时研究提出相应的补偿或救助政策。要对突发公共事件财政应急保障资金的使用和效果进行监管和评估。

鼓励自然人、法人或者其他组织(包括国际组织)按照《中华人民共和国公益事业捐赠法》等有关法律、法规的规定进行捐赠和援助。

4.3　物资保障

要建立健全应急物资监测网络、预警体系和应急物资生产、储备、调拨及紧急配送体系，完善应急工作程序，确保应急所需物资和生活用品的及时供应，并加强对物资储备的监督管理，及时予以补充和更新。

地方各级人民政府应根据有关法律、法规和应急预案的规定，做好物资储备工作。

4.4　基本生活保障

要做好受灾群众的基本生活保障工作，确保灾区群众有饭吃、有水喝、有衣穿、有住处、有病能得到及时医治。

4.5　医疗卫生保障

卫生部门负责组建医疗卫生应急专业技术队伍，根据需要及时赴现场开展医疗救治、疾病预防控制等卫生应急工作。及时为受灾地区提供药品、器械等卫生和医疗设备。必要时，组织动员红十字会等社会卫生力量参与医疗卫生救助工作。

4.6　交通运输保障

要保证紧急情况下应急交通工具的优先安排、优先调度、优先放行，确保运输安全畅通；要依法建立紧急情况社会交通运输工具的征用程序，确保抢险救灾物资和人员能够及时、安全送达。

根据应急处置需要，对现场及相关通道实行交通管制，开设应急救援"绿色通道"，保证应急救援工作的顺利开展。

4.7　治安维护

要加强对重点地区、重点场所、重点人群、重要物资和设备的安全保护，依法严厉打击违法犯罪活动。必要时，依法采取有效管制措施，控制事态，维护社会秩序。

4.8　人员防护

要指定或建立与人口密度、城市规模相适应的应急避险场所，完善紧急疏散管理办法和程序，明确各级责任人，确保在紧急情况下公众安全、有序的转移或疏散。

要采取必要的防护措施，严格按照程序开展应急救援工作，确保人员安全。

4.9　通信保障

建立健全应急通信、应急广播电视保障工作体系，完善公用通信网，建立有线和无线相结合、基础电信网络与机动通信系统相配套的应急通信系统，确保通信畅通。

4.10　公共设施

有关部门要按照职责分工，分别负责煤、电、油、气、水的供给，以及废水、废气、固体废弃物等有害物质的监测和处理。

4.11　科技支撑

要积极开展公共安全领域的科学研究；加大公共安全监测、预测、预警、预防和应急处置技术研发的投入，不断改进技术装备，建立健全公共安全应急技术平台，提高我国公共安全科技水平；注意发挥企业在公共安全领域的研发作用。

5 监督管理

5.1 预案演练

各地区、各部门要结合实际,有计划、有重点地组织有关部门对相关预案进行演练。

5.2 宣传和培训

宣传、教育、文化、广电、新闻出版等有关部门要通过图书、报刊、音像制品和电子出版物、广播、电视、网络等,广泛宣传应急法律法规和预防、避险、自救、互救、减灾等常识,增强公众的忧患意识、社会责任意识和自救、互救能力。各有关方面要有计划地对应急救援和管理人员进行培训,提高其专业技能。

5.3 责任与奖惩

突发公共事件应急处置工作实行责任追究制。

对突发公共事件应急管理工作中做出突出贡献的先进集体和个人要给予表彰和奖励。

对迟报、谎报、瞒报和漏报突发公共事件重要情况或者应急管理工作中有其他失职、渎职行为的,依法对有关责任人给予行政处分;构成犯罪的,依法追究刑事责任。

6 附　则

6.1 预案管理

根据实际情况的变化,及时修订本预案。

本预案自发布之日起实施。

索　引

参 考 文 献

1 Piero Marmenante. contingency planning industrial emergencies. Van Nostrand Reihold, 1991

2 Robert Bkelly. industrial emergency preparedness. Van Nostrand Reihold, 1989

3 Center for chemical process safety of the American institute of chemical engineers. guidelines for technical planning for on–site emergency, 1995

4 中国地震局,中国灾害防御协会.许厚德主编译.地方政府在紧急事务管理中的原则和实际工作(内部资料)

5 王自齐,赵金垣编.化学事故与应急救援.北京:化学工业出版社,1997

6 赵国辉主编.化学突发事故应急.北京:兵器工业出版社,1996

7 化工部北京化工研究院环保所.李政禹等编译.有毒化学品和有害废物的安全与控制.1993

8 吴宗之,高进东,魏利军.危险评价方法及其应用.北京:冶金工业出版社,2001

9 吴宗之.建立我国重大事故应急系统探讨.全国安全生产管理、法规研讨会论文集.中国劳动保护科学技术学会编,1994 年山西太原

10 刘茂,吴宗之.工业事故灾害应急救援系统设计.化工安全与环境,2002,(14)5

11 吴宗之.重大事故应急计划要素及其制定程序.中国安全科学学报,2002,12(1):14~18

12 吴宗之,刘茂.重大事故应急预案分级、分类体系及其基本内容.中国安全科学学报,2003,(1):15~18

13 丛慧玲,刘新河.我国核电厂核事故应急计划与准备.中国国际安全生产论坛论文集,国家安全生产监督管理局,国际劳工组织,2002 年 10 月北京,(内部资料)

14 Awareness and Preparedness for Emergency of local level, UNEP, 1988

15 吴宗之,高进东.重大危险源辨识与控制.北京:冶金工业出版社,2001